全国模具行业产教融合共同体建设教材

新能源汽车材料与轻量化技术

苏一畅　牛丽媛　徐作文　主编

化学工业出版社
·北京·

内容简介

本书以汽车各系统（车身、内外饰、底盘、三电系统等）的轻量化材料为主线展开，系统地介绍了新能源汽车轻量化涉及的各项材料与工艺技术知识，涵盖金属（高强钢，铝、镁合金等）、非金属（塑料、碳纤维复合材料等）材料体系，三电（电池、电机、电控）系统轻量化技术及连接工艺（焊接、机械连接、胶黏），等等。书中内容是编者多年工作经验的总结，是汽车整车和零部件开发设计的基础。

本书内容前沿，与国际发展同步，兼具理论深度与工程实用性，构建"材料-工艺-设计-评价"全链条技术图谱，建立了全生命周期成本模型与多目标验证体系，提供系统化的轻量化解决方案。

本书可供新能源汽车材料设计、工艺研发的技术人员阅读，也可作为新能源汽车相关专业高等/职业院校师生的教材。

图书在版编目（CIP）数据

新能源汽车材料与轻量化技术 / 苏一畅，牛丽媛，徐作文主编. -- 北京 ：化学工业出版社，2026. 2.

ISBN 978-7-122-49569-3

Ⅰ. U465

中国国家版本馆 CIP 数据核字第 2025JQ8490 号

责任编辑：刘丽宏　　　　文字编辑：张　琳
责任校对：宋　玮　　　　装帧设计：刘丽华

出版发行：化学工业出版社
（北京市东城区青年湖南街 13 号　邮政编码 100011）
印　　装：北京天宇星印刷厂
710mm×1000mm　1/16　印张 15　字数 295 千字
2026 年 3 月北京第 1 版第 1 次印刷

购书咨询：010-64518888　　售后服务：010-64518899
网　　址：http：//www. cip. com. cn
凡购买本书，如有缺损质量问题，本社销售中心负责调换。

定　　价：88. 00 元

《新能源汽车材料与轻量化技术》
编写组

主　　编　苏一畅　牛丽媛　徐作文

副 主 编　谢　恺　夏明辉　袁作文

其他参编人员（按姓氏笔画排序）

王方玉　王纳新　邢汶平　李光玉　李志虎
李宝泉　张　宁　张明珠　张然然　张　毅
沈长海　陈伊宁　武卫星　金泉军　胡光山
贺丽丽　郭美玲　曹　磊　黄　浩　程　云
詹绍薇　熊建民

序

新能源汽车作为全球汽车产业转型升级的战略方向，其核心技术的突破离不开材料科学与制造工艺的创新变革。在“双碳”目标的驱动下，轻量化技术已成为新能源汽车实现能效跃升的关键途径。值此《新能源汽车材料与轻量化技术》付梓之际，我欣然提笔作序。

犹记2010年夏，在温州举办的激光加工技术峰会上，我与牛丽媛教授领衔的汽车材料创新团队初次结识。彼时，牛教授正在专题论坛上阐释混合材料车身的连接技术，其团队提出的“梯度界面调控”理论让我耳目一新。更让我印象深刻的是，这位深耕汽车材料技术三十余载的学者，始终对产业痛点保持着敏锐的洞察力——从镁合金的腐蚀机理到碳纤维的界面效应，从异种材料的应力匹配到回收体系的闭环设计，每个技术细节都凝聚着团队扎根产业的实践智慧。

这支跨学科团队堪称产学研协同创新的典范。苏一畅博士在浙江大学博士后工作站期间，成功研发出拥有自主知识产权的碳纤维复合材料车身技术，并开创了高效模压成型技术。尤其值得称赞的是，牛丽媛教授、李光玉教授带领团队将高功率激光焊接技术应用于异种轻量化材料连接领域。这些突破性成果在本书中均有系统的论述，展现了从基础研究到工程应用的完整创新链条。

作为长期投身激光制造技术研究的科技工作者，我深切地认识到，新能源汽车轻量化并非单纯的材料替换，而是需要材料科学家、产品设计师和工艺工程师的深度协作与融合。本书作者团队正是凭借这种交叉创新的勇气，在异质材料界面科学、绿色制造工艺等领域开拓出了新的天地。期待这部凝聚着中国科研工作者智慧的专著，能为全球新能源汽车产业注入新的技术动力，更期盼团队在环保回收技术与数字化材料工程领域再登高峰，为中国智造谱写新的篇章。

中国科学院院士、天津大学教授

姚建铨

2025 年于天津大学

自序
——轻量化之路：新能源汽车探索

合上这部凝聚着团队无数个日夜所付出的心血的书稿，眼前仿佛又浮现出那些在实验室里闪烁的仪器指示灯、盐雾试验箱旁密密麻麻的记录表格、视频会议里因一个参数争得面红耳赤的场景，还有生产线上反复校准工艺时机器运转的轰鸣声。那些曾经的技术参数与试验数据，此刻都化作文字跃然纸上。

在材料科学试验中浸泡了十余年，我往返于实验室、生产现场与讲台之间。每当触摸到铝合金与碳纤维部件的精密纹路，总能深切感受到金属材料的冷硬质感、非金属材料蕴含的温度，以及技术参数背后承载的责任。那责任，是每个新能源汽车人对“轻”与“好”的执着。

这种感悟始于我的博士后工作，我研发的车用碳纤维零部件与车身技术，有幸用于轻量化新车型项目“铝合金碳纤维混合车身开发”，我与团队致力于探寻汽车轻量化与安全性的最优解，并建立了国产碳纤维车身设计和制造的流程及规范。

在本书作者团队的技术攻坚历程中，行业专家以深厚的专业积淀与精益求精的工匠精神，成为当之无愧的追光者：

技术总工牛丽媛教授自2015年起担任团队技术负责人。她是韩国釜山国立大学的博士后，曾在中国第一汽车集团有限公司技术中心工作二十余载，将多年的经验转化为创新动力，牵头开发几十项国家专利技术，致力于新能源汽车新材料、新工艺和高性能锂电池材料的开发。

团队的徐作文部长曾任职于奇瑞汽车、吉利汽车研究院并担任总工程师等职。他凭借二十余年汽车行业经验，主导汽车安全性能开发、CAE（计算机辅助工程）仿真，获国家专利授权49项。

团队的技术顾问吉林大学李光玉教授指导开发新型轻量化技术，助力团队在“碳纤维与钢”“碳纤维与铝”等异种材料连接技术等方面实现核心技术突破。

团队成员李志虎、熊建民总师等带头开发座椅骨架结构轻量化技术，在不影响骨架性能、舒适性与功能的前提下，对座椅骨架的尺寸与结构等进行设计优化；同时开发轻合金仪表板横梁技术，有效促进了新能源车型的开发和产品性能提升。

张然然等采用独特的超差专利技术孔与特殊结构设计，解决了碳纤维复合材料混合车身在线电泳涂装的问题，在异种材料因热胀系数不同导致的连接可靠性问题及防止电化学腐蚀方面实现技术突破，且在车身性能试验中验证有效。

谨以此书致敬所有为新能源汽车事业奉献的追光者。当未来的人们回顾汽车工业的转型历程，这些凝结在试验数据、设计图纸与工艺文件中的技术探索，终将成为文明进步的重要注脚。

本书既可作为高等院校新能源汽车专业的核心教材（每章配置“思考题”模块并提供实验建议），亦适合产业链各环节从业者参考（本书包含量产案例）。鉴于轻量化技术的高速迭代特性，诚挚欢迎业界同仁通过邮箱 charisclear@vip.qq.com 指正书中的技术参数偏差或理论模型局限，所有有效建议将在再版时纳入知识库迭代体系。

本书技术路线均通过 CNAS 认证实验室验证，实际应用需遵循具体工况规范。

苏一畅

前　言

近年来，随着人们环境保护意识的增强和能源结构的转型，新能源汽车产业迎来了前所未有的发展机遇。新能源汽车以其低碳环保、节能减排的特点，逐渐成为未来汽车产业的发展方向。在技术进步和政策支持的双重推动下，新能源汽车产业不断取得新的突破。这为新能源汽车专业提供了广阔的发展空间，使得该专业的相关人才在就业市场上备受青睐。

为了适应新能源汽车产业的快速发展，以及适时填补新能源汽车领域高技能人才的需求缺口，各高校纷纷设立新能源汽车专业，相关企业也在积极开展相关从业人员的技术培训。

本书适应当前新能源汽车产业快速发展与人才培养的需求，对新能源汽车材料及轻量化工艺技术的实现进行了系统阐述。

内容特色如下：

（1）以轻量化材料与技术实现为主线，结合汽车各系统（车身、内外饰、底盘、三电系统等）的特点，全面阐述汽车各系统的轻量化选材、工艺设计和应用关键点；

（2）通过典型应用实例，结合细致的工艺设计、选材方案，系统介绍了新能源汽车轻量化涉及的各项材料、关键工艺及应用技术；

（3）注重新技术、新知识的实际应用，内容力求与我国当前新能源汽车轻量化的技术需求以及现代汽车轻量化材料的发展同步，书中各种轻量化材料组合设计、新型轻量化材料涂装工艺以及在整车开发设计过程中的涂装同步工程分析均为作者团队原创，在新能源汽车领域极具先进性和前瞻性。

本书具有以下创新性：（1）提出多维度协同设计理论（如强度梯度分布×拓扑优化×连接工艺简化）；（2）开发新型材料（6063-0.5Si-Cu-Mg 系铝合金等）与工艺（一体化压铸、摩擦元件焊）；（3）集成 ICME（集成计算材料工程）、数字孪生等技术提升效率；（4）构建钢铝镁混合车身刚度补偿算法，突破异种材料连接瓶颈；（5）通过三级验证体系［CAE（计算机辅助工程）仿真-台架试验-实车验证］实现轻量化工程落地，为新能源汽车“减重-降本-提效-安全”闭环提供支撑。书中十余项自主研发成果已用于主机厂生产实践，为新能源汽车产业提供了兼具理论深度与工程实践价值的创新范式。

由于时间仓促，书中难免存在不足之处，恳请广大读者批评指正。

编者

目录

第1章 绪　论

1.1 新能源汽车与轻量化

1.1.1 轻量化技术基本概念解析

(1) 新能源汽车与轻量化技术　在全球倡导绿色出行与可持续发展的大背景下，新能源汽车作为一种完全或主要依赖新型能源驱动的交通工具，已成为汽车产业的重要发展方向。

新能源汽车还具备成本优势，以纯电动汽车为例，纯电动汽车日常使用成本优势显著，每公里行驶成本约为传统燃油车的五分之一，经济性远超燃油车[1]。但纯电动汽车的三电（电池、电机、电控）系统在提供动力的同时，增加了额外重量，这不仅影响动力性能，还导致续驶里程缩短[2]。

轻量化技术作为解决上述问题的关键路径，具有不可替代的重要性。它整合材料技术、工艺技术、设计技术、连接技术以及评价技术等，形成了一项综合性工程。

(2) 汽车轻量化的定义与评价体系

① 汽车轻量化技术定义。汽车轻量化技术即在确保车辆安全性和NVH（噪声、振动、声振粗糙度）性能的基础上，通过多维度协同作用，实现整车质量降低的技术集合。

② 轻量化评价体系。对于乘用车，我国汽车行业一般采用名义密度和整车轻量化系数两个参数来描述乘用车整车轻量化水平。

a. 名义密度。名义密度定义为整车质量与车身体积的比值，该参数反映了整车轻量化的水平，名义密度小的车辆轻量化水平高。其计算公式为

$$D=M/V \tag{1-1}$$

式中　D——名义密度，单位为 kg/m^3；

M——整车质量，单位为 kg；

V——车身体积，单位为 m^3。

我国各系车型的名义密度对比见图 1-1，新能源汽车产品的名义密度明显偏大，因此更需要通过轻量化技术来平衡使用动力电池带来的质量增加[3]。

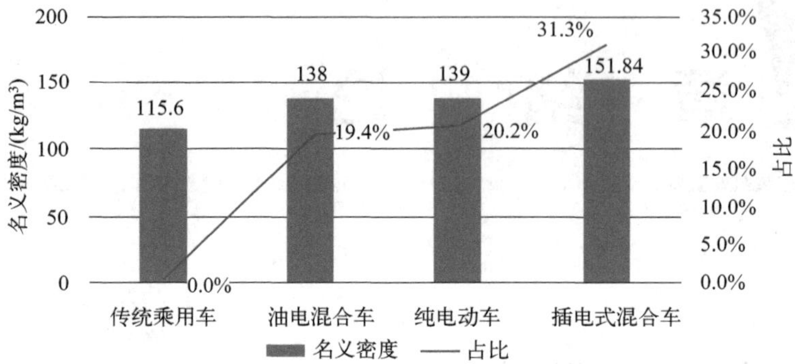

图 1-1　国内新能源汽车与传统乘用车的名义密度对比

b. 整车轻量化系数。中国汽车工程学会制定了 T/CSAE 115—2019《乘用车整车轻量化系数计算方法》标准，明确了具体的计算方法[4]。

纯电动乘用车整车轻量化系数（L_{ev}）的计算公式为：

$$L_{ev}=\frac{M_{ev}}{V}\times\frac{M_{ev}}{P_{ev}}\times\frac{Y}{A} \tag{1-2}$$

式中　L_{ev}——电动汽车整车轻量化系数，单位为 $10^{-1}\ \frac{g^2 \cdot kWh}{m^6 \cdot W}$；

M_{ev}——电动汽车整车质量，单位为 kg；

P_{ev}——电机峰值功率，即所有驱动电机峰值功率之和，单位为 kW，对于纯电动车，峰值功率的数值等于所有驱动电机的总功率之和；

Y——电能消耗量，单位为 kWh/100km；

A——汽车轮胎与水平地面的接触区域的面积，单位为 m^2。

轻量化系数越小，相同尺寸和材料条件下的车身质量越低，轻量化程度越高。

随着车身材料的多样化和结构设计的复杂化，车身轻量化系数的计算也在不断演进和完善。例如，对于采用复合材料或混合材料的车身，其轻量化系数的计算则需要更加精细化的模型和参数。

1.1.2　新能源汽车轻量化技术路径

汽车轻量化的技术路径主要包括结构的轻量化、材料的轻量化以及先进制造技术的运用三个层面[5]。如图 1-2，从三个途径入手实现整车结构的轻量化[6]：

其一，开发并应用轻量化材料，如轻质合金与纤维复合材料。其二，运用结构优化设计方法，包括全局优化和局部优化。全局优化从整车架构出发，综合考虑各部件协同效应，对整车结构进行系统优化；局部优化则针对车身特定部位，依据其受力特点与功能需求进行精细设计，在不影响整体性能的前提下实现减重。全局优化侧重于整车架构的协同设计，而局部优化聚焦于关键部件的精细化设计，两者结合实现系统性减重。其三，采用先进制造工艺，这不仅能提高生产效率与产品质量，还能为轻量化材料应用和结构优化设计的落地提供技术保障，确保轻量化设计得以精准实施。通过这三个途径的协同推进，最终实现整车结构的轻量化设计，从而有效提升纯电动车的续航里程与整体性能。

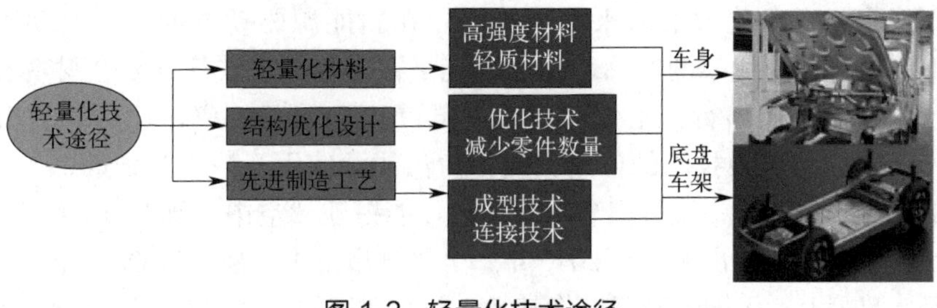

图 1-2　轻量化技术途径

从新能源汽车的系统的角度出发，达成轻量化目标的核心路径，在于从车身系统、三电系统、底盘系统以及内外饰系统等多个维度，实施全方位、系统性的轻量化设计策略。以纯电动汽车作为典型案例进行剖析，如图 1-3 所示[7]，车身、三电、底盘以及内外饰系统的质量，总计占据整车质量的 90%。这充分表明，这些系统无疑是实现新能源汽车轻量化的关键突破点。对上述系统开展科学合理的减重设计，不仅能够有效提升新能源汽车的整体性能表现，而且在降低能耗、削减成本等方面，同样发挥着举足轻重的作用。

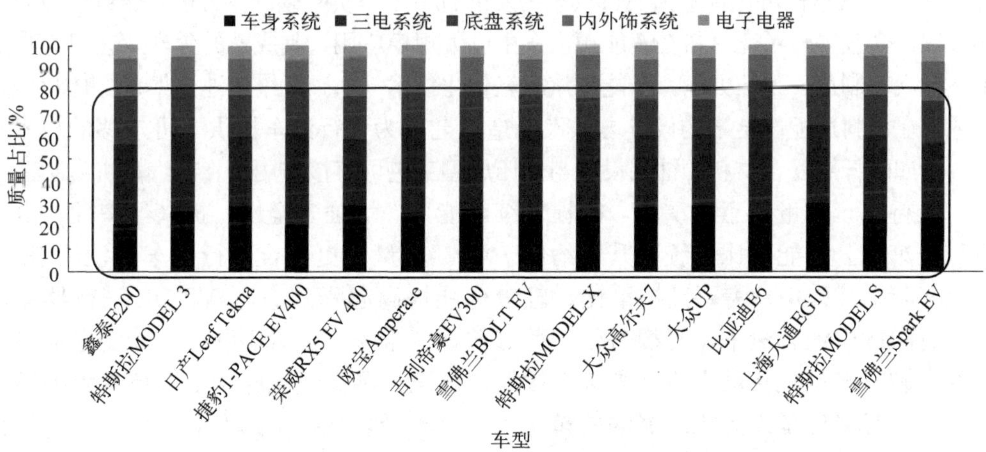

图 1-3　新能源纯电动汽车各系统质量占比

本书聚焦于新能源汽车轻量化关键路径，通过深度剖析各系统典型零部件的轻量化案例，详细阐释其设计思路与实施过程，还融入了制造这些零部件所需模具材料的相关知识，完整呈现新能源汽车轻量化技术从材料选用、工艺实施到模具制造的全链条实践方案。

此外，本书着眼于行业发展，深入探讨新能源汽车轻量化技术面临的诸多挑战，并针对性地提出相应的应对策略，为行业提供极具价值的问题导向与思考方向。

1.1.3 新兴领域应用中的轻量化需求（飞行汽车、无人机）

(1) 轻量化技术是飞行汽车发展的基石 飞行汽车是新能源与低空经济深度融合的创新成果，正迅速改变未来交通格局。在新能源驱动方面，以电动垂直起降（eVTOL）飞行器为代表的产品，运用高能量密度电池、碳纤维复合材料和分布式电驱系统，实现绿色出行，不仅零排放、低噪声，能源效率还比传统直升机提高70%以上。氢燃料电池技术的应用，更为清洁能源使用开拓了新场景。

从低空经济角度看，飞行汽车起降灵活，能搭建“空中走廊”，连接城市商圈与偏远地区。摩根士丹利预测，到2040年，全球城市空中交通（UAM）市场规模将超万亿美元。政策上，中国和欧盟已将其纳入新基建规划，通过空域管理改革和基础设施建设，推动产业发展，形成“技术研发-场景验证-商业运营”的完整生态。

工业和信息化部在《新能源汽车产业发展规划（2021—2035年）》里，将飞行汽车归为“新型交通装备”。当前，飞行汽车主要采用电动推进系统，部分采用混合动力或氢能方案。纯电动的如小鹏汇天X3试验样车、美国Alef Aeronautics的Model A，零排放、噪声低，但受电池能量密度制约；混合动力的像斯洛伐克AirCar（汽油发动机+电池）、美国Transition（传统汽油），续航和灵活性兼备；氢燃料电池虽处于起步阶段，却有高效清洁的潜力。

新能源汽车轻量化技术为飞行汽车的发展打下了坚实基础。一方面，碳纤维复合材料、铝镁合金等轻量化材料在新能源汽车中已大规模应用，其成熟的生产工艺可直接用于飞行汽车制造。另一方面，新能源汽车轻量化技术（如碳纤维电池支架、一体化压铸工艺）在材料适配性、结构设计方法及制造工艺上为飞行汽车提供了可迁移的技术经验，例如碳纤维复合材料的铺层设计与热压成型工艺可直接应用于飞行汽车机身制造。

飞行汽车轻量化意义重大，能提升续航能力、增强安全性、提高经济性，电动飞行汽车每公里能耗比传统直升机约低70%。轻量化更符合飞行汽车的发展需求，垂直起降（VTOL）需要高推重比，轻量化能提高起降效率，eVTOL飞行器就需要在有限的电池容量下，平衡有效载荷与航程。未来，随着碳纤维、新型电池等技术的突破，轻量化将助力飞行汽车在续航、安全性和商业化应用上取得更大突破。

(2) 轻量化是无人机发展的关键主线 汽车轻量化技术的发展为无人机轻量化提供了先进技术，在材料科学与结构优化领域形成协同效应。

从性能提升维度分析，轻量化技术可使无人机的续航能力与荷载效率实现指数级提升。无人机需持续克服重力做功，其自重直接决定了能量转换效率。在物流无人机应用场景中，优化后的碳纤维机体结构可实现载重比突破1∶1.5，使单次配送效率提升40%以上。

在复杂工况适应性方面，轻量化重构了无人机的气动响应机制。以最新一代航拍无人机为例，采用镁铝合金骨架与蜂窝复合蒙皮的设计方案，使整机重量减轻35%。这种结构特性使其在 6 级阵风环境下仍能保持±0.5°的姿态稳定度，为高清拍摄提供了工程级防抖保障。

从产业经济视角审视，轻量化正在重塑无人机行业的成本结构与应用生态。大疆创新通过拓扑优化算法与增材制造技术，将传统机臂结构的零件从 12 个精简为 3 个一体化构件，不仅实现减重 28%，更使产线效率提升 3 倍。

在科研应用领域，剑桥大学开发的仿生扑翼无人机仅重 120g，其超轻特性使其成为极地科考中企鹅群落监测的理想平台，实现了零干扰行为观测。

材料创新方面，哈尔滨工业大学李伟团队研发的梯度泡沫夹芯机翼技术[8]，通过微结构调控使疲劳寿命提升至传统设计的 5 倍。未来，随着 4D 打印智能材料与数字孪生设计平台的成熟，无人机轻量化将进入自适应形态演变。美国 NASA（美国航天局）最新概念设计显示，基于形状记忆合金的可变体无人机可实现巡航/突防双模态 20%的重量动态调节。这种变革性技术或将重新定义下一代无人机的性能边界与应用范式。

1.2 轻量化对新能源汽车成本及安全性的影响

1.2.1 轻量化技术的成本双向作用

轻量化技术在新能源汽车领域的应用，呈现出显著的成本双向作用，既带来了正向效益，也产生了逆向成本。

（1）正向效益：成本降低 在电池成本方面，研究人员对某款新能源汽车开展了仿真分析，并结合实车试验，得出了具有重要参考价值的结论[9]。结果表明，整备质量每降低 100kg，电池电量可减少约 1.1kWh，即每减重 1kg 可节约电量 0.011kWh。

以 2018 年电池单价 1500 元/kWh 计算，每减重 100kg 可节省电池成本 1650 元。因此，在评估轻量化技术方案时，若将轻量化带来的成本增量控制在 16.5 元/kg 以内，即可避免整车成本上升。

需要注意的是，上述“16.5 元/kg”的轻量化成本阈值是基于 2018 年的电池价格。若要估算当前阈值，只需将当前电池单价（元/kWh）乘以 0.011kWh/kg 即可。

例如，根据彭博新能源财经（BNEF）预测，2026 年电池单价可能降至 80 美元/kWh，约合人民币 600 元/kWh。按此计算，轻量化技术的成本阈值约为 6 元/kg。只要将轻量化带来的成本增加控制在该数值以内，便有望实现整车成本不增甚至降低。

因此，建议在评估轻量化方案时，首先通过行业报告或供应商报价获取最新电池价格，进而计算当前对应的成本阈值，从而科学判断轻量化技术投入的经济可行性。

（2）逆向成本：阻碍推广的关键因素

① 材料溢价：轻量化材料的高昂成本成为其广泛应用的阻碍。铝合金部件成

本约为钢材的3倍，而碳纤维复合材料成本更是高达钢材的10倍。这种显著的材料成本差异，增加了新能源汽车的成本，限制了轻量化材料在部分车型中的应用。

② 工艺复杂度：为实现轻量化目标，先进制造工艺的应用必不可少，但这也带来了工艺复杂度的提升。以激光焊接和热冲压工艺为例，其设备投资成本大幅增加，每辆车约需额外投入2000～7000元。高昂的设备投资与运营成本，对企业的成本控制能力提出了更高要求。

1.2.2 轻量化与汽车安全性能

“车辆越轻越不安全”的说法实为认知误区。汽车轻量化是通过高强度材料与先进设计实现，其与安全性能非但不存在直接对立关系，反而形成技术协同创新。以下从安全技术体系与轻量化的内在关联方面展开分析。

(1) 安全性能的双重维度 汽车安全体系由主动安全与被动安全构成双重防线：

主动安全通过前沿技术预防事故发生，例如防抱死制动系统（ABS）通过动态调节制动力维持转向能力，车身电子稳定（ESP）系统自动修正车辆姿态以防止失控，而自适应巡航、车道保持等系统则通过环境感知实现主动避险。

被动安全聚焦发生事故后的乘员保护，如高强度车身通过结构溃缩吸收碰撞能量，安全气囊、气帘、预紧式安全带等形成人体在车内的冲击缓冲体系，头枕设计则针对后部碰撞降低颈部鞭打伤害。

(2) 汽车主动安全与轻量化的紧密关联 轻量化与主动安全技术形成闭环，因为轻量化技术通过有效降低整车质量，对主动安全性能的提升具有显著促进作用，具体体现在以下几个关键方面：

① 制动与转向性能优化。当整车质量减小10%时，制动距离可相应缩短5%，转向力降低6%。这不仅使得车辆在紧急制动时能够更快地停止和缩短制动距离，同时还提升了车辆在高速行驶或紧急避障时的操控灵活性。

② 操控稳定性与系统响应提升。通过采用铝合金悬挂部件等措施减小弹簧下部零件质量，能够显著提升车辆的操控稳定性，车辆在行驶过程中对路面状况的响应更加敏捷。汽车轻量化使得车辆行驶时因底盘质量减小而减轻颠簸，整个车身更加稳定，而轻量化材料对路面冲撞能量的吸收，又能够有效提升行驶安全性。

③ 高级驾驶辅助系统（ADAS）供电可靠性增强。线束的轻量化设计，若能实现减重30%，则可有效降低能耗。这为高级驾驶辅助系统持续稳定供电提供了有力保障，确保ADAS在车辆行驶过程中能够始终正常运行，及时为驾驶员提供预警和辅助驾驶功能，进一步提升主动安全性能。

(3) 汽车被动安全与轻量化的协同共进 轻量化重构被动安全边界，被动安全系统主要致力于在事故发生后为乘员提供最大限度的保护，其与轻量化技术之间存在着多维度的协同关系：

① 材料创新引领安全变革。以特斯拉 Model 3 为例，采用抗拉强度达

1500MPa 的高强钢与铝合金的组合结构，在实现整车 25%减重的同时，将碰撞强度提升了 25%。这种材料组合充分发挥了高强钢的高强度特性和铝合金的轻量化优势，在减轻车身重量的同时，有效增强了车身结构的抗碰撞能力，为车内乘员提供了更可靠的安全防护空间。

② 结构优化夯实安全基础。通过拓扑优化设计，B 柱的碰撞强度可提升 30%。特斯拉采用一体压铸后车身，减少了 79 个零件，但依然顺利通过五星碰撞测试。这种创新的结构设计不仅简化了车身结构，降低了车身质量，还通过优化材料分布，增强了车身关键部位的强度，确保在碰撞事故中能够有效抵御冲击，保护乘员安全。

③ 轻量化车型可满足 C-NCAP（中国新车评价规程）要求。在 C-NCAP 的严苛测试标准下，轻量化车型能够获得五星安全评价，充分展现出其卓越的安全性能。在单车事故场景下，轻量化技术通过降低车辆质量减小了车辆动能，使乘员舱在碰撞时受到的冲击加速度减小 10%以上，有效降低了乘员在事故中受到的伤害程度。在双车碰撞时，两车的质量差异会带来一定风险，然而通过结构优化可以有效补偿该风险。以蔚来 ES8 为例，其全铝车身实现了减重 30%，百公里的制动距离缩短 2.3m，获得了 C-NCAP 五星安全评价，充分诠释了轻量化技术在提升车辆安全性能和整体性能方面的巨大潜力。

轻量化与安全性能实为技术共生体——主动安全依赖轻量化提升控制效能，被动安全依托轻量化材料突破防护极限，两者共同推动汽车在安全、能耗、操控等维度实现系统性进化。

1.3 材料关键性能等多维度技术支撑

1.3.1 材料关键性能驱动轻量化创新（材料科学视角）

国务院办公厅正式发布的《新能源汽车产业发展规划（2021—2035 年）》提出，要突破整车轻量化等共性节能技术，以合金材料为重点建立体系，在此体系上进行轻量化材料的创新[10]。

从材料科学视角来看，材料的关键性能正以多种方式驱动着新能源汽车的轻量化创新，为行业的发展注入新的活力。

(1) 高强度与高比强度：结构减重的基石

① 减轻车身重量：高强度材料是实现新能源汽车轻量化的基础。例如，高强度钢应用在车身结构件中，能够在承受复杂应力的同时，显著减少材料的使用量。对于对重量更为敏感的零部件，如电池托盘，铝合金凭借其较高的强度和较轻的重量，成为理想选择。铝合金电池托盘相比钢制托盘，重量可减轻约 30%～50%，有效降低了整车重量，提升了车辆的能源利用效率。

② 拓展设计自由度：高比强度材料为新能源汽车的设计带来了更大的灵活性。以碳纤维增强复合材料（CFRP）为例，其比强度是钢材的数倍，允许设计师采用

更纤细、更复杂的结构设计。同时，这种材料的可设计性强，能够满足新能源汽车独特的造型和功能需求，推动汽车设计向更轻量化、更美观的方向发展。

（2）高比刚度：保障结构稳定与动态性能

① 维持结构稳定性：高比刚度材料对于确保新能源汽车在行驶过程中的结构稳定性至关重要。在新能源汽车的底盘和悬挂系统中，使用高比刚度的材料，如铝镁合金和复合材料，可以有效抵抗路面不平带来的各种应力和变形，保证车辆的行驶安全性和操控稳定性。

② 提升动态性能：对于新能源汽车的电机、变速器等高速旋转部件，高比刚度材料能够减少振动和变形，提高部件的动态性能和响应速度。例如，采用碳纤维复合材料制造的电机外壳，不仅可以减轻重量，还能增强其对电机振动的抑制能力，降低噪声，提高电机的效率和可靠性。

（3）疲劳性能：长期可靠性的关键　材料的疲劳性能，即材料在交变载荷作用下抵抗疲劳破坏的能力，是衡量其长期可靠性的重要指标。汽车在使用过程中，各部件会频繁承受振动和冲击负荷，这对材料的疲劳性能提出了严苛要求。选择具有良好疲劳性能的材料，能够有效延长车辆部件的使用寿命，确保车辆在长期使用过程中的安全性和稳定性。例如，在汽车的悬挂系统和传动系统中，采用疲劳性能优良的材料，可减小因疲劳失效导致的故障风险，提升车辆的整体可靠性。

（4）成本：经济可行性的考量　在追求高性能轻量化材料的同时，成本也是不可忽视的重要因素。材料成本直接影响汽车的生产成本和市场竞争力。因此，在材料选择过程中，需要在性能与成本之间寻求平衡。例如，碳纤维增强塑料虽然具有优异的性能，但成本指数高达 9，这在一定程度上限制了其大规模应用。而超轻铝合金成本指数为 5，在保证一定性能的前提下，具有更好的成本效益，更易于在汽车制造中广泛应用。

1.3.2　高强钢、铝合金与碳纤维的力学性能驱动应用场景

材料的选择直接关乎车辆的性能、安全性与成本。材料关键性能涵盖密度、强度、刚度、疲劳性能等多个关键维度。在新能源汽车的发展进程中，材料的力学性能对其应用场景起着关键的驱动作用。

（1）高强钢：承力结构的核心选择　高强钢拥有出色的强度表现，在承受巨大外力时，依然能保持结构的完整性。这种高强度与高韧性的结合，使高强钢在汽车关键部位的应用中，能有效抵御各种复杂的应力。例如在车身结构件的制造中，如防撞梁、门槛边梁等，高强钢通过激光拼焊技术实现了不同强度钢板的复合应用。这种创新的应用方式，既能满足不同部位对强度的差异化需求，又能在保证安全性的前提下，兼顾车身的轻量化设计，使汽车在行驶过程中更加稳定、安全。

（2）铝合金：轻量化与性能平衡的优选　铝合金的密度仅为钢的 1/3，但其比强度达到 $2.5\mathrm{GPa}\cdot\mathrm{cm}^3/\mathrm{g}$，该特性使得它在汽车制造中能够有效实现车身减重

15%～20%。轻量化的车身不仅能够降低能源消耗，提升续航里程，还能提高车辆的加速性能和操控灵活性。

例如在底盘与动力系统中，铝合金被广泛应用于轮毂、制动卡钳等部件。这些部件采用铝合金制造后，减重效果可达 25%；同时由于铝合金良好的导热性能，还能提升散热效率，确保部件在高温环境下的稳定运行，延长部件的使用寿命。

(3) 碳纤维：高端性能与轻量化的终极方案　碳纤维的密度仅为 1.5～1.8g/cm^3，其减重效果是钢的 5～7 倍。这种极致的轻量化特性，使得碳纤维在追求高性能和轻量化的汽车制造领域具有无可比拟的优势。

例如宝马 i8 等高端车型采用碳纤维单体座舱，不仅实现了减重 30%，还大幅提升了车身的刚度。在功能部件方面，碳纤维制动盘能够耐受 2500℃的高温，确保在高速行驶和紧急制动时的制动性能。碳纤维传动轴则减重 60%，且耐疲劳性大幅提升，有效提高了动力传输效率，降低了车辆的振动和噪声。

(4) 多材料混合趋势　在新能源汽车领域，单一材料难以满足多元化需求，材料协同已成为必然趋势。高强钢凭借出色的承力性能，在汽车承力结构中发挥核心作用；铝合金在中高强度部件上实现了轻量化与性能的平衡；碳纤维则在高精度、高安全区域展现独特优势。这种多材料混合设计，充分发挥了各材料之长，满足了新能源汽车对轻量化、安全性和高性能的要求，成为汽车制造的主流方向。

随着材料科学的进步，未来有望在成本降低、回收率提高等方面取得突破，进一步推动高性能材料在新能源汽车中的广泛应用。材料的精准适配，不仅能保障汽车的安全性与舒适性，还能提升其实用价值。除材料特性外，制造工艺的优化与成本控制同样关键，前沿轻量化技术的落地，离不开强大工业能力的支撑。当前，国内汽车企业在新能源汽车车身轻量化领域积极探索，大胆创新，开展了诸多实践，如图 1-4 所示[11]。

(a) 全铝车身

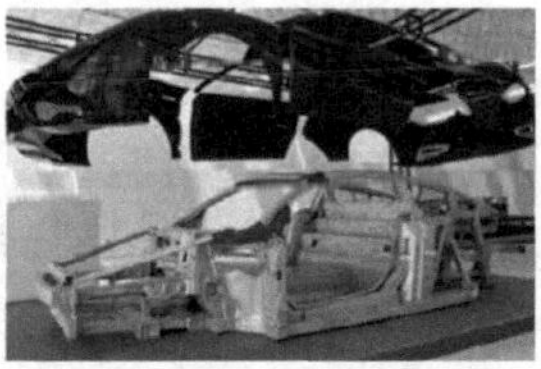

(b) 碳纤维覆盖件和全铝骨架

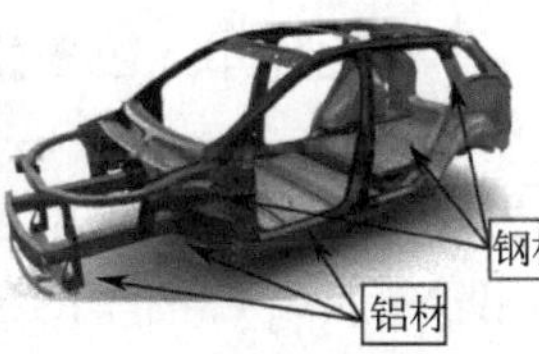

(c) 上钢下铝的车身

图 1-4　汽车轻量化创新技术

1.3.3　模具材料：轻量化制造的关键支撑

模具材料虽自身并非直接实现轻量化，但可通过与轻量化材料及工艺的协同作用，间接为轻量化的实现提供有力支持。

轻量化技术的迅猛发展，使模具行业面临挑战与机遇。以压铸模具为典型代表，其结构愈发复杂，这对模具的抗压性能和形状设计提出了前所未有的严苛标准。与此同时，汽车轻量化进程持续加速，超高强度钢板、铝合金等新型材料在加工时难度剧增，无疑给模具生产企业的技术实力带来了更高层次的考验。新能源汽车的模具的耐用性和使用寿命也是新能源汽车生产中不可忽视的要求，高强度钢和涂层技术的应用能够有效延长模具的使用周期，降低企业的生产成本[12]。图 1-5 为新能源汽车电池箱模具。

图 1-5 新能源汽车电池箱模具

此外，智能制造技术为模具生产带来了新的变革。通过精准的程序控制和高效的自动化操作，如基于数字孪生技术的模具设计仿真系统，可预测材料流动与变形，减少试模次数，有效弥补了传统生产方式在应对复杂模具和新型材料加工时的不足。这不仅有助于模具生产企业提升生产效率，降低生产成本，还能进一步推动轻量化技术在汽车制造等领域的深入应用[13]。

为有效应对这些挑战，模具行业需进一步加大技术创新力度，持续增加研发投入，全面提升设计与制造水平，强化产业链上下游之间的协同合作，同时大力推动人才培养与引进工作。智能制造技术，如自动化生产线和智能机器人的广泛应用，正逐步提升模具生产的效率和产品质量[14]。

新能源汽车的安全性能并非简单地与其整备质量呈正相关，而是主要取决于车身结构设计优化与先进材料加工工艺的应用。通过采用高强度轻量化材料和精密制造技术，可显著提升车身的能量吸收效率与结构完整性，从而有效增强车辆碰撞安全性。这一技术路径的实现，有赖于汽车零部件制造技术与模具工程技术的协同创新发展[15]。

1.4 本章小结、创新点与思考题

(1) 小结 本章系统阐述了新能源汽车轻量化技术的核心内涵与多维价值，揭示了其相较于传统燃油车的独特意义：在“三电系统”增重与续航里程的矛盾下，轻量化通过材料革新（高强钢/铝合金/碳纤维协同应用）、结构优化（全局-局部拓扑设计）与先进工艺（一体化压铸/激光焊接）三路径协同，构建了“减重-降本-提效-安全”的闭环体系；既通过名义密度与轻量化系数评价体系量化技术成效，又以电池成本杠杆效应推动经济性突破，同时依托材料高比强度/刚度特性重构安全边界，更延伸至飞行汽车等新兴领域，为低空经济提供高推重比技术基座；最终形成覆盖材料科学、制造工艺与产业生态的全局性创新范式，其未来发展需攻克材料成本、回收效率与跨学科协同设计等关键瓶颈。

(2) 创新点 本章在新能源汽车轻量化领域提出了以下创新点：

① 跨领域技术迁移创新：首次系统论证新能源汽车轻量化技术对飞行汽车产业的赋能机制，即建立碳纤维电池支架→飞行汽车机身的热压成型工艺迁移模型，

量化新能源轻量化技术对 eVTOL 推重比的提升贡献。

② 经济性评价新范式：构建动态成本杠杆模型，提出“16.5 元/kg”的轻量化边际成本阈值，揭示电池价格波动与技术成本曲线的动态博弈关系。

③ 安全性能颠覆认知：突破“轻量化损害安全”的传统认知，建立高强钢/铝合金复合结构的碰撞强度提升模型，量化轻量化对 C-NCAP 工况的补偿机制。

④ 材料应用范式革新：提出“性能驱动-场景适配”的材料选择矩阵，即高强钢（承力核心区）→铝合金（性能平衡区）→碳纤维（高端功能件）的梯度布局，定义了“比刚度-疲劳性能”的四象限评价体系。

⑤ 揭示模具材料的间接支撑作用：建立压铸模具数字孪生系统与材料流动预测的量化关系，提出模具寿命周期成本（LCC）对轻量化规模效应的放大机制。

⑥ 评价体系创新：构建轻量化多维评价指标，即名义密度（$D=M/V$）与轻量化系数（L_{ev}）的双核评估模型，引入电能消耗量（Y）作为纯电动专属评价维度。

这些创新点形成了“理论突破-技术迁移-经济模型-安全重构-制造革新”的完整创新链，为新能源汽车轻量化提供了从基础研究到产业落地的系统性解决方案，特别是在无人机、飞行汽车等新兴领域的拓展应用，开辟了跨领域协同创新的新赛道。

（3）思考题

答案

思考题 1：在新能源汽车轻量化过程中，如何有效控制成本以实现经济效益？

思考题 2：轻量化技术在新能源汽车中的应用有哪些潜在的挑战？

思考题 3：新能源汽车轻量化技术的发展为行业带来了哪些机遇？

思考题 4：与燃油车相比，新能源车的轻量化有什么不同的意义？

参考文献

［1］ 王新华，马东民，李振兴，等．汽车轻量化技术研究［J］．时代汽车，2024（02）：106-108.

［2］ 轻量化材料成新能源汽车“减重”突破口［J］．橡塑技术与装备，2020，46（24）：57-58.

［3］ 牛丽媛，李志虎，熊建民．新能源汽车轻量化材料与工艺［M］．北京：化学工业出版社，2020.

［4］ T/CSAE 115—2019. 乘用车整车轻量化系数计算方法．

［5］ 海川．汽车轻量化发展路径［J］．新经济导刊，2015（10）：52-57.

［6］ 王爽．全新架构电动车底盘车架轻量化设计与性能匹配方法研究［D］．长春：吉林大学，2021.

［7］ 王智文，冯昌川．新能源汽车轻量化技术路径及开发策略［J］．汽车工艺与材料，2021（06）：1-12.

［8］ 李伟．碳纤维泡沫夹芯无人机机翼的力学性能优化研究［D］．西安：西安石油大学，2024.

［9］ 刘頔，朱成．铝合金用于新能源乘用车车身轻量化及经济性分析［J］．科技与创新，2018（03）：20-23.

［10］ 国务院办公厅印发《新能源汽车产业发展规划（2021—2035 年）》［J］．汽车零部件，2020（12）：33.

［11］ 雷先华，文涛，鲁仕豪，等．汽车轻量化研究现状及发展趋势探讨［J］．汽车工艺师，2024（06）：6-8.

［12］ 陈春光．数控加工技术在汽车机械模具制造中的应用［J］．汽车测试报告，2023（21）：88-90.

［13］ 郑桂林．新能源汽车模具技术应用及发展探析［J］．中国机械，2024（36）：94-97.

［14］ 田亚梅．汽车非金属材料轻量化应用指南［M］．北京：机械工业出版社，2019.

［15］ 陆亚灵，王艳华，潘佳韵．新能源汽车轻量化实现路径［J］．机电产品开发与创新，2024，37（05）：62-64.

第2章 汽车工程材料技术

2.1 汽车工程材料分类及性能

2.1.1 分类

汽车工程材料根据其物理特性、化学成分和应用场景，可分为如图 2-1 所示的几大类。

随着电动化、智能化的发展，汽车材料正向轻量化、功能集成化、可持续化方向演进，例如铝合金和碳纤维的普及，以及生物基材料的创新应用。

2.1.2 性能

2.1.2.1 力学性能

金属材料在外力作用下所表现出来的性能，称力学性能。它是衡量金属材料的极其重要的指标，主要有常温强度、塑性、硬度、冲击韧性、疲劳强度和高温性能等。

(1) 常温强度 常温下，金属材料在外力作用下抵抗变形和断裂的能力称常温强度。按外力性质不同可分为抗拉强度、屈服强度等。屈服强度用 σ_s 表示，它反映了金属材料抵抗微量塑性变形的能力。对于拉伸试验中没有明显屈服现象的材料，按 GB/T 228.1—2021 规定，屈服强度用 $\sigma_{0.2}$ 表示，其值为试样标距部分产生 0.2%残余伸长时的应力值。

抗拉强度用 σ_b 表示，它表示金属材料在断裂前所能承受的最大应力值。σ_b 越大，表示该金属材料抵抗断裂的能力就越强。

强度的单位是 MN/m^2（MPa）或 N/mm^2，其关系为 $N/mm^2=MN/m^2$。

(2) 塑性 金属材料在外力作用下断裂以前能产生的最大塑性变形称塑性。它用伸长率 δ 和断面收缩率 ψ 表示。δ 或 ψ 越大，表示该金属材料的塑性越好。它们都是比值，所以没有单位，常用百分比表示。

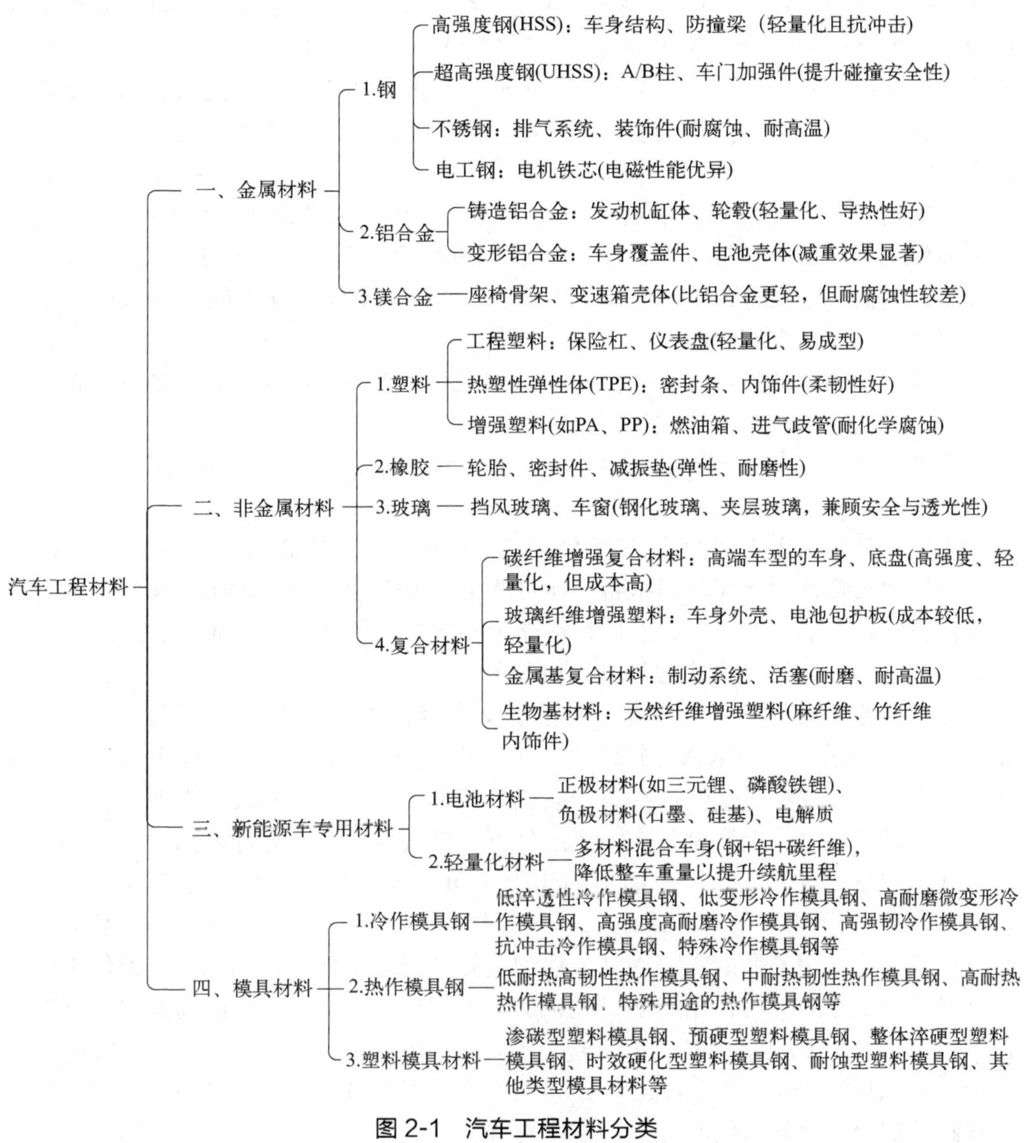

图 2-1　汽车工程材料分类

（3）硬度　金属材料表面抵抗更硬物体压入的能力称硬度。常用的硬度指示有布氏硬度、洛氏硬度和维氏硬度三种。

布氏硬度用 HBS（或 HBW）表示。在一定压力下，将一定直径的淬火钢球（或硬质合金球）压入金属材料的表面，测得压痕的直径，然后根据 GB/T 231.2—2022 附录 A，即可求得所测的硬度值。布氏硬度一般适用于金属原材料或经正火、退火后硬度值不高的半成品件的硬度测量（硬度值低于 450 的用 HBS；硬度值在 450～650 之间用 HBW）。

洛氏硬度用 HRA、HRB、HRC 表示，常用 HRC。用 150kgf[1] 的压力将锥顶角为 120°的金刚石圆锥压头压入金属材料的表面，以压痕深度来确定硬度大小，其值直接从试验机上的刻度盘读出。洛氏硬度一般适用于硬度较高、表面匀质的金属材料的硬度测量。它操作迅速，压痕小，几乎不损伤工件表面，故在实际中应用最广。

维氏硬度用 HV 表示。用较小的压力将一个相对面夹角为 136°的金刚石正四棱锥体压头压入金属材料的表面，以压痕投影的两对角线的平均长度 d 来确定硬度大小，其值根据试验力/压痕表面积算出，单位不用标。维氏硬度一般适用于测定较薄材料和零件表面的硬度。

上述三种硬度试验，由于条件不同，故相互间没有理论的换算关系。但根据试验结果，可获得粗略换算公式如下：

当硬度在 200～600HBS（或 HBW）时，HRC≈1/10HBS（或 HBW）。

当硬度小于 450HBS 时，HBS≈HV。

不能满足按规定力/时间配置的硬度计的检验见 GB/T 231.2—2022 附录 B。

(4) 冲击韧性 金属材料抵抗一次冲击载荷作用而不破坏的能力称冲击韧性，用 A_K 表示。由于零件大多数工作在小能量多次冲击的状态下，故 A_K 值的实际指导意义不大，一般仅作为选材和设计的参考。

(5) 疲劳强度 金属材料抵抗无数次交变载荷作用而不破坏的能力称疲劳强度，用 σ_{-1} 表示。一般钢铁材料的 σ_{-1} 值只有 σ_b 一半左右；对零件表面进行热处理、精细加工和避免零件断面的急剧改变等，都能提高零件的疲劳强度。

(6) 高温强度 金属材料在一定条件下，抵抗破坏的能力称高温强度。如果一定条件指的是一定温度、一定的力的作用时间，这样的高温强度称持久强度，用 σ_t^T 表示（T 表示温度值，t 表示力的作用时间），作为在使用中不考虑变形量大小而只要求一定使用寿命的零部件（如锅炉钢管）的强度指标；如果一定条件指的是一定温度、一定的力的作用时间、允许变形不超过一定值，这样的高温强度称蠕变强度，用符号 σ（T，t）来表示（σ 代表应力，单位为 N/mm^2；T 表示温度，单位为℃；t 代表时间，单位为 h），作为在使用中需严格限制变形量的零部件（如拧紧气缸的螺栓、汽轮机的叶片）的强度指标。

2.1.2.2 物理化学性能

材料的物理化学性能是材料科学中非常重要的部分，它涵盖了众多方面的性质，这些性质对于材料在各种应用场景中的选择和使用起着关键作用。

(1) 物理性能

① 密度：指材料在一定温度下单位体积的质量，单位通常是 g/cm^3 或 kg/m^3。例如，铝的密度约为 $2.7g/cm^3$，铁的密度约为 $7.87g/cm^3$。密度可以帮助我

[1] 1kgf=9.80665N。

们判断材料的轻重，在航空航天等领域，低密度的材料（如碳纤维复合材料）更受青睐，因为它们可以减轻飞行器的重量，降低能耗。

② 热性能。

热导率：材料传导热量的能力。例如，金属一般具有较高的热导率，铜的热导率很高，这使得它常被用于制作散热器，能够快速地将热量传导出去。而陶瓷材料的热导率通常较低，像陶瓷杯可以很好地隔热，防止手被烫伤。

热胀系数：指材料受热时其长度或体积的相对变化率。不同材料的热胀系数差异很大，例如，石英的热胀系数很小，在温度变化较大的环境下也能保持较好的尺寸稳定性，因此常用于制作高精度的光学仪器；而普通金属的热胀系数相对较大。

③ 电性能。

导电性：材料传导电流的能力。金属是良好的导体，如银、铜、铝等，它们的原子结构中有大量的自由电子，这些自由电子可以在电场作用下定向移动形成电流。而绝缘体如橡胶、陶瓷等，其内部几乎没有可以自由移动的电子，因此很难导电。半导体（如硅、锗）的导电性介于导体和绝缘体之间，其导电性可以通过掺杂等方式进行调节，这使得它们在电子器件中得到广泛应用，如制作晶体管和集成电路。

介电性能：材料在电场作用下的极化行为和储存电能的能力。在电容器中，需要使用具有高介电常数的材料来提高电容器的电容。例如，陶瓷电容器中的陶瓷材料就具有较好的介电性能。

④ 磁性能。磁性材料可以分为永磁材料（如钕铁硼）、软磁材料（如硅钢片）和抗磁材料等。永磁材料可以在较长时间内保持磁性，常用于制作永磁电机等设备；软磁材料容易被磁化和退磁，主要用于变压器等需要频繁改变磁场的设备中；抗磁材料则在磁场中表现出微弱的抗磁性，如铜等。

⑤ 光学性能。

折射率：光在真空中的传播速度与在材料中的传播速度之比。不同材料的折射率不同，例如，玻璃的折射率通常在1.5左右；而钻石的折射率很高，约为2.42，这使得钻石具有很高的光泽和色散现象，看起来更加璀璨。

透明度：材料允许光透过的程度。透明材料（如光学玻璃）可以用于制作镜片、窗户等；半透明材料（如某些塑料薄膜）可以用于一些需要散射光线的场合；不透明材料则不能透过光线，可用于遮光等用途。

（2）化学性能

① 耐腐蚀性：材料抵抗周围介质（如大气、水、酸、碱等）腐蚀的能力。例如，不锈钢含有铬、镍等合金元素，在空气中能形成一层致密的氧化膜，阻止氧气和水分进一步腐蚀金属内部，所以它在潮湿环境和一些化学介质中具有较好的耐腐蚀性。而普通碳钢在潮湿空气中很容易生锈，因为它的铁元素会与空气中的氧气和水发生化学反应，生成铁锈（主要成分是三氧化二铁等）。

② 抗氧化性：材料在高温或其他氧化环境下抵抗氧化的能力。例如，在高温

环境下，一些陶瓷材料具有良好的抗氧化性，因为它们的化学键比较稳定，不容易与氧气发生反应。而一些金属在高温下会迅速氧化，如铝在高温下会生成氧化铝，不过氧化铝可以形成一层保护膜，在一定程度上阻止铝的进一步氧化。

③ 化学稳定性：材料在化学环境中的稳定性，包括对酸碱、溶剂等多种化学物质的反应情况。例如，聚四氟乙烯（PTFE）具有极高的化学稳定性，它几乎不受所有化学物质的腐蚀，因此被称为“塑料王”，常用于化工设备的密封件等场合，能够耐受各种强酸、强碱和有机溶剂。

(3) 工艺性能 材料的工艺性能是指材料在被加工过程中所表现出来的适应能力，它对于材料能否顺利地加工成满足使用要求的产品至关重要。以下是几种主要的工艺性能：

① 铸造性能。

a. 流动性：指液态金属充满铸型型腔，获得形状完整、轮廓清晰铸件的能力。流动性好的金属，在浇注过程中能很容易地充满复杂的型腔。例如，灰铸铁的流动性较好，这是因为它的成分中碳以片状石墨的形式存在，使得液态金属的黏度较低，能够在重力作用下顺利地流入型腔的各个角落，所以灰铸铁常用于制造形状复杂的铸件，如机床床身等。

b. 收缩性：指材料在凝固和冷却过程中，体积和尺寸减小的现象。铸造金属的收缩包括液态收缩、凝固收缩和固态收缩三个阶段。不同的金属收缩率不同，例如，铸钢的收缩率比铸铁大。如果在铸造过程中不考虑收缩性，可能会导致铸件出现缩孔、缩松等缺陷。为了避免这些缺陷，通常会设置冒口等工艺措施，让液态金属在凝固过程中有足够的金属液来补充收缩部分。

c. 吸气性：指液态金属吸收气体的能力。在浇注过程中，金属液可能会吸收空气中的气体，如氢气等。如果吸收的气体过多，在铸件凝固时，气体不能及时排出，就会在铸件内部形成气孔，降低铸件的质量。例如，铝合金在熔化过程中容易吸气，所以在铸造铝合金时，往往需要采取一些除气措施，如采用精炼剂等，以减少铸件中的气孔。

② 锻造性能。

a. 塑性：指材料在锻造过程中承受塑性变形而不破坏的能力。塑性好的材料能够在锻造时顺利地改变形状。例如，低碳钢的塑性较好，在锻造时可以通过镦粗、拔长等工艺操作，被加工成各种形状的锻件，如汽车的曲轴等。而脆性材料（如铸铁）的塑性差，几乎不能进行锻造加工，因为在锻造过程中很容易产生裂纹甚至断裂。

b. 变形抗力：指材料在塑性变形时抵抗外力的能力。变形抗力小的材料在锻造时所需的外力较小，容易加工。例如，在相同的锻造温度下，纯铜的变形抗力比合金钢小，所以纯铜在锻造时更容易成型。锻造温度对变形抗力也有很大的影响，一般来说，提高锻造温度可以降低材料的变形抗力，但温度过高也可能会导致材料过热、过烧等缺陷。

③ 焊接性能。

a. 焊接性能的评价指标。一是工艺焊接性，主要指在一定的焊接工艺条件下，材料获得优质焊接接头的难易程度。例如，低碳钢的工艺焊接性较好，在采用常见的手工电弧焊、气体保护焊等焊接方法时，很容易获得质量良好的焊缝。二是使用焊接性，它是指焊接接头在使用条件下的可靠性。例如，在焊接承受交变载荷的结构件时，要考虑焊接接头的疲劳强度等性能，以确保其在使用过程中不会过早失效。

b. 影响焊接性能的因素。材料的化学成分对焊接性能影响很大。例如，钢材中的碳含量越高，焊接性能越差，因为高碳含量会导致焊接时产生硬脆的马氏体组织，容易在焊缝和热影响区出现裂纹。另外，焊接工艺参数（如焊接电流、焊接速度、电弧电压等）也会影响焊接性能。如果焊接电流过大，可能会导致焊缝过热，产生粗大的晶粒，降低焊缝的性能。

④ 切削加工性能。

a. 切削加工性能的衡量指标。切削加工性能一般用刀具寿命、切削力、表面粗糙度等指标来衡量。刀具寿命长、切削力小、表面粗糙度低的材料切削加工性好。例如，易切削钢在加工时，刀具的磨损相对较慢，切削力较小，能够获得较好的表面质量，所以它在机械加工领域应用广泛。

b. 影响切削加工性能的因素。材料的硬度是一个重要因素。太硬的材料（如淬火钢）会使刀具磨损严重，切削加工困难；太软的材料（如纯铅）容易产生粘刀现象，也不利于切削加工。材料的组织结构也会影响切削加工性能，例如，珠光体组织的钢材切削加工性比铁素体-珠光体组织的钢材稍差，因为珠光体的硬度相对较高。

2.2　汽车零部件材料

2.2.1　金属材料

2.2.1.1　钢的分类、编号及组成

钢是一种非常重要的工程材料，它按化学成分分为碳素钢（简称碳钢）和合金钢两大类。碳钢除以铁、碳为其主要成分外，还含有少量的锰、硅、硫、磷等杂质元素。由于碳钢容易冶炼、价格低廉，性能可以满足一般工程机械、普通机械零件、工具及日常轻工业产品的使用要求。合金钢是在碳钢基础上，有目的地加入某些元素（称为合金元素）而得到的多元合金。与碳钢相比，合金钢的性能有显著的提高，故应用亦日益广泛。

（1）钢的分类

① 按用途分：分为结构钢、工具钢、特殊性能钢。

② 按化学成分分：钢首先分为碳素钢和合金钢。碳素钢又分为高碳钢（$w_C>0.6\%$）、中碳钢（$w_C=0.25\%\sim0.6\%$）、低碳钢（$w_C<0.25\%$），其中 w_C 为碳的质量分数。合金钢又分为高合金钢（$w_{Me}>10\%$）、中合金钢（$w_{Me}=5\%\sim10\%$）、低合金钢（$w_{Me}<5\%$），其中 w_{Me} 为合金的质量分数。另外，还根据钢中主要合金元素种类不同来分类，如铬钢、锰钢、铬镍钢等。

③ 按炼钢时脱氧程度分：分为沸腾钢（符号 F）、半镇静钢（符号 b）、镇静钢（符号 Z）、特殊镇静钢（符号 TZ）。

钢厂在给钢的产品命名时，往往将用途、成分、质量、冶炼方法这几种分类方法综合起来。如将钢称为优质碳素结构钢、碳素工具钢等。

（2）钢的编号

① 普通碳素结构钢。表示方法是由代表屈服点的字母（Q）、屈服点数值、质量等级的符号（A、B、C、D）及脱氧方法符号（F、B、Z、TZ）等四个部分按顺序组成。如 Q235AF。质量等级符号 A 级到 D 级表示钢中硫、磷含量依次减少，质量依次变好。镇静钢和特殊镇静钢的牌号中脱氧方法符号可省略。

② 优质碳素结构钢。表示方法是用钢的含碳量的万倍数表示。如 45 钢，表示 $w_C=0.45\%$；08 钢表示 $w_C=0.08\%$。

优质碳素结构钢按含锰量不同，分为普通含锰量（$w_{Mn}<0.8\%$）及较高含锰量（$w_{Mn}=0.8\%\sim1.2\%$）两组。

③ 碳素工具钢。表示方法是用 T 符号后跟钢的含碳量的千倍数表示。如 T10 表示 $w_C=1.0\%$的优质碳素工具钢；T12A 表示 $w_C=1.2\%$的高级优质碳素工具钢。

④ 合金钢。表示方法由三部分组成，即“数字＋元素符号＋数字”。前面的数字表示含碳量的万倍（结构钢）或表示含碳量的千倍（工具钢）；合金元素以化学符号表示；后面的数字表示合金含量的百倍，当合金含量[1]<1.5%时，不标数字。特殊情况有：合金工具钢含碳量高于 1%，则不标注，且由于其属于高级优质钢，故不再在牌号后标出“A”符号；含 Cr 钢，如 Cr06 表示含铬量为 0.6%左右；高速钢不标含碳量，如 W18CR4V；滚动轴承钢的牌号前冠以“G”符号，其后以 Cr 符号加铬含量的千倍数来表示，含碳量不标，其他元素以化学符号表示，且含量小于 1.5%时不标数字，如 GCr15SiMn，表示 $w_{Cr}=1.5\%$，硅、锰含量小于 1.5%；不锈钢含碳量表示基本同工具钢，如 9Cr18 钢，表示 $w_C=0.9\%$；若不锈钢含碳量<0.1%，如 00Cr18Ni10 表示含碳量≤0.03%，0Cr18 表示含碳量≤0.08%。

（3）钢的杂质元素与合金元素 钢在冶炼过程中，不得不带入的少量元素称杂质元素，有目的地加入的元素称合金元素。它们对钢的性能产生重大影响。杂质元素（$w_{Mn}<0.8\%$，$w_{Si}<0.4\%$，$w_S<0.06\%$，$w_P<0.09\%$，其他为 N、H、O

[1] 本书中相应元素含量均指质量分数。

等）主要有：

① 锰、硅。均来自生铁及脱氧剂，既能脱硫，也能强化铁素体。

② 硫。它在钢中主要以 FeS 存在，FeS 与 Fe 形成低熔点（985℃）的共晶体，分布于奥氏体的晶界上。当钢加热到 985℃以上进行热加工时，晶界上的共晶体已熔化，使钢材沿晶界开裂，这种现象称热脆。钢中增加锰含量，能消除硫的有害作用（主要形成高熔点的 MnS），同时 MnS 能起断屑作用，改善钢的切削性，这也是硫的有利一面。

③ 磷。它能全部熔于铁素体，使其塑性、韧性下降，这种现象在低温时更为严重，故称冷脆性。冷脆对高寒地带和其他低温条件下工作的结构具有严重的危害。同样，含磷量较多时，由于脆性较大，对制造炮弹以及改善切削加工性方面是有利的。

④ 氮、氢、氧。这些元素在钢中存在，都会使钢变脆，必须严格限制。

一般地，上述杂质元素中，锰、硅称有益元素，其他均为有害元素。

合金元素在钢中的作用：

① 合金元素在钢中的存在形式：形成合金铁素体，使铁素体强度、硬度提高，进而提高了钢的性能；形成合金碳化物，使钢中碳化物更加稳定，硬度也较高，特别是形成一些特殊碳化物（如 VC、WC），使钢具有更高熔点、硬度与耐磨性，且这些碳化物也更加稳定，不易分解。

② 合金元素对相图的影响：主要是改变 $Fe\text{-}Fe_3C$ 相图的形状。

③ 合金元素对钢热处理的影响：大多数合金元素能减缓奥氏体化过程（除 Ni、Co 外）、阻止奥氏体晶粒长大（除 Mn 外），故合金钢热处理时需更高的加热温度和较长的保温时间，同时晶粒也较细；合金元素使 C 曲线（过冷奥氏体等温转变曲线）右移（除 Co 外），降低马氏体转变开始点和完成点的温度，这就造成过冷奥氏体更稳定、钢的淬透性更好、热处理淬火时残余奥氏体较多；合金元素使钢的回火稳定性较高，同时在回火时出现二次硬化和回火脆性。

④ 合金元素对钢耐腐蚀性的影响：合金元素促进单相固溶体形成，而单相固溶体耐腐蚀性较高；合金元素能提高钢基体的电极电位，提高了耐腐蚀性，如不锈钢中加入 13%Cr，使钢基体电位从 −5.6V 提高到 0.2V；合金元素在环境介质作用下，使材料表面形成一层致密稳定的保护膜，进而提高了腐蚀性。

⑤ 合金元素对高温及低温性能的影响：

a. 对高温性能的影响：一般地，晶界强度随温度升高而降低，故使晶粒适当粗化的元素（如 Mn）能提高高温强度；同时钢中加 B、Mo、Co 也能强化晶界，提高高温强度。

b. 对低温性能的影响：评定低温性能的好坏，一般用脆性转变温度（$T_{脆}$）的高低来衡量，$T_{脆}$ 越高，表示低温性能越差。一般地，磷、碳、硅使 $T_{脆}$ 升高，锰、镍使 $T_{脆}$ 降低。

⑥ 合金元素对物理性能的影响：一般地，合金元素使钢的导热性降低，故合

金钢加热应缓慢进行；硅使钢的磁导率增加，所以常用来制作变压器产品。

⑦ 合金元素对工艺性的影响：

a. 对焊接性的影响：一般地，细化晶粒的元素钛、钒、锆、铌能提高焊接性，硫、磷、碳降低焊接性。

b. 对切削性的影响：一般地，硫与锰结合成 MnS 使切削性提高；铅和磷也能提高切削性。但这些元素太多，会降低钢的力学性能，故应将硫控制在 $w_S=0.08\%\sim0.33\%$，磷控制在 $w_P<0.15\%$，铅控制在 $w_{Pb}=0.15\%\sim0.35\%$。

c. 对冷作加工性的影响：一般地，合金元素使钢的冷作硬化率提高，即合金钢加工硬化的速度较快，故合金钢的冷冲压性能较碳钢差。

2.2.1.2 结构钢

凡用于制造各种机器零件以及各种工程结构（如屋架、桥梁等）的钢都称结构钢。

（1）普通结构钢

① 普通碳素结构钢。其平均 w_C 在 0.06%～0.38%范围内，钢中含有害元素较多，但性能上满足一般工程结构及普通零件的要求，因而应用较广。它通常经热轧加工成钢板或各种型材，并以空冷状态供应。表 2-1 为普通碳素结构钢牌号、成分。

这类钢中最常用的是 Q235，用于制造一些标准件（如螺栓等），一般在供应状态（热轧空冷）下直接使用。

表 2-1 碳素结构钢牌号及化学成分（摘自 GB/T 700—2006）[1]

牌号	统一数字代号①	等级	厚度(或直径)/mm	脱氧方法	化学成分(质量分数)/%,不大于				
					C	Si	Mn	P	S
Q195	U11952	—	—	F、Z	0.12	0.30	0.50	0.045	0.040
Q215	U12152	A	—	F、Z	0.15	0.35	1.20	0.045	0.050
	U12155	B							0.045
Q235	U12352	A	—	F、Z	0.22	0.35	1.40	0.045	0.050
	U12355	B			0.20②				0.045
	U12358	C		Z	0.17			0.040	0.040
	U12359	D		TZ				0.035	0.035
Q275	U12752	A	—	F、Z	0.24	0.35	1.50	0.045	0.050
	U12755	B	≤40	Z	0.21			0.045	0.045
			＞40		0.22				
	U12758	C	—	Z	0.20			0.040	0.040
	U12759	D		TZ				0.035	0.035

① 表中为镇静钢、特殊镇静钢牌号的统一数字，沸腾钢牌号的统一数字代号如下：Q195F——U11950；Q215AF——U12150，Q215BF——U12153；Q235AF——U12350，Q235BF——U12353；Q275AF——U12750。

② 经需方同意，Q235B 的碳含量可不大于 0.22%。

② 低合金高强度结构钢。其平均 $w_C=0.1\%\sim0.2\%$，合金含量<3%，它具有高的屈服强度（比普通碳素结构钢提高 30%～50%），以及良好的塑性和韧性、良好的低温性能（其 $T_{脆}$ 达 −40℃）、良好的焊接性、较好的耐蚀性，机械时效敏感性小（即性能较稳定）。一般用在性能要求较高的场合下，如桥梁、质量较好的

自行车架等。表 2-2、表 2-3 列出了常用的低合金高强度结构钢（热轧钢材）的牌号、成分及性能。Q295 钢（即 16Mn）是最常用的。它们的使用状态是热轧下使用或一次正火，要求高的场合调质。

表 2-2　热轧钢的牌号及化学成分（摘自 GB/T 1591—2018）[2]

牌号		化学成分(质量分数)/%														
钢级	质量等级	C①		Si	Mn	P③	S③	Nb④	V⑤	Ti⑤	Cr	Ni	Cu	Mo	N⑥	B
		以下公称厚度或直径		不大于												
		≤40mm②	>40mm													
		不大于														
Q355	B	0.24		0.55	1.60	0.035	0.035	—	—	—	0.30	0.30	0.40	—	0.012	—
	C	0.20	0.22			0.030	0.030									
	D	0.20	0.22			0.025	0.025								—	
Q390	B	0.20		0.55	1.70	0.035	0.035	0.05	0.13	0.05	0.30	0.50	0.40	0.10	0.015	—
	C					0.030	0.030									
	D					0.025	0.025									
Q420⑦	B	0.20		0.55	1.70	0.035	0.030	0.05	0.13	0.05	0.30	0.80	0.40	0.20	0.015	—
	C					0.030	0.030									
Q460⑦	C	0.20		0.55	1.80	0.030	0.030	0.05	0.13	0.05	0.30	0.80	0.40	0.20	0.015	0.004

① 公称厚度大于 100mm 的型钢，碳含量可由供需双方协商确定。

② 公称厚度大于 30mm 的钢材，碳含量不大于 0.22%。

③ 对于型钢和棒材，其磷和硫含量上限值可提高 0.005%。

④ Q390、Q420 最高可到 0.07%，Q460 最高可到 0.11%。

⑤ 最高可到 0.20%。

⑥ 如果钢中酸溶铝 Als 含量不小于 0.015%或全铝 Alt 含量不小于 0.020%，或添加了其他固氮合金元素，氮元素含量不作限制，固氮元素应在质量证明书中注明。

⑦ 仅适用于型钢和棒材。

(2) 优质结构钢

① 渗碳钢（w_C=0.1%～0.25%）。

a. 使用性能：内韧外硬，即零件表面硬度高，心部有较高的韧性和足够的强度。

b. 钢中合金元素作用：提高淬透性（$w_{Mn}<3.4\%$，$w_{Cr}<1.5\%$，$w_B=0.0005\%\sim0.0035\%$）；细化晶粒，弥散强化（Mo、W、V、Ti、Nb、Zr）。

c. 热处理：一般是渗碳＋淬火＋低温回火，但由于合金元素含量不同，渗碳时晶粒长大的倾向也不尽相同，故应对热处理作相应调整。

低碳钢：渗碳后空冷＋二次淬火＋低温回火，这里二次淬火就是为了细化渗碳后较粗的晶粒。

低合金钢：渗碳后预冷直接淬火＋低温回火，这是由于合金元素使渗碳后晶粒仍较细，不需另外细化晶粒。

较高合金的钢：渗碳＋淬火＋冷处理＋低温回火，这里冷处理主要是为了减少残余奥氏体的量。

表 2-3 热轧钢材的拉伸性能（摘自 GB/T 1591—2018）[2]

牌号		上屈服强度 R_{eH}①/MPa 不小于									抗拉强度 R_m/ MPa				断后伸长率 A/% 不小于						
		公称厚度或直径/mm													公称厚度或直径/mm						
钢级	质量等级	≤16	>16～40	>40～63	>63～80	>80～100	>100～150	>150～200	>200～250	>250～400	≤100	>100～150	>150～250	>250～400	试样方向	≤40	>40～63	>63～100	>100～150	>150～250	>250～400
Q355	B、C	355	345	335	325	315	295	285	275	—	470～630	450～600	450～600	—	纵向	22	21	20	18	17	17②
	D									265②	470～630	450～600	450～600	450～600②	横向	20	19	18	18	17	17②
Q390	B、C、D	390	380	360	340	340	320	—	—	—	490～650	470～620	—	—	纵向	21	20	20	19	—	—
															横向	20	19	19	18	—	—
Q420③	B、C	420	410	390	370	370	350	—	—	—	520～680	500～650	—	—	纵向	20	19	19	19	—	—
Q460③	C	460	450	430	410	410	390	—	—	—	550～720	530～700	—	—	纵向	18	17	17	17	—	—

① 当屈服不明显时，可用规定塑性延伸强度 $R_{p0.2}$ 代替上屈服强度。

② 只适用于质量等级为 D 的钢板。

③ 只适用于型钢和棒材。

② 调质钢（w_C=0.25%～0.5%）。

a. 使用性能：一定强度、硬度、塑性、韧性的良好配合，即综合性能好，淬透性好。

b. 钢中合金元素作用：提高淬透性（如Mn、Cr、Ni、W）；强化铁素体（如Ni、Cr、Mn、Si）；细化晶粒，提高抗回火能力（如W、Mo、V、Ti、Al），同时W、Mo还能防止第二类回火脆性。

c. 常用调质钢：45、40Cr、35CrMo等。

③ 弹簧钢（w_C=0.6%～0.9%；合金：0.45%～0.7%）。

a. 使用性能：高的疲劳强度（σ_{-1}）和弹性极限（σ_e），屈强比（σ_s/σ_b）高；具有一定的淬透性；不易脱碳及过热，表面质量好。

b. 钢中合金元素的作用：除了具备调质钢中合金元素的作用，还有：提高屈强比（如Si）；减少钢的脱碳和过热倾向，提高了弹性极限、耐热性（如Mo、V）。

c. 热处理：对于线径或板厚大于10mm的弹簧，往往在热态下成型（供货状态为退火）＋淬火＋中温回火；对于线径或板厚小于10mm的弹簧，往往在冷态下成型（供货状态为要求的热处理状态，如淬火＋中温回火或等温淬火＋多次冷拔）后，再进行一次200～300℃的去应力退火。

d. 常用弹簧钢：弹簧钢最典型的是65（或65Mn）、60Si2Mn、50CrVA。

④ 滚动轴承钢（w_C=0.95%～1.15%）。

a. 使用性能：具有高的接触疲劳抗力，具有高的硬度、耐磨性，以及一定的韧性，尺寸稳定性好，具有一定的耐腐蚀性。

b. 钢中合金元素作用：基本同上所述，另外还可提高钢的接触疲劳抗力（如Cr），但含铬量不能大于1.65%，否则使残余奥氏体增加，碳化物分布的不均匀性提高。

c. 热处理：一般是球化退火＋淬火＋低温回火（150～170℃）。

d. 常用滚动轴承钢：滚动轴承钢最典型的是GCr9、GCr15、GCr15SiMn。

2.2.1.3　工具钢

(1) 刃具钢（碳钢 w_C=0.65%～1.35%，合金钢 w_C=0.75%～1.5%） 用于制造切削刀具的材料称刃具钢。

① 使用性能：高的硬度与耐磨性；高的红硬性（所谓红硬性是钢在高温下保持高硬度的能力，它与回火稳定性有关）；足够的强度与韧性，以避免刃具在复杂切削力的作用下及冲击振动时发生脆断或崩刃。

② 钢中合金元素作用：提高钢的红硬性（W、V）和熔点（Co），其他作用同上所述。

③ 热处理：一般是球化退火＋淬火＋低温回火；对红硬性要求更高的高速工具钢，必须经反复锻造后球化退火＋淬火（1280℃左右，分段加热、冷却）＋三次回火（560℃）。这里反复锻造是为了打碎高速钢中鱼骨状的共晶碳化物，使碳化物细化并均匀分布；淬火中分段加热、冷却是由于高速钢导热性差，为了减小应力而

采取的措施；淬火加热至1280℃左右，是为了使起红硬性作用的钨、钒充分均匀地溶解到奥氏体内；560℃三次回火是为了尽可能减少残余奥氏体，同时在560℃回火，能产生“二次硬化”。

④ 常用刃具钢：常用的刃具钢牌号、成分、硬度等如表2-4～表2-6所列。最典型的是T8、T12、9SiCr、W18Cr4V等。

表2-4 刃具模具用非合金钢的牌号及化学成分（GB/T 1299—2014）[3]

序号	统一数字代号	牌号	化学成分(质量分数)/%		
			C	Si	Mn
1-1	T00070	T7	0.65～0.74	≤0.35	≤0.40
1-2	T00080	T8	0.75～0.84	≤0.35	≤0.40
1-3	T01080	T8Mn	0.80～0.90	≤0.35	0.40～0.60
1-4	T00090	T9	0.85～0.94	≤0.35	≤0.40
1-5	T00100	T10	0.95～1.04	≤0.35	≤0.40
1-6	T00110	T11	1.05～1.14	≤0.35	≤0.40
1-7	T00120	T12	1.15～1.24	≤0.35	≤0.40
1-8	T00130	T13	1.25～1.35	≤0.35	≤0.40

表2-5 刃具模具用非合金钢交货状态的硬度值和试样的淬火硬度值（GB/T 1299—2014）[3]

序号	统一数字代号	牌号	退货交货状态的钢材硬度HBW,不大于	试样淬火硬度		
				淬火温度/℃	冷却剂	洛氏硬度HRC,不小于
1-1	T00070	T7	187	800～820	水	62
1-2	T00080	T8	187	780～800	水	62
1-3	T01080	T8Mn	187	780～800	水	62
1-4	T00090	T9	192	760～780	水	62
1-5	T00100	T10	197	760～780	水	62
1-6	T00110	T11	207	760～780	水	62
1-7	T00120	T12	207	760～780	水	62
1-8	T00130	T13	217	760～780	水	62

注：非合金工具钢材退火后冷拉交货的布氏硬度应不大于241HBW。

（2）模具钢 用于制作模具工作部分的材料称模具钢。

① 使用性能：

a. 对冷作模具钢，具有高硬度与高耐磨性、足够的强度和韧性，热处理变形小，具有较高的淬透性。

b. 对热作模具钢，具有较高的高温力学性能，耐热疲劳性好，导热性好，具有高的淬透性。

② 热处理：

a. 对冷作模具钢，一般是退火＋淬火＋低温回火或较高温度淬火＋520℃多次回火（对中、高合金钢而言，原理基本同高速钢热处理）。

b. 对热作模具钢，一般是退火＋淬火＋中温回火（或高温回火）。

③ 常用模具钢：常用的模具钢牌号、成分及性能如表2-7～表2-10所列。最典型的是T12、CrWMn、Cr12、5CrMnMo等。

表 2-6 高速工具钢的牌号、统一数字代号、化学成分（熔炼分析）(GB/T 9943—2008)[4]

序号	统一数字代号	牌号	化学成分(质量分数)/%									
			C	Mn	Si	S	P	Cr	V	W	Mo	Co
1	T63342	W3Mo3Cr4V2	0.95~1.03	≤0.45	≤0.40	0.030	0.030	3.80~4.50	2.20~2.50	2.70~3.00	2.50~2.90	—
2	T64340	W4Mo3Cr4VSi	0.83~0.93	≤0.40	0.70~1.00	0.030	0.030	3.80~4.40	1.20~1.80	3.50~4.50	2.50~3.50	—
3	T51841	W18Cr4V	0.73~0.83	≤0.40	≤0.40	0.030	0.030	3.80~4.50	1.00~1.20	17.20~18.70	—	—
4	T62841	W2Mo8Cr4V	0.77~0.87	0.20~0.70	≤0.40	0.030	0.030	3.50~4.50	1.00~1.40	1.80~2.00	8.00~9.00	—
5	T62942	W2Mo9Cr4V2	0.95~1.05	0.15~0.70	≤0.40	0.030	0.030	3.50~4.50	1.75~2.20	1.50~2.10	8.20~9.20	—
6	T66541	W6Mo5Cr4V2	0.80~0.90	0.20~0.45	≤0.40	0.030	0.030	3.80~4.50	1.75~2.20	5.50~6.75	4.70~5.50	—
7	T66542	CW6Mo5Cr4V2	0.86~0.94	0.20~0.45	≤0.40	0.030	0.030	3.80~4.50	1.75~2.10	5.90~6.70	4.70~5.20	—
8	T66642	W6Mo6Cr4V2	1.00~1.10	0.15~0.45	≤0.40	0.030	0.030	3.80~4.50	2.30~2.60	5.90~6.70	6.50~6.50	—
9	T69341	W9Mo3Cr4V	0.77~0.87	0.20~0.40	0.20~0.40	0.030	0.030	3.80~4.40	1.30~1.70	8.50~9.50	2.70~3.30	—
10	T66543	W6Mo5Cr4V3	1.15~1.25	0.15~0.45	≤0.40	0.030	0.030	3.75~4.50	2.70~3.20	5.90~6.70	4.70~5.20	—
11	T66545	CW6Mo5Cr4V3	1.25~1.32	0.15~0.70	≤0.40	0.030	0.030	3.75~4.50	2.70~3.20	5.90~6.70	4.70~5.20	—
12	T66544	W6Mo5Cr4V4	1.25~1.40	≤0.40	≤0.45	0.030	0.030	3.80~4.50	3.70~4.20	5.20~6.00	4.20~5.00	—
13	T66546	W6Mo5Cr4V2Al	1.05~1.20	0.20~0.60	0.15~0.40	0.030	0.030	3.80~4.40	1.75~2.20	5.50~6.75	4.50~5.50	—
14	T71245	W12Cr4V5Co5	1.50~1.60	≤0.40	≤0.40	0.030	0.030	3.75~5.00	4.50~5.25	11.75~13.00	4.75~5.25	4.50~5.00
15	T76545	W6Mo5Cr4V2Co5	0.87~0.95	≤0.40	0.20~0.45	0.030	0.030	3.80~4.50	1.70~2.10	5.90~6.70	4.70~5.20	4.50~5.00
16	T76438	W6Mo5Cr4V3Co8	1.23~1.33	≤0.40	0.15~0.70	0.030	0.030	3.80~4.50	2.70~3.20	5.90~6.70	4.70~5.30	8.00~8.80
17	T77445	W7Mo4Cr4V2Co5	1.05~1.15	≤0.60	0.15~0.50	0.030	0.030	3.75~4.50	1.75~2.25	6.25~7.00	3.25~4.25	4.75~5.75
18	T72948	W2Mo9Cr4VCo8	1.05~1.15	≤0.40	0.15~0.65	0.030	0.030	3.50~4.25	0.95~1.35	1.15~1.85	9.00~10.00	7.75~8.75
19	T71010	W10Mo4Cr4V3Co10	1.20~1.35	≤0.40	≤0.45	0.030	0.030	3.80~4.50	3.00~3.50	9.00~10.00	3.20~3.90	9.50~10.50

表 2-7　冷作模具用钢的牌号及化学成分（GB/T 1299—2014）[3]

序号	统一数字代号	牌号	化学成分(质量分数)/%										
			C	Si	Mn	P	S	Cr	W	Mo	V	Nb	Co
1	T20019	9Mn2V	0.85～0.95	≤0.40	1.70～2.00	①	①	—	—	—	0.10～0.25	—	—
2	T20299	9CrWMn	0.85～0.95	≤0.40	0.90～1.20	①	①	0.50～0.80	0.50～0.80	—	—	—	—
3	T21290	CrWMn	0.90～1.05	≤0.40	0.80～1.10	①	①	0.90～1.20	1.20～1.60	—	—	—	—
4	T20250	MnCrWV	0.90～1.05	0.10～0.40	1.05～1.35	①	①	0.50～0.70	0.50～0.70	—	0.05～0.15	—	—
5	T21347	7CrMn2Mo	0.65～0.75	0.10～0.50	1.80～2.50	①	①	0.90～1.20	—	0.90～1.40	—	—	—
6	T21355	5Cr8MoVSi	0.48～0.53	0.75～1.05	0.35～0.50	≤0.030	≤0.015	8.00～9.00	—	1.25～1.70	0.30～0.55	—	—
7	T21357	7CrSiMnMoV	0.65～0.75	0.85～1.15	0.65～1.05	①	①	0.90～1.20	—	0.20～0.50	0.15～0.30	—	—
8	T21350	Cr8Mo2SiV	0.95～1.03	0.80～1.20	0.20～0.50	①	①	7.80～8.30	—	2.00～2.80	0.25～0.40	—	—
9	T21320	Cr4W2MoV	1.12～1.25	0.40～0.70	≤0.40	①	①	3.50～4.00	1.90～2.60	0.80～1.20	0.80～1.10	—	—
10	T21386	6Cr4W3Mo2VNb	0.60～0.70	≤0.40	≤0.40	①	①	3.80～4.40	2.50～3.50	1.80～2.50	0.80～1.20	0.20～0.35	—
11	T21836	6W6Mo5Cr4V	0.55～0.65	≤0.40	≤0.60	①	①	3.70～4.30	6.00～7.00	4.50～5.50	0.70～1.10	—	—
12	T21830	W6Mo5Cr4V2	0.80～0.90	0.15～0.40	0.20～0.45	①	①	3.80～4.40	5.50～6.75	4.50～5.50	1.75～2.20	—	—
13	T21209	Cr8	1.60～1.90	0.20～0.60	0.20～0.60	①	①	7.50～8.50	—	—	—	—	—
14	T21200	Cr12	2.00～2.30	≤0.40	≤0.40	①	①	11.50～13.00	—	—	—	—	—
15	T21290	Cr12W	2.00～2.30	0.10～0.40	0.30～0.60	①	①	11.00～13.00	0.60～0.80	—	—	—	—
16	T21317	7Cr7Mo2V2Si	0.68～0.78	0.70～1.20	≤0.40	①	①	6.50～7.50	—	1.90～2.30	1.80～2.20	—	—
17	T21318	Cr5Mo1V	0.95～1.05	≤0.50	≤1.00	①	①	4.75～5.50	—	0.90～1.40	0.15～0.50	—	—
18	T21319	Cr12MoV	1.45～1.70	≤0.40	≤0.40	①	①	11.00～12.50	—	0.40～0.60	0.15～0.30	—	—
19	T21310	Cr12Mo1V1	1.40～1.60	≤0.60	≤0.60	①	①	11.00～13.00	—	0.70～1.20	0.50～1.10	—	≤1.00

①见 GB/T 1299—2014 表 19。

表 2-8 热作模具用钢的牌号及化学成分（GB/T 1299—2014）[3]

序号	统一数字代号	牌号	化学成分(质量分数)/%											
			C	Si	Mn	P	S	Cr	W	Mo	Ni	V	Al	Co
1	T22345	5CrMnMo	0.50～0.60	0.25～0.90	1.20～1.60	①	①	0.60～0.90	—	0.15～0.30	—	—	—	—
2	T22505	5CrNiMo②	0.50～0.60	≤0.40	0.50～0.80	①	①	0.50～0.80	—	0.15～0.30	1.40～1.80	—	—	—
3	T23504	4CrNiMo	0.40～0.50	0.10～0.40	0.20～0.50	①	①	1.20～1.50	—	0.15～0.35	3.80～4.30	—	—	—
4	T23514	4Cr2NiMoV	0.35～0.45	≤0.40	≤0.40	①	①	1.80～2.20	—	0.45～0.60	1.10～1.50	0.10～0.30	—	—
5	T23515	5CrNi2MoV	0.50～0.60	0.10～0.40	0.60～0.90	①	①	0.80～1.20	—	0.35～0.55	1.50～1.80	0.05～0.15	—	—
6	T23535	5Cr2NiMoVSi	0.40～0.54	0.60～0.90	0.40～0.60	①	①	1.50～2.00	—	0.80～1.20	0.80～1.20	0.30～0.50	—	—
7	T23208	8Cr3	0.75～0.85	≤0.40	≤0.40	①	①	3.20～3.80	—	—	—	—	—	—
8	T23274	4Cr5W2VSi	0.32～0.42	0.80～1.20	≤0.40	①	①	4.50～5.50	1.60～2.40	—	—	0.60～1.00	—	—
9	T23273	3Cr2W8V	0.30～0.40	≤0.40	≤0.40	①	①	2.20～2.70	7.50～9.00	—	—	0.20～0.50	—	—
10	T23352	4Cr5MoSiV	0.33～0.43	0.80～1.20	0.20～0.50	①	①	4.75～5.50	—	1.10～1.60	—	0.30～0.60	—	—
11	T23353	4Cr5MoSiV1	0.32～0.45	0.80～1.20	0.20～0.50	①	①	4.75～5.50	—	1.10～1.75	—	0.80～1.20	—	—
12	T23354	4Cr3Mo3SiV	0.35～0.45	0.80～1.20	0.25～0.70	①	①	3.00～3.75	—	2.00～3.00	—	0.25～0.75	—	—
13	T23355	5Cr4Mo3SiMnVAl	0.47～0.57	0.80～1.10	0.80～1.10	①	①	3.80～4.30	—	2.80～3.40	—	0.80～1.20	0.30～0.70	—
14	T23364	4CrMnSiMoV	0.35～0.45	0.80～1.10	0.80～1.10	①	①	1.30～1.50	—	0.40～0.60	—	0.20～0.40	—	—
15	T23375	5Cr5WMoSi	0.50～0.60	0.75～1.10	0.20～0.50	①	①	4.75～5.50	1.00～1.50	1.15～1.65	—	—	—	—
16	T23324	4Cr5MoWVSi	0.32～0.40	0.80～1.20	0.20～0.50	①	①	4.75～5.50	1.10～1.60	1.25～1.60	0.20～0.50	—	—	—
17	T23323	3Cr3Mo3W2V	0.32～0.42	0.60～0.90	≤0.65	①	①	2.80～3.30	1.20～1.80	2.50～3.00	0.80～1.20	—	—	—
18	T23325	5Cr4W5Mo2V	0.40～0.50	≤0.40	≤0.40	①	①	3.40～4.40	4.50～5.30	1.50～2.10	0.70～1.10	—	—	—
19	T23314	4Cr5Mo2V	0.35～0.42	0.25～0.50	0.40～0.60	≤0.020	≤0.008	5.00～5.50	—	2.30～2.60	0.60～0.80	—	—	—
20	T23313	3Cr3Mo3V	0.28～0.35	0.10～0.40	0.15～0.45	≤0.030	≤0.020	2.70～3.20	—	2.50～3.00	0.40～0.70	—	—	—
21	T23314	4Cr5Mo3V	0.35～0.40	0.30～0.50	0.30～0.50	≤0.030	≤0.020	4.80～5.20	—	2.70～3.20	0.40～0.60	—	—	—
22	T23393	3Cr3Mo3VCo3	0.28～0.35	0.10～0.40	0.15～0.45	≤0.030	≤0.020	2.70～3.20	—	2.60～3.00	0.40～0.70	—	2.50～3.00	—

① 见 GB/T 1299—2014 表 19。

② 经供需双方同意允许含钼量小于 0.20%。

表 2-9　塑料模具用钢的牌号及化学成分（GB/T 1299—2014）[3]

序号	统一数字代号	牌号	化学成分(质量分数)/%												
			C	Si	Mn	P	S	Cr	W	Mo	Ni	V	Al	Co	其他
1	T10450	SM45	0.42～0.48	0.17～0.37	0.50～0.80	①	①	—	—	—	—	—	—	—	—
2	T10500	SM50	0.47～0.53	0.17～0.37	0.50～0.80	①	①	—	—	—	—	—	—	—	—
3	T10550	SM55	0.52～0.58	0.17～0.37	0.50～0.80	①	①	—	—	—	—	—	—	—	—
4	T25303	3Cr2Mo	0.28～0.40	0.20～0.80	0.60～1.00	①	①	1.40～2.00	—	0.30～0.35	—	—	—	—	—
5	T25553	3Cr2MnNiMo	0.32～0.40	0.20～0.40	1.10～1.50	①	①	1.70～2.00	—	0.25～0.40	0.85～1.15	—	—	—	—
6	T25344	4Cr2Mn1MoS	0.35～0.45	0.30～0.50	1.40～1.60	≤0.030	0.05～0.10	1.80～2.00	—	0.15～0.25	—	—	—	—	—
7	T25378	8Cr2MnWMoVS	0.75～0.85	≤0.40	1.30～1.70	≤0.030	0.08～0.15	2.30～2.60	0.70～1.10	0.50～0.80	0.10～0.25	—	—	—	—
8	T25515	5CrNiMnMoVSCa	0.50～0.60	≤0.45	0.80～1.20	≤0.030	0.06～0.15	0.80～1.20	—	0.30～0.80	0.80～1.20	0.15～0.30	—	—	Ca：0.002～0.008
9	T25512	2CrNiMoMnV	0.24～0.30	≤0.30	1.40～1.60	≤0.025	≤0.015	1.25～1.45	—	0.45～0.90	0.80～1.20	0.10～0.20	—	—	—
10	T25572	2CrNi3MoAl	0.20～0.30	0.20～0.50	0.50～0.80	①	①	1.20～1.80	—	0.20～0.40	3.00～4.00	—	1.00～1.60	—	—
11	T25611	1Ni3MnCuMoAl	0.10～0.20	≤0.45	1.40～2.00	≤0.030	≤0.015	—	0.20～0.50	2.90～3.40	0.70～1.20	—	0.70～1.20	—	Cu：0.80～1.20

续表

序号	统一数字代号	牌号	化学成分(质量分数)/%												
			C	Si	Mn	P	S	Cr	W	Mo	Ni	V	Al	Co	其他
12	A64060	06Ni6CrMoVTiAl	≤0.06	≤0.50	≤0.50	①	①	1.30～1.60	—	0.30～1.20	5.50～6.50	0.08～0.16	0.50～0.90	—	Ti：0.90～1.30
13	A64000	00Ni18Co8Mo5TiAl	≤0.08	≤0.10	≤0.15	≤0.010	≤0.010	≤0.009	—	4.50～5.00	17.5～18.5	—	0.05～0.15	8.50～10.0	Ti：0.80～1.10
14	S42023	2Cr13	0.16～0.25	≤1.00	≤1.00	①	①	12.00～14.00	—	—	≤0.60	—	—	—	—
15	S42043	4Cr13	0.36～0.45	≤0.60	≤0.80	①	①	12.00～14.00	—	—	≤0.60	—	—	—	—
16	T25444	4Cr13NiVSi	0.36～0.45	0.90～1.20	0.40～0.70	≤0.010	≤0.003	13.00～14.00	—	—	0.15～0.30	0.25～0.35	—	—	—
17	T25402	2Cr17Ni2	0.12～0.22	≤1.00	≤1.50	①	①	15.00～17.00	—	—	1.50～2.50	—	—	—	—
18	T25303	3Cr17Mo	0.33～0.45	≤1.00	≤1.50	①	①	15.50～17.50	—	0.80～1.30	≤1.00	—	—	—	—
19	T25513	3Cr17NiMoV	0.32～0.40	0.30～0.60	0.60～0.80	≤0.025	≤0.005	16.00～18.00	—	1.00～1.30	0.60～1.00	0.15～0.35	—	—	—
20	S44093	9Cr18	0.90～1.00	≤0.80	≤0.80	①	①	17.00～19.00	—	—	≤0.60	—	—	—	—
21	S46993	9Cr18MoV	0.85～0.95	≤0.80	≤0.80	①	①	17.00～19.00	—	1.00～1.30	≤0.60	0.07～0.12	—	—	—

① 见 GB/T 1299—2014 表 19。

表 2-10 特殊用途模具用钢的牌号及化学成分（GB/T 1299—2014）[3]

序号	统一数字代号	牌号	化学成分(质量分数)/%													
			C	Si	Mn	P	S	Cr	W	Mo	Ni	V	Al	Nb	Co	其他
1	T26377	7Mn15Cr2Al3V2WMo	0.65～0.75	≤0.80	14.50～16.50	①	①	2.00～2.50	0.50～0.80	0.50～0.80	—	1.50～2.00	2.30～3.30	—	—	—
2	S31049	2Cr25Ni20Si2	≤0.25	1.50～2.50	≤1.50	①	①	24.00～27.00	—	—	18.00～21.00	—	—	—	—	—
3	S51740	0Cr17Ni4Cu4Nb	≤0.07	≤1.00	≤1.00	①	①	15.00～17.00	—	—	3.00～5.00	—	—	Nb：0.15～0.45	—	Cu：3.0～5.00
4	H21231	Ni25Cr15Ti2MoMn	≤0.08	≤1.00	≤2.00	≤0.030	≤0.020	13.50～17.00	—	1.00～1.50	22.00～26.00	0.10～0.50	≤0.40	—	—	Ti：1.80～2.50 B：0.001～0.010
5	H07718	Ni53Cr19Mo3TiNb	≤0.08	≤0.35	≤0.35	≤0.015	≤0.015	17.00～21.00	—	2.80～3.30	50.00～55.00	—	0.20～0.80	Nb+Ta②：4.75～5.50	≤1.00	Ti：0.65～1.15 B≤0.006

① 见 GB/T 1299—2014 表 19。

② 除非特殊要求，允许仅分析 Nb。

(3) 量具钢　用于制作测量工具（如游标卡尺、千分尺等）的材料称量具钢。

① 使用性能：具有高的尺寸稳定性、高的硬度与耐磨性、良好的切削加工性、良好的耐腐蚀性、足够的韧性。

② 热处理：一般是球化退火＋淬火＋冷处理＋低温回火＋稳定化处理（110～150℃，保温24～36h）。

③ 常用量具钢：一般地，尺寸稳定性好的工具钢和滚动轴承钢都能用来制造量具，如CrWMn、CrMn、GCr15等。

2.2.1.4　特殊性能钢

特殊性能钢具有特殊物理或化学性能，用来制造除要求一定的力学性能外，还要求具有特殊性能的零件。其种类很多，机械行业主要使用不锈钢、耐热钢、耐磨钢。

(1) 不锈钢　不锈钢包括不锈钢与耐酸钢。能抵抗大气腐蚀的钢称不锈钢，而在一些化学介质（如酸类等）中能抵抗腐蚀的钢称耐酸钢，通常也将这两类钢统称为不锈钢。一般不锈钢不一定耐酸，而耐酸钢则一般都具有良好的耐腐蚀性能。

① 分类（主要按组织分）：

a. 马氏体不锈钢：1Cr13、3Cr13、4Cr13、2Cr13、7Cr17。

b. 铁素体不锈钢：0Cr13Al、1Cr17、00Cr30Mo2。

c. 奥氏体不锈钢：0Cr19Ni9、0Cr18Ni11Ti、0Cr19Ni9N。

d. 铁素体＋奥氏体不锈钢：0Cr26Ni5Mo2、00Cr18Ni5Mo3Si2。

e. 沉淀硬化型不锈钢：0Cr17NiAl。

② 钢中合金元素作用：形成单相固溶体组织（Cr、Ni）；提高电极电位（$w_{Cr}>13\%$）；形成保护膜（Cr）。

③ 不锈钢的合理选用：由于马氏体不锈钢含碳量高，故强度高，但碳能与铬形成较稳定的铬碳化物（$(Cr, Fe)_{23}C_6$），降低基体中铬含量，使耐腐蚀性降低；而奥氏体不锈钢、铁素体不锈钢耐腐蚀性好，但强度低。因此，在实际中，如要求强度高，则优选马氏体不锈钢；如要求耐腐蚀性好，则优选奥氏体、铁素体不锈钢；如强度、耐腐蚀性均有一定要求，则优先选择沉淀硬化型不锈钢。另外，如要求成型性好，则优先选择奥氏体不锈钢。表2-11列出了常用不锈钢的牌号、成分、热处理、力学性能。

(2) 耐热钢　在航空、火力电站、发动机、化工等部门中，许多零件在高温下使用，要求具有耐热性。所谓耐热性，是指材料在高温下兼有抗氧化与高温强度的综合性能。具有良好耐热性的钢称为耐热钢。

① 提高耐热性的途径：

a. 提高高温强度。提高再结晶温度（如加入Cr、Mo、Nb、V合金元素，采用面心立方结构的钢）；弥散强化（钢中加入Ti、Nb、V、W、Mo、Cr等合金元素）；采用较粗晶粒的钢。

表 2-11　常用不锈钢的牌号、成分、热处理、力学性能

类别	牌号	化学成分(质量分数)/%			热处理		力学性能			硬度HBS
		C	Cr	其他	淬火温度/℃	回火温度/℃	$\sigma_{0.2}$/MPa	σ_b/MPa	$\delta\times100$	
马氏体型	1Cr13	≤0.15	11.50～13.50	—	950～1000 油淬	700～750 快冷	≥343	≥539	≥25	≥159
	2Cr13	0.16～0.25	12.00～14.00	—	920～980 油淬	600～750 快冷	≥441	≥637	≥20	≥192
	3Cr13	0.26～0.40	12.00～14.00	—	920～980 油淬	600～750 快冷	≥539	≥735	≥12	≥217
	7Cr17	0.60～0.75	16.00～18.00	—	1010～1070 油淬	100～180 快冷	—	—	—	≥54HRC
铁素体型	0Cr13Al	≤0.08	11.50～14.50	Al:0.10～0.30	780～830 空冷或缓冷	—	≥177	≥412	≥20	≤183
	1Cr17	≤0.12	16.00～18.00	—	780～850 空冷或缓冷	—	≥206	≥451	>22	≤183
	00Cr30Mo2	≤0.010	28.50～32.00	Mo:1.50～2.50	900～1050 快冷	—	≥294	≥451	≥20	≤228
奥氏体型	Y1Cr18Ni9	≤0.15	17.00～19.00	P≤0.20,S≤0.15,Ni:0.08～10.00	固溶处理 1010～1150 快冷	—	≥206	≥520	≥40	≤187
	0Cr19Ni9	≤0.08	18.00～20.00	Ni:8.00～10.50	固溶处理 1010～1150 快冷	—	≥206	≥520	≥40	≤187
	0Cr19Ni9N	≤0.08	18.00～20.00	Ni:7.00～10.50,N:0.10～0.25	固溶处理 1010～1150 快冷	—	≥275	≥549	≥35	≤217
	0Cr18Ni11Ti	≤0.08	17.00～19.00	Ni:9.00～13.00,Ti:≥5×w_C	固溶处理 920～1150 快冷	—	≥206	≥520	≥40	≤187

b. 提高抗氧化性。在钢中加入与氧有较大亲和力的合金元素（铬、硅、铝等），使钢表面形成一层致密的、高熔点的氧化膜（Cr_2O_3、Al_2O_3），使金属与外界的高温氧化性气体隔绝，从而避免进一步氧化。如钢中 w_{Cr}=20%～25%时，抗氧化温度可达 1100℃。

② 分类：

a. 珠光体型耐热钢。这类钢工作温度<600℃，用于制作锅炉钢管，常用牌号有 12CrMoV、15CrMo。

b. 马氏体型耐热钢。工作温度<620℃，用于制作气阀、汽轮机叶片，常用牌号有 4Cr9Si2、1Cr13Mo、1Cr11MoV 等。

c. 奥氏体型耐热钢。这类钢工作温度可>600℃，用于制作工作温度≥650℃的内燃机重负荷排气阀，如 0Cr18Ni11Ti、4Cr14Ni14W2Mo。

d. 铁素体型耐热钢。具有更高的工作温度，用于制作各种承受应力不太大的炉用物件，如 0Cr13Al 等。

(3) 耐磨钢　指在巨大压力和强烈冲击载荷作用下才能发生硬化的高锰钢。它具有如下特点：

① 固溶处理[1]后为单相奥氏体组织；

② 强烈的加工硬化倾向；

③ 脱碳严重，因此加热时应采取措施加以防止；

④ 由于加工硬化严重，故只能铸造后经固溶处理直接使用，因此，其牌号只能是 ZGMn13。

它主要用于冲击载荷特别厉害的场合，如坦克车履带、铁路道岔等。

2.2.1.5　汽车用钢的热处理

(1) 热处理的概念　通过改变固态金属加热、冷却条件，来改变金属组织，从而使金属性能发生预期的变化，这一过程称热处理。其目的在于消除毛坯（如铸件、锻件等）中的缺陷，改善其工艺性能，为后续工序做组织准备；更重要的是热处理显著提高钢的力学性能，从而充分发挥钢材的潜力，提高工件的使用性能和使用寿命。因此，热处理在机械制造工业中占有十分重要的地位。图 2-2 就是最基本的热处理工艺曲线，即热处理工艺由加热、保温和冷却三个阶段所组成。因此，要了解各热处理方法对钢的组织与性能的改变情况，必须首先研究钢在加热（包括保温）和冷却过程中的相变规律。

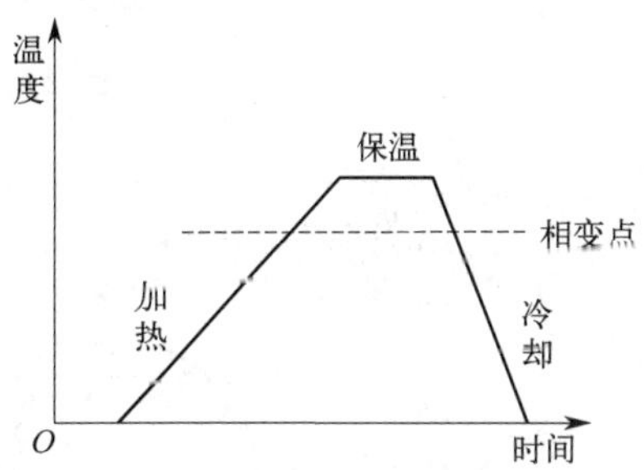

图 2-2　热处理工艺曲线

(2) 热处理分类和临界点

① 分类：

a. 按热处理位置先后分，分为预先热处理和最终热处理。

b. 按加热冷却方法不同分，如图 2-3 所示。

② 钢的临界点：由 $Fe\text{-}Fe_3C$ 相图（图 2-4）得知，碳钢在缓慢加热或冷却过程中，在 PSK 线、GS 线和 ES 线上都要发生组织转变，因此又称上述三线为相变线。通常把 PSK 线称为 A_1 线，GS 线称为 A_3 线，ES 线称为 A_{cm} 线。对一定成分的金属，上述各线就变成相变点。应当指出，A_1、A_3 和 A_{cm} 都是平衡相变点。在

[1] 固溶处理即水韧处理：经 1050～1100℃加热，使碳化物全部溶入奥氏体，然后在水中激冷。

实际生产中，加热速度和冷却速度都比较快，故其相变点在加热时要高于平衡相变点，分别用 A_{c1}、A_{c3}、A_{ccm} 表示；冷却时要低于平衡相变点，分别用 A_{r1}、A_{r3}、A_{rcm} 表示。

- 普通热处理
  - 退火
  - 正火
  - 淬火
  - 回火
- 表面热处理
  - 表面淬火
    - 火焰加热
    - 感应加热（高、中、工频）
  - 化学热处理
    - 渗碳
    - 渗氮
    - 碳氮共渗及其他
  - 其他表面热处理
- 其他热处理——控制气氛热处理、真空热处理等

图 2-3　按加热冷却方法的分类

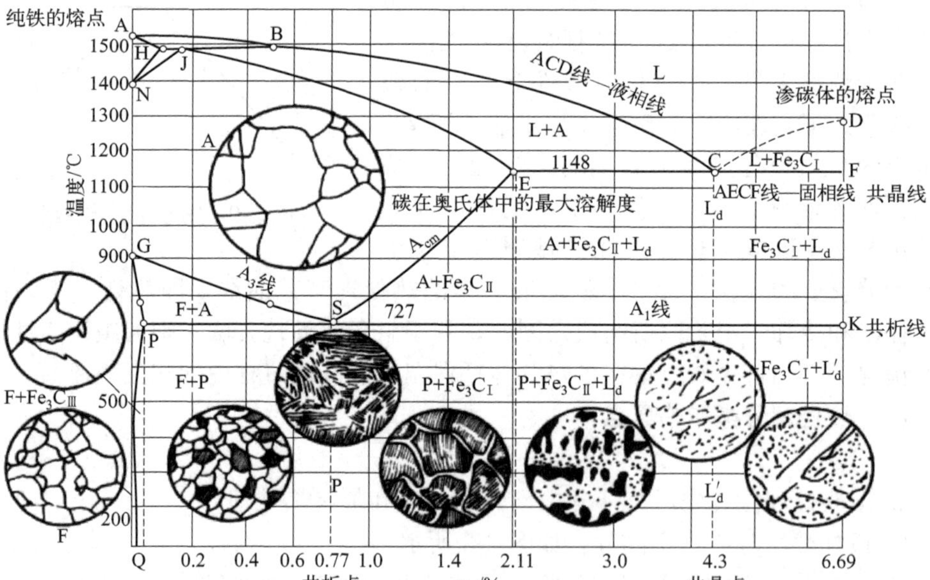

图 2-4　Fe-Fe_3C 相图

（3）钢在加热时的转变（A_1 点以上）　钢进行热处理时首先要加热，任何成分碳钢加热到 A_1 点以上时，其组织中的珠光体均转变为奥氏体，这种加热到相变点以上获得奥氏体组织的过程称为“奥氏体化”。

① 奥氏体化过程。由于珠光体中铁素体具有体心立方晶格，渗碳体的 w_C 为 6.69%，故奥氏体化必须进行晶格的改组和铁、碳原子的扩散，其转变过程遵循形核和长大的基本规律，并通过下列三个阶段来完成，如图 2-5 所示。

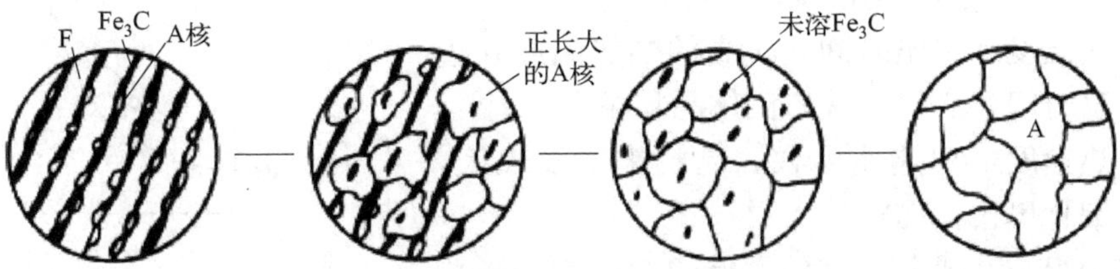

(a) A核　(b) A核长大　(c) 残余Fe_3C溶解　(d) A均匀化

图 2-5　共析钢的奥氏体化示意图

a. 奥氏体晶核（A 核）形成和长大。由于晶界处最易相变，故奥氏体的晶核优先在铁素体和渗碳体的相界面处形成，而后通过铁、碳原子的扩散，使邻近的渗碳体不断溶解，以及铁素体晶格改组为面心立方晶格。因此，奥氏体晶核向相邻铁素体和渗碳体两个方向长大。

b. 残余渗碳体（Fe_3C）的溶解。由于渗碳体的晶体结构和含碳量都与奥氏体差别很大，故渗碳体向奥氏体的溶解必然落后于铁素体向奥氏体的转变。即在铁素体全部消失后，仍有部分渗碳体尚未溶解，这部分未溶解的残余渗碳体将继续向奥氏体溶解，直至全部消失为止。

c. 奥氏体的均匀化。当残余渗碳体刚刚被溶解时，原渗碳体处碳浓度高，需再保温一段时间，奥氏体的成分才能趋于均匀。

因此，加热和保温的目的是获得均匀一致的奥氏体组织，以便冷却后得到良好的组织与性能。

② 奥氏体晶粒长大及其控制。奥氏体晶粒大小将影响随后冷却过程中发生的转变及转变所得的组织与性能。若奥氏体晶粒细小，冷却后转变产物的组织也细小，其强度与韧性都较高。因此，为了获得细晶粒奥氏体，有必要了解奥氏体晶粒长大过程及控制方法。

a. 奥氏体晶粒度。奥氏体晶粒度是指钢加热到相变点以上某一温度并保温给定时间所得到的奥氏体晶粒大小。它有以下两种表示方法：一种用晶粒尺寸表示，例如晶粒的平均直径、平均面积或单位表面积内的晶粒数等；另一种用晶粒号 N 表示，它是将放大 100 倍的金相组织与标准晶粒号图片进行比较来确定，一般将 N 小于 4 的称为粗晶粒，5～8 的称为细晶粒，8 以上的称为超细晶粒。

b. 奥氏体晶粒长大。在加热转变中，新形成并刚好互相接触时的奥氏体晶粒，称奥氏体起始晶粒，其大小一般都是很细小的。但随温度升高，时间继续延长，奥氏体晶粒将不断长大，其长大过程如图 2-6 所示。如在冶炼时用锰铁脱氧的钢，其奥氏体晶粒长大过程符合曲线 2，即不存在明显的粗化温度，称粗晶粒钢；如用铝脱氧的钢，其奥氏体长大过程符合曲线 1，即存在明显的粗化温度（930℃左右），称细晶粒钢。生产中，需热处理的钢基本采用细晶粒钢。

c. 奥氏体晶粒大小的影响因素。

加热温度和保温时间：过高的加热温度和过长的保温时间，必将导致奥氏体晶粒粗大。

加热速度：加热速度快，晶粒来不及长大，有利于细化奥氏体晶粒。

钢的组织及成分：钢的原始组织越细，则相界面越多，使奥氏体晶核数量越多，越有利于细化晶粒。合金元素（如 Al、Ti、V、Zr、Nb 等）和未溶的渗碳体也有利于细化晶粒。

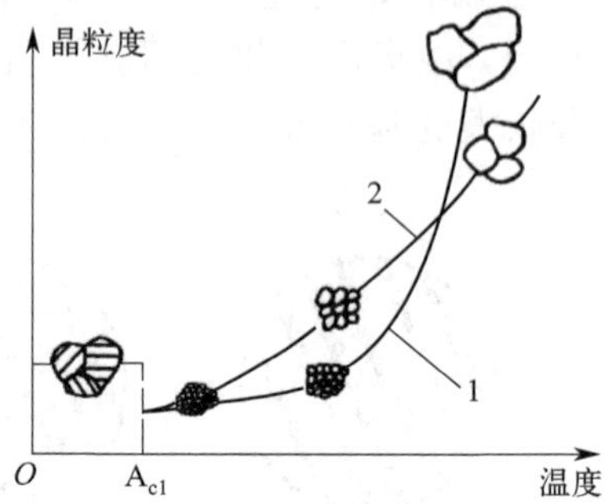

图 2-6 两种奥氏体晶粒长大倾向的示意图

(4) 钢在冷却时的转变 $Fe\text{-}Fe_3C$ 相图所表达的钢的组织转变规律是在极其缓慢的冷却条件下测绘的。实际生产中有不同的冷却速度，对钢的组织、性能产生很大影响。

① 过冷奥氏体及其转变方式。在极其缓慢冷却的条件下，奥氏体在 A_1 线发生共析转变；在一定冷速的条件下，奥氏体过冷到 A_1 线以下才能发生转变，且需要一定的时间才能完成转变。在 A_1 线下尚未发生转变的奥氏体，称为过冷奥氏体，它是一种不稳定的组织，将自发转变为其他较稳定的组织。过冷奥氏体的转变方式如下：

a. 等温转变。把加热到奥氏体状态的钢，快速冷却至 A_{r1} 以下某一温度，并等温停留一段时间，使奥氏体发生转变，然后冷却至室温，这种方式称为等温转变，如图 2-7 中曲线 1。

b. 连续冷却转变。把加热到奥氏体状态的钢，以不同的冷却速度（如炉冷、空冷、油冷、水冷等）连续冷却至室温，实现奥氏体的转变，这种方式称为连续冷却转变，如图 2-7 中曲线 2。

② 共析钢过冷奥氏体的等温转变。

a. 等温转变图。过冷奥氏体在不同过冷度下的等温过程中，转变温度、转变时间与转变产物量（转变开始及结束）的关系曲线，称等温转变图（如图 2-8）。

曲线形状很像字母 C，又称 C 曲线，它通过实验测绘。C 曲线最左点对应的温度是 550℃左右。M_s 线是马氏体转变开始线。通常以 550℃线和 M_s 线将过冷奥氏体转变区分为三个区域：A_1～550℃为高温转变区，即珠光体区；550℃～M_s 为中温转变区，即贝氏体区；M_s 线以下为低温转变区，即马氏体区。

图 2-8 中两条 C 曲线把过冷奥氏体转变区也划分为三个区域：左边一条 C 曲线为过冷奥氏体转变开始线，其左侧为过冷奥氏体区；右边一条 C 曲线为转变结束线，其右侧为转变产物区；两条 C 曲线之间为部分转变区。

过冷奥氏体尚未发生转变的时间称孕育期。共析钢过冷奥氏体在 550℃时孕育期最短，转变速度最快。这是由于在 550℃左右，过冷度较大（相变驱动力较大），原子扩散能力较强。550℃以上孕育期较长是由于过冷度较小；550℃以下孕育期也较长是由于原子扩散能力较弱。在不同温度，孕育期不同是形成 C 曲线的主要原因。

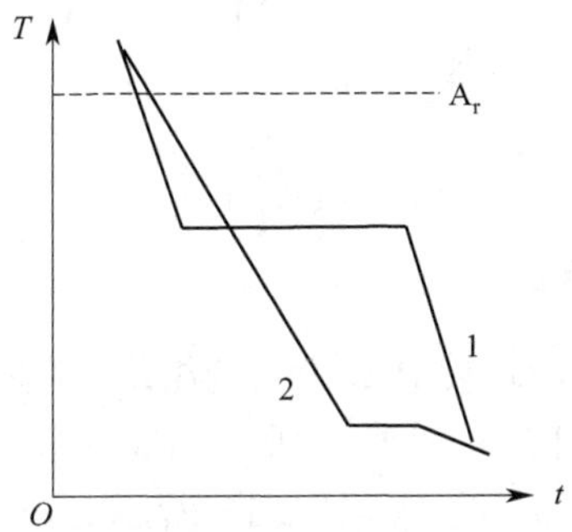

图 2-7　奥氏体的冷却曲线

1—等温转变；2—连续冷却转变

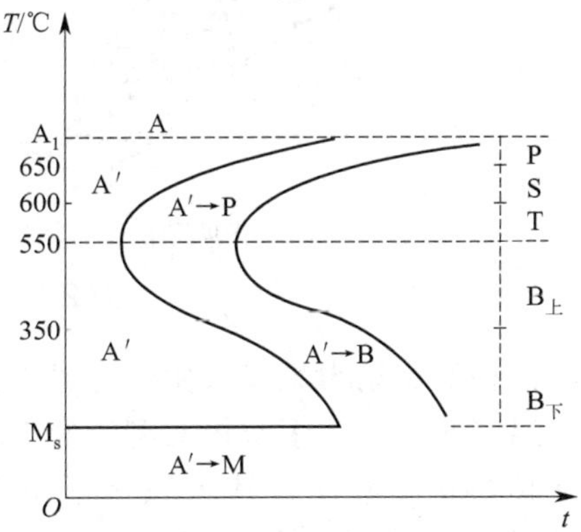

图 2-8　过冷奥氏体的等温转变图

b. 过冷奥氏体的高温转变——珠光体转变。在 A_1～550℃范围内，原子扩散能力强，过冷奥氏体主要通过原子扩散实现转变，通常也称扩散型转变。其产物属珠光体型的组织，特征是渗碳体和铁素体两相呈层片相间。

在过冷奥氏体高温转变区域，过冷度越小，则形成的珠光体中渗碳体与铁素体层片越厚，即片间距离越大。通常，将高温转变区又划分为三个温度区域：在 A_1～650℃范围内，等温转变获得粗片状珠光体组织（P），其布氏硬度为 160～250HBS；在 650～600℃范围内，等温转变获得细片状珠光体组织，称索氏体（S），其洛氏硬度为 25～38HRC；在 600～550℃范围内，等温转变获得极细片状珠光体组织，称托氏体（T），其洛氏硬度为 38～43HRC。

c. 过冷奥氏体的中温转变——贝氏体转变。在 550℃～M_s 范围内，原子扩散能力较弱（但还有一定的扩散能力），过冷奥氏体主要通过较大的过冷度（相变驱动力较大）来改变晶格结构，通常也称半扩散型转变。其产物属贝氏体类型的组织。所谓贝氏体就是含碳过饱和的铁素体［F(C)］与渗碳体的混合物，其组织特征是羽毛状或呈针状，如图 2-9 所示。在 550～350℃范围内，沿片状铁素体晶界析出不连续短杆状的渗碳体，如图 2-9(a) 所示，这种组织称上贝氏体（$B_上$），其洛氏硬度为 40～48HRC，塑性差，脆性较大，一般无实用价值。在 350℃～M_s 范围内，在片状铁素体内弥散析出微细碳化物，如图 2-9(b) 所示，这种组织称下贝氏体（$B_下$），其强度较高，洛氏硬度为 55HRC 左右，且有一定的塑性和韧性，即综合力学性能较好。生产中常常采用等温淬火获得下贝氏体组织。

d. 过冷奥氏体的低温转变——马氏体转变。过冷奥氏体快速冷却至 M_s～M_f（马氏体转变基本结束的温度），铁原子和碳原子将都失去扩散能力。但由于过冷度

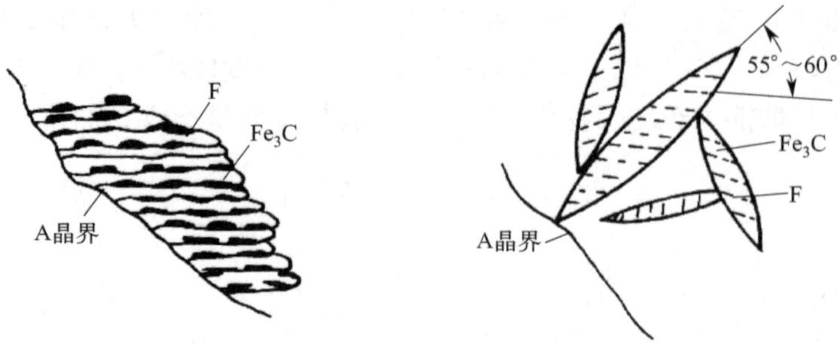

(a) 上贝氏体　　(b) 下贝氏体

图 2-9　贝氏体组织示意图

很大，相变驱动力足以改变过冷奥氏体的晶格结构，使其成为新的组织结构，这就是低温转变，它属于非扩散型转变，其产物是马氏体（M）。所谓马氏体就是含碳过饱和的 α 固溶体，其组织特征呈针片状或板条状，如图 2-10 所示。当 $w_C>1.0\%$时，马氏体呈针片状［图 2-10(a)］，这种组织称片状马氏体（或高碳马氏体），其硬度很高，塑性、韧性极低，且其硬度取决于含碳量。当 $w_C<0.2\%$时，马氏体呈板条状［图 2-10(b)］，这种组织称板条状马氏体（或低碳马氏体），其有一定强度、塑性、韧性的配合，即综合性能好。

图 2-11 表示马氏体硬度与含碳量的关系，表明含碳量增加时，硬度明显增加，但当 $w_C>0.6\%$时，硬度的增加就不明显了。

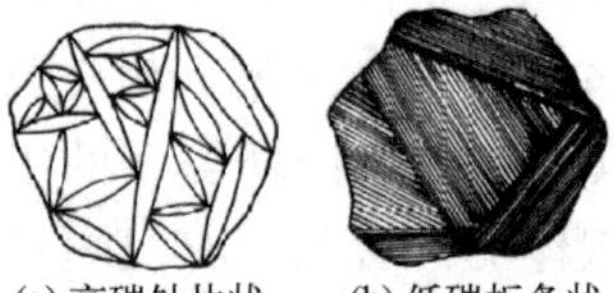

(a) 高碳针片状　　(b) 低碳板条状

图 2-10　马氏体组织示意图

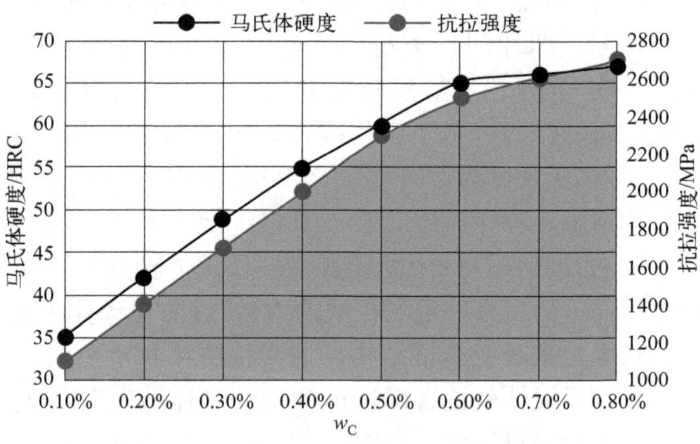

图 2-11　马氏体硬度与含碳量关系

e. 影响等温转变的因素。

· 钢的含碳量：亚共析钢（或过共析钢）的过冷奥氏体在向珠光体转变之前，有先析铁素体（或渗碳体）生成。因此，在亚共析钢（或过共析钢）的 C 曲线图上多一条铁素体（或渗碳体）线（如图 2-12）。由于非共析钢（亚共析钢或过共析钢）在过冷奥氏体转变时有先析铁素体（或渗碳体）形成，造成晶界面增多，促使过冷奥氏体转变，故其 C 曲线均比共析钢靠左。其次 w_C 增加，也使 M_s、M_f 降低。

・合金元素：除了钴外均使 C 曲线右移，同时也有可能使珠光体、贝氏体转变上下移动，即出现所谓双鼻 C 曲线。

・钢的奥氏体化状态：钢奥氏体化后成分越均匀，晶粒越粗大，未溶解碳化物越少，残余压应力越大，则过冷奥氏体越稳定，C 曲线的位置也越靠右。

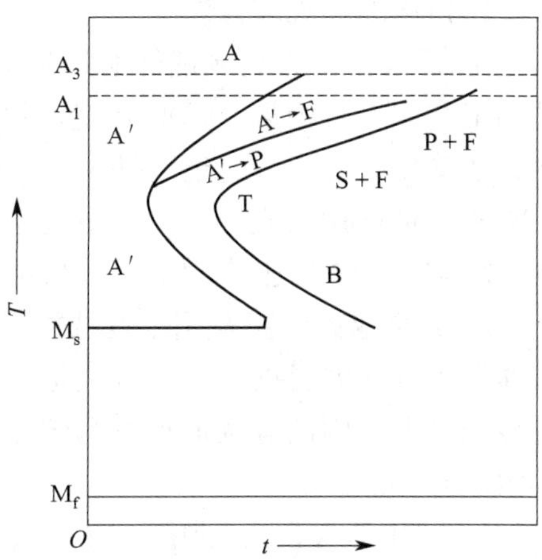

图 2-12　非共析钢的 C 曲线

③ 共析钢过冷奥氏体的连续转变。与等温转变图比，连续冷却转变图靠右下方一些（如图 2-13），说明连续冷却转变所需过冷度大，孕育期长。它由 P_s 线（珠光体转变开始线）、P_f 线（珠光体转变终止线）、K 线（高温转变终止线）所组成，而无贝氏体转变；存在上下临界速度 v_k、v_k'，这里 v_k 表示获得完全低温转变产物（马氏体）的最小冷却速度，v_k' 表示获得完全珠光体类型组织的最大冷却速度；极容易获得混合组织。

由于连续冷却转变曲线测绘困难，生产中常常利用等温转变曲线分析连续冷却转变的结果。即按连续冷却曲线与等温转变曲线相交的大致位置，估计连续冷却后得到的组织。例如，共析钢经奥氏体化后，采用炉冷、空冷、油冷、水冷得到的冷却曲线分别是 v_1、v_2、v_3、v_4（如图 2-14），从图中估计，上述冷却方式将分别获得 P、S、M+T、M+A′等组织。

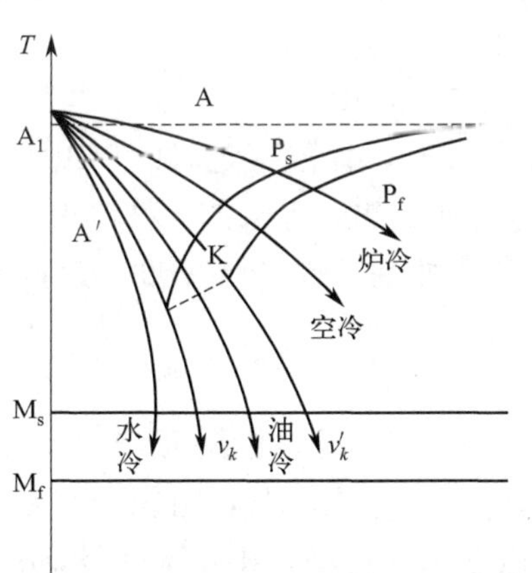

图 2-13　过冷奥氏体连续冷却转变图

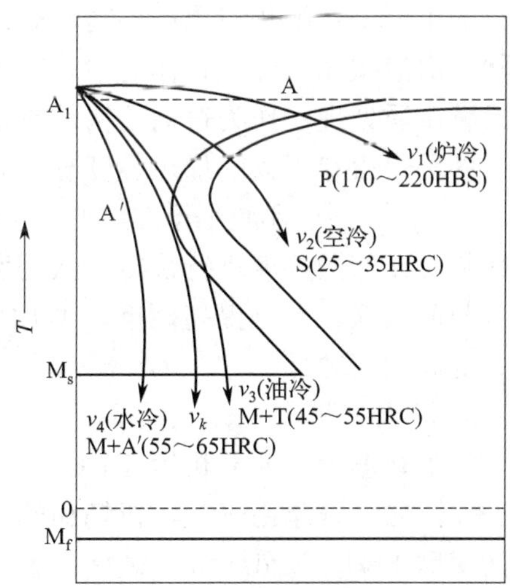

图 2-14　过冷奥氏体连续冷却后得到的组织

（5）钢的热处理方法

① 退火。退火是将钢件加热到适当温度，保持一定时间，然后缓慢冷却的热处理工艺。其目的是：降低硬度，提高塑性；细化晶粒，改善组织；使成分均匀化；清除残余应力，稳定零件尺寸，防止其变形和开裂；为最终热处理做好组织上的准备。根据钢的成分、退火的工艺与目的不同，退火常分为完全退火、球化退火、均匀化退火、去应力退火、再结晶退火。

a. 完全退火。主要用于亚共析钢，其加热温度是 $A_{c3}+(30\sim50)$℃，它又分为普通退火和等温退火。等温退火是使过冷奥氏体在某一温度等温发生转变，完成后空冷至室温。因此等温退火可有效缩短退火时间，提高生产率，且能获得内外均匀的组织与性能。

b. 球化退火。主要用于共析或过共析钢，其目的是获得球状渗碳体，加热温度是 $A_{c1}+(30\sim50)$℃。它也分普通球化退火和等温球化退火。

c. 均匀化退火。主要用于铸锭和铸件，目的是消除铸造中产生的偏析，使成分均匀化。其加热温度是 $A_{c3}+(150\sim200)$℃，保温时间 10～15h。故均匀化退火后组织严重过热，必须再进行一次完全退火或正火来消除过热缺陷。

d. 去应力退火。主要用于消除铸件、锻件、焊件、冷冲压件以及机加工工件中的残余应力。一般对铸锻件的加热温度为500～600℃，冷加工件加热温度为200～300℃。对一些大型工件，无法装炉，可用火焰加热进行局部退火。

② 正火。正火是将钢加热到相变点（A_{c3}、A_{ccm}）以上完全奥氏体化后，再在空气中冷却，以得到以较细珠光体为主的组织的热处理工艺。正火的冷却速度比退火快，过冷度大。因此，正火组织较细，强度、硬度较高，而塑性并不降低。正火的目的主要是：细化组织；提高低碳钢的硬度，改善切削性能；用于高碳钢的破除网状二次渗碳体的处理；作为中碳钢制作的较重要件的预先热处理，同时，正火也常代替调质处理；作为普通结构件或某些大型件的最终热处理。

各种退火和正火的加热温度与工艺曲线如图 2-15 所示。

③ 淬火。将钢加热至 A_{c3} 或 A_{c1} 点以上 30～50℃，保温一定时间，以大于马氏体临界冷却的速度进行快冷，从而发生马氏体转变的热处理工艺，称淬火。其目的（与回火联合）是提高硬度，增加耐磨性，提高弹性，提高强韧性，提高耐热性，提高耐腐蚀性。

a. 淬火工艺。

· 加热温度。亚共析钢 T(℃)$=A_{c3}+(30\sim50)$℃，过共析钢 T(℃)$=A_{c1}+(30\sim50)$℃。这是由于亚共析钢加热温度选在 $A_{c1}\sim A_{c3}$ 之间时，组织中有未溶铁素体保留下来，降低了淬火硬度；若加热温度超过 A_{c3} 过高，则钢氧化脱碳严重，奥氏体晶粒粗化，淬火后马氏体粗大，使钢性能变坏。过共析钢加热温度选在 $A_{c1}+(30\sim50)$℃之上，将使奥氏体含碳量增加，M_s 降低，淬火后残余奥氏体量增加，同时氧化脱碳严重，晶粒粗大；而加热在不完全奥氏体区，未溶渗碳体会提

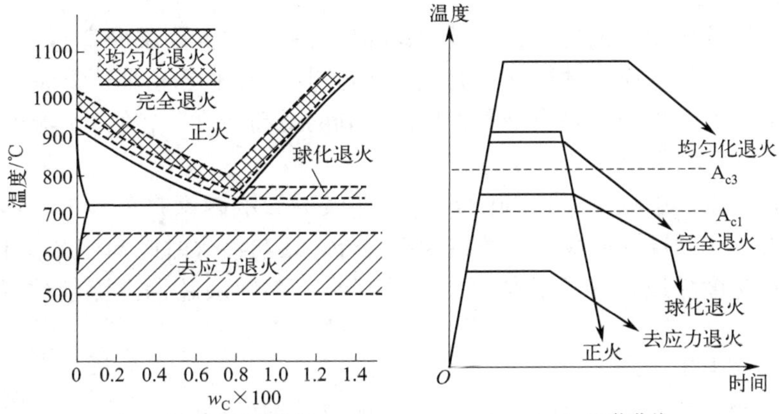

(a) 加热温度范围 (b) 工艺曲线

图 2-15 各种退火和正火的工艺示意图

高钢淬火后的耐磨性。

• 加热时间。工件的加热时间与钢的成分、原始组织、工件形状和尺寸、加热介质、装炉方式、炉温等众多因素有关，故确切计算加热时间是比较困难的。实际生产中，按经验公式 $t=\alpha D$ 确定加热时间。式中，t 为加热时间（min），α 为加热系数（min/mm）（表 2-12），D 为工件有效厚度（mm）。

表 2-12 常用钢的加热系数 α 单位：min • mm^{-1}

钢的种类	工件直径/mm	<600℃箱式炉中加热	750~850℃盐浴炉中加热或预热	800~900℃箱式炉或井式炉加热	1100~1300℃高温盐炉中加热
碳钢	≤50 >50	—	0.3~0.4 0.4~0.5	1.0~1.2 1.2~1.5	—
合金钢	≤50 >50	—	0.45~0.5 0.5~0.55	1.2~1.5 1.5~1.8	—
高合金钢	—	0.35~0.40	0.30~0.35	—	0.17~0.20

• 淬火冷却介质。在淬火冷却时，既要快速冷却以保证淬火工件获得马氏体组织，又要减少变形和防止开裂。因此，理想的淬火方式应该是高温、低温均慢速冷却，中温（即 C 曲线“鼻尖”附近）快速冷却。完全符合这一条件的淬火冷却介质很难找到，一般都在常用冷却介质（盐水、水、油）中近似选用。这些介质的冷却速度是盐水快于水，水快于油。

• 淬火方法。仅改进淬火冷却介质是不能完全满足理想淬火速度要求的，还必须改进淬火方法。常用的淬火方法有：单液淬火（仅在一种介质中冷却）；双液淬火（开始在冷却速度快的介质中冷却，而后转入冷却速度慢的介质中冷却）；预冷淬火（开始空冷，而后投入淬火冷却介质中冷却）；分级淬火（把奥氏体化的工件投入温度在 M_s 附近的盐浴中，以获得马氏体组织）；等温淬火（把奥氏体化的工件投入温度在 350℃~M_s 之间的盐浴中，保温足够时间，以获得下贝氏体组织）。

b. 钢的淬透性。

• 淬透性的概念。钢的淬透性是指钢淬火时能获得淬硬层深度的能力，它是钢材本身固有的属性。而淬硬层深度是指表面至半马氏体层（即马氏体量为 50%的那一层）的距离；淬硬性是指钢淬火后能达到的最高硬度。它们的影响因素、表示方法均不同。

• 影响因素。影响淬透性的因素与 C 曲线的影响因素是一样的，即成分和奥氏体化状态。淬硬层深度除了与淬透性有关外，还与淬火时冷却速度、工件大小有关。即冷却速度越快，淬硬层越深；工件越小，淬硬层越深。淬硬性仅与含碳量有关。

• 淬透性表示方法。

端淬试验：根据 GB/T 225—2006 的规定，钢的淬透性值用 J $\frac{\text{HRC}}{d}$表示，其中 J 表示端淬试验，d 表示与淬火末端的距离，HRC 为该处测得的硬度值。图 2-16 为端淬试验装置示意图。如 J $\frac{42}{5}$表示距淬火末端 5mm 处，试样具有 42HRC 的硬度值。

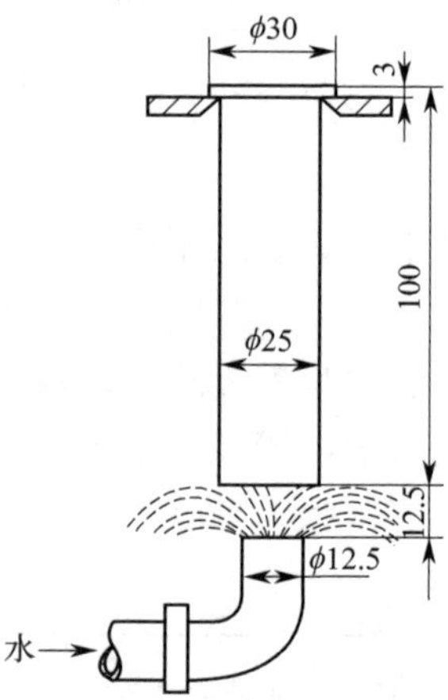

图 2-16　端淬试验装置示意图

临界直径：它是一种直观衡量淬透性的方法，是钢在某种淬火冷却介质中冷却后，心部能得到半马氏体组织的最大直径，用 D_c 表示。显然，同一种钢在冷却能力大的介质中，比在冷却能力小的介质中所得的临界直径要大。但在同一冷却介质中，钢的临界直径 D_c 越大，则淬透性越好。表 2-13 为几种常用钢的临界直径。

表 2-13　常用钢的临界直径

牌号	临界直径/mm		牌号	临界直径/mm	
	水淬	油淬		水淬	油淬
45	13～16.5	5～9.5	35CrMo	36～42	20～28
60	11～17	6～12	60Si2Mn	55～62	32～46
T10	10～15	<8	50CrVA	55～62	32～40
65Mn	25～30	17～25	38CrMoAlA	100	80
20Cr	12～19	6～12	20CrMnTi	22～35	15～24
40Cr	30～38	19～28	30CrMnSi	40～50	32～40
35SiMn	40～46	25～34	40MnB	50～55	28～40

c. 冷处理。由于过冷奥氏体向马氏体转变的不彻底性，还有一部分未转变的残余奥氏体（A′）存在，影响了零件的性能和尺寸。对要求高的零件（如量具）是不允许的，还须将其放入温度为−75℃左右的介质（一般是干冰加酒精）中继续深冷处理，促使残余奥氏体进一步向马氏体转变，保证零件在使用中的性能和尺寸的稳定。冷处理后应立即进行回火，以防开裂。

④ 回火。将淬火钢重新加热到 A_1 以下某一温度，保温一定时间，然后冷却到室温的热处理工艺，称回火。钢淬火后一般都要进行回火，它决定了钢在使用状态的组织和性能，也是很重要的热处理工序。

a. 回火目的。获得工件所需的组织和性能；稳定工件尺寸；消除或减小淬火内应力。

b. 淬火钢的回火转变。由于淬火马氏体和残余奥氏体是不稳定的，在回火过程中，都会向稳定的铁素体和渗碳体（或其他结构碳化物）的两相组织转变。在不同温度范围内回火，将发生以下四种转变。

• 马氏体的分解（<200℃）。在100℃以上回火时，马氏体中过饱和碳原子以 η-碳化物（Fe_2C）的形式析出而发生分解，使马氏体过饱和量降低，其正方度（c/a[1]）减小，晶格畸变降低，内应力有所减小，但硬度并不明显降低。

• 残余奥氏体的转变（200～300℃）。由C曲线得知，这一温度范围属于下贝氏体转变区。因此，残余奥氏体向下贝氏体转变。对于高合金钢，由于C曲线右移，则发生残余奥氏体向马氏体转变，造成硬度重新升高，这一现象称二次硬化。

• 碳化物的转变（250～450℃）。在250℃以上回火时，η-碳化物将随温度升高逐渐转变为稳定的渗碳体（Fe_3C）。此时 α 固溶体的含碳量降到平衡含量，正方度下降到1，即 α 固溶体实际上已变成铁素体，故钢的硬度降低，淬火应力基本消除。但对于某些高合金钢，这一温度将移向较高温度，同时析出特殊碳化物（VC、WC等），造成硬度重新升高，这一现象也称二次硬化。

• 渗碳体的球化、长大和铁素体的再结晶（450～700℃）。当回火温度在450℃以上时，高度弥散分布的渗碳体球化成细粒状，并随温度升高而逐渐长大。同时，由于铁素体仍保留着原马氏体的板条状或片状形态，要发生再结晶，变成多边形晶粒。

c. 回火转变产物的组织和性能。

• 回火过程的性能变化。一般地，随回火温度升高，强度、硬度降低，塑性和韧性提高，而弹性极限在300～400℃时达到最大，对高合金钢会造成“二次硬化”。

• 回火转变产物的组织。主要分以下四种组织：回火马氏体（$M_{回}$，温度150～250℃），即马氏体上分布大量微细 η-碳化物，应用于各种工具、模具中，回火硬度一般为58～64HRC，这一温度范围回火又称低温回火；回火托氏体（$T_{回}$，350～500℃），即在针片状（或条状）铁素体上弥散分布微粒状渗碳体，应用于弹簧和热作模具的处理中，回火硬度为35～50HRC，这一温度范围回火又称中温回火；回火索氏体（$S_{回}$，500～650℃），即在多边形铁素体上均匀分布细粒状渗碳体，应用于重要结构件（如齿轮、传动轴等）的处理中，回火硬度一般为200～330HBS，

[1] c 和 a 分别是晶胞长轴和短轴的晶格常数。

这一温度范围回火又称高温回火，习惯上，把淬火加高温回火相结合的热处理称为调质；回火珠光体（$P_{回}$，＞650℃），即在铁素体上均匀分布粗粒状渗碳体，应用于某些无法用退火来降低硬度的高合金钢的软化处理，这一温度范围回火又称高温软化回火。

d. 回火脆性。淬火钢在某些温度范围内回火，使冲击韧性明显下降，这一现象称回火脆性。

• 低温回火脆性。在250～400℃回火时，产生的回火脆性，称低温回火脆性，又称第一类回火脆性或不可逆回火脆性（即产生后不能通过重新回火来消除）。产生原因主要是沿马氏体界面析出薄膜状碳化物，其次是P、Sn、Sb、As等杂质元素偏聚于晶界。避免措施是在钢中加入Si，使回火脆性温度移向高温（实际中选择含一定Si元素的钢）。

• 高温回火脆性。在450～650℃进行回火时，产生的回火脆性，称高温回火脆性，又称第二类回火脆性或可逆回火脆性（即产生后可通过重新回火后快冷来消除）。产生原因主要是某些杂质元素在晶界偏聚。避免措施是在钢中加入0.5%的Mo（或1%的W）来消除或回火后快冷来消除。

⑤ 钢的表面淬火。钢的表面淬火是一种不改变钢表层化学成分，但改变表层组织的局部热处理方法。它通过快速加热，使钢的表层奥氏体化，在热量还未充分传至中心时立刻予以淬火冷却，使表层获得硬而耐磨的马氏体组织，而心部仍保持原有的组织。根据加热方法不同，表面淬火可分为感应加热表面淬火、火焰加热表面淬火。

a. 感应加热表面淬火。感应加热表面淬火的原理是置于通电线圈内的工件表面会产生自成回路的感应电流（又称涡流），涡流透入表面的深度与电流频率成反比关系，这种现象称为“趋肤效应”。由于钢本身有电阻，因而集中于工件表面的涡流可使表面迅速被加热到淬火温度，而心部温度仍近于室温，所以在随即喷水快冷后，就达到了表面淬火的目的。

• 感应加热表面淬火的特点：加热速度极快，冷却速度也快，以致生产率高；加热时间短，氧化脱碳少；变形小，表层硬度高，耐磨损，耐疲劳和冲击；易实现自动化和机械化操作；设备费用高，仅适用于简单件。

• 分类：主要根据电流频率的高低分如下四类：高频感应加热表面淬火，其工作频率为200～300kHz，淬硬层深度0.5～2mm，应用于淬硬层较薄的中、小型零件的表面淬火；中频感应加热表面淬火，其工作频率为0.5～10kHz，淬硬层深度为2～10mm，应用于处理淬硬层要求较深的零件，如直径较大的轴类和模数较大的齿轮等；工频感应加热表面淬火，其工作频率为50Hz，淬硬层深度为10～15mm，应用于大直径零件（如轧辊、火车车轮等）的表面淬火；超音频感应加热表面淬火，其工作频率为20～40kHz，应用于模数为3～6的齿轮表面淬火，也适用于链轮、凸轮等零件的表面淬火。

感应加热表面淬火对工件原始组织有一定要求。一般铸铁件的组织应是珠光体基体和细小均匀分布的石墨；钢件应预先正火或调质处理。感应加热表面淬火后需进行低温回火，以降低内应力。

b. 火焰加热表面淬火。将氧-乙炔火焰喷向工件表面，使它迅速被加热到淬火温度，然后立即进行喷冷或浸冷，即达到表面淬火的目的，这一过程称火焰加热表面淬火，它适合大型工件（如机床导轨等）的表面淬火，淬硬层深度一般为3～6mm。

⑥ 模具钢的化学热处理。化学热处理是模具在特定介质中，加热到适当温度进行保温，使介质中产生某种或某几种元素的原子，这些原子被模具钢吸收，并向内扩散（渗入），从而使模具在一定深度的表层发生化学成分及组织的变化，以此提高模具的耐磨性、抗咬合性、疲劳强度、抗氧化性、抗腐蚀性等使用性能的热处理技术。

根据渗入元素不同，模具的化学热处理可分为：渗碳，渗氮，碳氮共渗，氮碳共渗，渗硫，硫氮共渗，渗硼，碳、氮、硼三元共渗，硫、氮、碳三元共渗，渗金属（渗铝、渗铬、渗钒、渗锌或多元金属共渗），等等。

a. 渗碳及碳氮共渗。

• 渗碳：渗碳是一种历史悠久，应用相当广泛的化学热处理方法，其特点是加热温度高、渗速快、渗层深（通常在1mm左右）。渗碳可分为固体渗碳、液体（熔盐）渗碳、气体渗碳。近期又发展到真空渗碳、可控气氛渗碳、等离子渗碳等。后三种渗碳法使表面活性化，缩短了渗碳时间，特别是等离子渗碳，由于在真空条件下进行，渗碳气氛中不含氧气，避免了表层的氧化，也省去了渗碳后为去除氧化层所需的精磨工序。渗碳技术主要应用于模架零部件的表面强化，以及低碳钢制模具的表面强化。如汽车软管凸模，原用Cr12MoV钢制造，硬度58～62HRC，因模具承受很大的冲击载荷，寿命不足2000件就断裂了；凸模材料改用20Cr钢，经渗碳处理，渗层深1.0～1.2mm，硬度为60～62HRC，一次寿命提高到了3万件。又如汽车方接头零件的锻方模具，受较大应力及锻件加工硬化抗力，在尖角处易开裂。若降低硬度，则模具模口变形。因此，对模具钢要求表面硬度高、耐磨，而基体要求韧性好。原用Cr12MoV钢，硬度60～62HRC，仅百余件即裂；改用20Cr制作模具，经固体渗碳，满足了性能要求，模具寿命达3万～8万件，失效形式是模口产生微量变形，但不开裂。

• 碳氮共渗：同时有氮原子渗入的渗碳称碳氮共渗。与单一渗碳相比，碳氮共渗有许多特点，如碳氮共渗温度较渗碳温度低，因而渗碳过程中奥氏体晶粒较细小，有些钢可直接淬火，这就简化了工序、节约了能耗并显著减少了模具的变形。

碳氮共渗因共渗剂形态不同，可以分为气体碳氮共渗、液体碳氮共渗、固体碳氮共渗三大类。

气体碳氮共渗是在渗碳的同时，向炉内送入一定量的干燥无水氨气，控制其流量及流速，使新生的活性碳原子和氮原子同时为模具吸收并向内扩散，达到既渗碳又渗氮的目的。

液体碳氮共渗是在含氰化盐的盐浴中进行，与液体渗碳比较，共渗温度较低，氰化盐含量较高，这就既可降低碳的扩散速度和渗入深度，又可增加氮在共渗层中的浓度，使共渗层中碳、氮含量和浓度梯度有适度配合。

固体碳氮共渗是将工件放入填充有固体渗碳剂（如木炭、碳酸盐）和含氮物质（如亚铁氰化钾）混合粉末的箱中，密封后加热至共渗温度并长时间保温。在此过程中，固体介质分解产生的碳和氮原子渗入工件表面。该方法设备简单，但生产效率低，劳动条件差，且渗层质量和深度均匀性不易控制，目前已较少使用。

碳氮共渗的主要优点是由于渗入氮，增加了钢的淬透性，共渗后可用冷速较缓的介质进行淬火，从而减小模具变形，同时可以用较便宜的碳素钢代替低合金钢制造某些模具。

生产实践中注意气体碳氮共渗的安全操作。因共渗气体有毒、易燃、易爆，应采取措施予以防止。

b. 渗氮及氮碳共渗。在化学热处理中，渗氮及氮碳共渗技术是模具最常用的强化工艺。该工艺最大优点是处理温度低（一般是 500～600℃），热处理变形小，生成的氮化物层很硬，耐磨性特别高，耐蚀性、耐热性和疲劳强度也较理想。

· 渗氮：渗氮方法分为气体渗氮、液体渗氮、固体渗氮、离子渗氮等。气体渗氮处理时间较长，气体消耗量大，且渗氮层显示脆性，使承受大负荷的模具表面常出现裂纹和脆皮剥落；液体（盐浴）渗氮温度低、时间短、模具变形小，但盐浴或盐浴反应产物有一定毒性，需考虑盐浴的危害及防止措施；离子渗氮速度快，而且可以通过改变处理参数而得到最好的渗氮层组织及所需的性能，表面质量好，易于局部渗氮处理，无公害。因此，离子渗氮被广泛应用于模具。

· 氮碳共渗：氮碳共渗主要渗入元素是氮，氮碳共渗的渗氮加热温度高（通常 560～580℃）、保温时间短（3～5h）、渗层较薄（0.3mm 左右）、生产率高。模具常采用氮碳共渗，氮碳共渗后模具表面耐磨性显著提高，而且渗层韧性也较高，适用于各类模具钢。

氮碳共渗可以使高速钢和基体钢的耐磨性提高 2～5 倍，大幅度提高模具使用寿命。如 W18Cr4V 钢制挤压模，经 560℃、1.5h 气体氮碳共渗处理后模具平均寿命由 2 万～3 万件提高到 7.5 万件；LD 钢制螺栓工序冷镦模，常规处理后硬度为 60～63HRC，经 550℃、5h 固体氮碳共渗处理，冷镦模表面硬度 1105HV，过渡层硬度 830HV，模具寿命由常规热处理的 12.3 万件提高到 29.6 万件，失效形式是疲劳微裂纹；3Gr2W8V 及 4Cr5MoSiV1 钢制作的热挤压模、铝型材压铸模等采用正常淬、回火后加氮碳共渗处理，模具寿命与未经氮碳共渗比较显著提高。

c. 渗硫及硫氮共渗。

· 渗硫：渗硫层具有摩擦系数小、耐磨性好、抗咬合性高、抗擦伤力强等特点。渗硫方法可按介质的物理状态分为熔盐渗硫和气体渗硫，而目前生产中应用较多的是低温熔盐电解渗硫。低温熔盐电解渗硫的优点是渗硫时间短、渗层质量稳定，加热温度接近钢的低温回火温度，淬火工件经低温熔盐电解渗硫后仍能保持高硬度，模具尺寸及形状畸变十分轻微。

・硫氮共渗：硫氮共渗或硫、氮、碳三元共渗可获得复合处理效果，进一步提高抗咬合性能和耐磨性。对高速钢和模具钢制造的各种模具，共渗温度为 540～560℃，共渗时间为 1～3h。为获得韧性较高的渗层，共渗后可进行去氢处理。3Cr2W8V 热模钢硫、氮、碳三元共渗后比离子渗氮、离子氮碳共渗有更高的渗层硬度、耐磨性和抗咬合性。

d. 渗硼处理。模具钢渗硼后，表面硬度可达 1300～2000HV，耐磨性极高，即使加热到接近 600℃仍能保持很高的硬度。渗硼工艺在模具上获得广泛应用。

按所用介质的物理状态，渗硼可分为固体渗硼、液体渗硼、膏剂渗硼和气体渗硼。固体渗硼的优点是设备简单、操作简便、工件表面易清洗，因而应用较广。熔盐（液体）渗硼温度一般为 950～1000℃，时间一般不超过 6h，时间过长易使渗硼层变脆。熔盐渗硼设备也比较简单，操作也很方便，但工件沾盐后不易清洗，带有小孔、不通孔的模具不宜熔盐渗硼。膏剂渗硼是固体渗硼的一种发展。渗硼膏是用固体渗硼剂粉末与黏合剂调制而成，被渗模具表面涂上厚约 1～2mm 的渗硼膏，装箱加热或在保护气氛中加热保温。膏剂渗硼既保持了固体渗硼的优点，又可减少渗硼剂的消耗量，而且易于局部渗硼，因而特别适用于模具渗硼。气体渗硼的优点是渗硼层均匀，渗硼后易于清洗，渗剂配比、处理温度及时间均有很大的调整范围，但主要渗剂二硼烷不稳定及有爆炸性。

渗硼工艺广泛应用于各种冷作模具，如拉伸模、冷镦模、冷挤模等，也适用于热锻模、压铸模、热挤压模及塑料模等。一些模具经渗硼处理后的使用效果见表 2-14。

表 2-14　渗硼模具的使用效果

模具钢牌号	模具名称	处理工艺	使用寿命/万件
Cr12MoV	冷镦 M16 六方螺母凹模	淬、回火	0.3～0.5
		渗硼,淬、回火	5.0～6.0
	冰箱压缩机冷冲模	淬、回火	0.2
		固体渗硼,淬、回火	2.0
	螺母六角套模	淬、回火	1.0
		盐浴渗硼,淬、回火	2.0～3.0
3Cr2W8V	汽车轮胎热冲压模	淬、回火	0.1
		渗硼,淬、回火	0.42
	轴承热挤压模	淬、回火	0.1～0.2
		渗硼,淬、回火	0.3～0.4
		硼氮复合渗,淬、回火	0.7～1.0
45 钢	硅碳棒成型模	正火	0.025
		膏剂渗硼、空冷	0.125
	釉面砖模板	Cr12MoV 淬、回火	6 或 7 个班
		45 钢渗硼	28 班

模具渗硼处理的缺点是渗层脆性高，淬火时易产生裂纹。因此，最好是渗硼温度与钢的淬火温度相近，渗硼与淬火相结合进行。

e. 渗金属（TD 工艺）。渗金属与渗硼工艺相近，区别在于加入了金属元素。熔盐渗金属时，如果向硼砂浴中加入对氧亲和力小于硼的金属元素（V、Cr、Ni、Nb 等），则该金属在硼砂浴中不会与 B_2O_3 发生反应，呈热力学稳定状态。在高温下，金属原子由于热振动而由颗粒中逸出，成为活性原子扩散到模具表面并渗入，使表面形成一层极硬的碳化物层，如 VC 等，使模具表面的耐磨性、耐热性、耐蚀性、耐冷热疲劳性都显著提高。又由于渗层与基体结合力强，因而渗金属被广泛应用于各种模具，特别是冷冲模具、冷挤压模、压铸模等。常用的渗金属方法有固体法、热浸渍法及熔盐法，渗剂包括供渗剂、催渗剂和填充剂。

TD 工艺发展很快，主要优点是设备及工艺简单、操作方便、质量可靠、生产效率高、成本低、经济效益显著。表 2-15 列出了几种模具渗金属处理的效果。

表 2-15　渗金属模具的使用寿命

牌号	模具名称	处理工艺	模具寿命/万件
Cr12MoV	螺母拉深模	常规处理	0.1～0.2
		渗钒	1.0
	纪念币压印模	常规处理	3.0
		渗钒	7.0
	拉深凹模	常规处理	20～30 件/刃磨
		渗钒	＞130 件/刃磨
65Nb	孔用挡圈凸凹模	常规处理	1.0
		盐浴渗钒	8.0

TD 工艺与渗硼同属高温化学热处理技术，处理温度高，易使模具产生变形，因此，近来对复合渗工艺进行了广泛研究试验。复合渗是硼与一种或多种元素（如 V、Cr、Al、Si 稀土等）同时扩散到钢材表面，其目的是降低处理温度和渗层脆性、加快扩散速度以及使模具表面具有更高的性能。

f. 钢的发黑处理。发黑处理属于表面氧化处理的一种方法，主要应用于碳素钢和低合金工具钢。将工件放在一定温度的碱性溶液中进行氧化处理，使工件表面生成一层四氧化三铁的氧化膜。根据处理条件的不同，该氧化膜可呈现亮蓝色或亮黑色。它不仅对金属表面起防锈作用，还能增强金属表面的美观性，对淬火工件来说还能起到消除应力的作用，所以发黑处理在工业上得到一定的应用。

⑦ 其他表面强化技术。对模具进行表面强化处理，除常用的化学热处理外，还有一些其他的表面强化工艺，如激光强化技术、热喷涂、堆焊、物理气相沉积、化学气相沉积、化学镀、电镀、喷丸强化、电火花强化等等。其在实际生产中显示出优越性，取得了经济效益。

a. 激光强化技术。高能量密度的激光束、电子束、离子束等高能束在模具表面强化中已得到应用。由于功率密度高，可以对模具表面进行改性，使其获得特有的组织与性能，也得到高的生产率。只要采用光学或电磁学技术就能把能量束引导到模具不同部位，实现局部或复杂部位的强化处理，特别是计算机、自动控制等高科技的介入，使能量操纵智能化，控制更加自如方便，展示了更好的应用前景。下面重点介绍其中的激光强化技术。

激光作为热源对材料表面进行强化，包括相变硬化、表面熔化、表面合金化、表面涂覆等。激光强化技术发展很快，大功率激光器的研制成功及技术的完善为开展模具表面强化的研究和应用提供了有利条件。

在模具表面激光强化方法中，激光相变硬化（激光淬火）应用比较普遍。它是利用高能量激光束在模具刃口或型腔需强化表面进行扫描照射。激光束产生的巨大热量，将材料表面在短时间内加热到1000℃以上，当激光束离开加热点后，此点即以相当大的冷速淬火。因为是“自淬火”，所以模具变形小，获得的表面组织比感应淬火及火焰淬火都要细，在一定条件下表层还可能形成非晶态结构，因而表面强化性能更高。此外，激光束火焰集中，易于实现对窄深沟槽、拐角、不通孔、深孔、刃口等部位的强化处理。由于激光处理表面冷却速度快，对低碳钢、中碳钢、低合金工具钢等进行处理后，表面强化效果可与高强度模具钢媲美。

激光表面合金化是以激光作热源的复合强化技术，是在模具表面涂上合金粉，以足够功率、适当扫描速度，使表面温度升到熔点，形成一层合金熔化层。根据对模具的耐磨、耐蚀、耐热、抗氧化等要求，配制适当的表面合金化成分，进行表面合金化。近来还发展了激光表面陶瓷强化技术，能使材料表面形成超硬陶瓷层。

激光相变硬化和表面合金化能使模具寿命提高1～3倍，表2-16为激光强化处理模具的使用寿命。

表2-16　激光强化处理模具的使用寿命

模具名称	模具材料	原处理工艺	激光淬火后寿命提高倍数
山字形硅钢片铁心冲模	Cr12	淬火+低温回火	33%
B9硅钢片铁心冲模	Cr12	淬火+低温回火	60%
裁纸刀	T10	调质	50倍,达300万冲次
铝饭盒盖拉深模	45	火焰淬火	6～9倍

模具激光强化所使用激光器为功率500W以上的CO_2激光器，现在1～2kW的大功率CO_2激光器已商业化，更大功率的激光器也研制成功，将使模具的强化技术进一步发展。

激光强化的不足之处是强化面积小，相邻两个强化带之间存在回火软化现象，对需要大面积强化的模具受到限制。

b. 气相沉积。气体沉积是一种利用气态物质（气相）中发生的某些物理、化学过程，在模具表面形成具有某些特殊性能的金属或化合物涂层的技术。根据涂层形成过程，气相沉积分为化学气相沉积、物理气相沉积两大类。在模具表面镀覆一层超硬镀层是提高模具寿命的有效途径，先进的表面超硬镀层是以TiN、TiC、

TiCN、金刚石、立方氮化硼等为代表。

· 化学气相沉积：化学气相沉积简称 CVD（chemical vapor deposition）。其特点是通过发生反应的混合气体在模具表面发生化学反应，使模具表面生成一层薄的固相沉积物层。CVD 法可以用来沉积各种金属和碳化物、氮化物、氧化物、硅化物、硼化物等。目前应用较普遍的是气相沉积 TiC，基本原理是将工件加热到 900～1200℃范围内，使四氯化钛和材料中的碳在材料表面进行化学反应，经过一定时间即生成一层 TiC 镀层。除此之外，较普通的还有 TiN。TiC 和 TiN 特别适用于承受高负荷的模具。如对 Cr12MoV 钢落料模、拉深模、弯曲模、冲孔模等进行气相沉积 TiC，模具寿命比常规处理提高 3 倍以上。对各类高速钢制作的冷作模具，沉积 TiN 和 TiC 后，使用寿命提高 6～10 倍。

化学气相沉积设备简单、操作维护方便、多用性强，可以对形状复杂或带有槽沟及孔的工件进行均匀涂覆。由于温度高，TiC 与基体结合牢固。TiC 镀层硬度相当高，可达 3000HV，耐磨性极好，而且摩擦系数小，具有很好的减摩性和抗咬合性。

CVD 法属高温处理技术，突出缺点是容易引起模具变形。为解决变形问题，现已发展了中温 CVD 和低温 CVD 技术，特别是等离子化学气相沉积（PCVD），其工作原理与离子渗氮相似，沉积速度快、加热温度低、工件变形较轻微，具有应用前景。

· 物理气相沉积：物理气相沉积简称 PVD（physical vapor deposition），分为真空蒸镀、离子镀、溅射镀等。主体装置是真空室，内装工件吊架及蒸发源，蒸发源是能使镀层材料蒸发的加热体，其中溅射镀可以直接用碳化物、氮化物等作靶材，在工件表面形成耐磨性极高的化合物镀层。物理气相沉积的优点是温度低、变形小。用 PVD 法提高冷作模具的寿命，尤其是要求精度很高的冷作模具的寿命最为适宜。

65Nb 和 LM2 钢制造的电池冲模经物理气相沉积，由于涂层的高硬度及减小了摩擦力，冲模使用寿命明显提高，由常规处理的 6 万～10 万件，提高到 20 万件以上。

c. 喷丸强化。喷丸强化是借助硬丸粒，高速、连续锤击金属表面，使其产生强烈的冷作硬化。通过喷丸可以明显改变金属表层的应力状态、显微硬度、表层的微观形貌和相成分，从而提高模具的疲劳强度、抗冲击磨损及抗应力腐蚀性能。喷丸可改善模具的表面粗糙度，并有效地去除电火花加工而产生的表面变质层。

喷丸强化方法简单易行，节约能源，适用于落料模、冷冲模、冷镦模和热锻模等以疲劳失效形式为主的模具。如锻模服役时，要经受弯曲和热膨胀，常发生局部屈服而导致显微裂纹，喷丸处理产生的压应力能推迟显微裂纹的形成，从而延迟模具龟裂发生。模具经喷丸强化后使用寿命情况参见表 2-17。

表 2-17 喷丸模具寿命

模具名称	模具材料	喷丸介质	一次刃磨使用寿命/万次	
			喷丸前	喷丸后
洗衣机电动机定、转子	Cr12	0.5mm 铸钢丸	1.2～3.2	11.49
定子单槽冲	Cr12	0.25～0.35mm 玻璃丸	52	70
一字槽光冲	60Si2Mn	0.25～0.35mm 玻璃丸	0.96～1.35	2.0～2.3
活扳手热精压模	3Cr2W8V	0.5mm 铸钢丸	0.175	0.263

⑧ 热处理的缺陷和热处理在加工中的位置。

a. 热处理的缺陷。在热处理生产中，往往由于热处理工艺控制不当，工件产生某些缺陷，如氧化、脱碳、过烧、过热、硬度不足、变形与开裂等，这对热处理件的质量影响很大。其中淬火产生的缺陷更为人们所重视，这是由于淬火加热温度较高，冷却速度很快，容易使工件产生缺陷。淬火中常见的缺陷是工件的氧化与脱碳、过热与过烧、表面软点，以及变形与开裂。

• 过热与过烧。加热温度过高，造成晶粒粗大，则称过热；如果造成晶界熔化，则称过烧。出现过热、过烧的现象均只需控制加热温度不要过高；如已过热，则可先行退火或正火再二次淬火来保证质量；但已过烧，则无法挽救，只能报废材料。

• 氧化与脱碳。工件淬火加热时，若加热炉介质控制不好，就会产生氧化与脱碳缺陷。它不仅损耗大量钢材，而且使工件淬不硬，表面质量下降，进而降低疲劳极限。减少或防止的方法主要是采用脱氧良好的盐浴炉加热（盐浴炉需经常脱氧捞渣）、采用可控气氛炉或真空炉加热，如已脱碳应将脱碳层磨除后重新热处理。

• 表面软点（或硬度分布不均匀）。减少或防止表面软点的方法主要是：保证要求的淬火加热温度；尽可能避免或减少氧化脱碳；淬火时使冷却速度均匀，即工件淬入介质后要往复运动或使介质充分搅动。

• 变形与开裂。淬火中变形与开裂主要是淬火时形成的内应力所引起的。当内应力超过钢的屈服强度时，工件就发生变形；当内应力超过钢的抗拉强度时，工件就产生开裂。内应力在淬火中是不可避免的，但可以得到一定的控制，其方法主要是降低加热速度，减小各部位的温差，防止表面脱碳，淬火后各部位要均匀冷却，工件垂直淬入介质，入油要先厚部位后薄部位，选用合适的夹具，控制出油温度，淬火后及时回火。

b. 热处理在加工中的位置。根据热处理目的和工序位置的不同，热处理可分为预先热处理与最终热处理两大类，其工序位置一般安排如下：

• 预先热处理的工序位置。预先热处理包括退火、正火、调质等。其工序位置一般均紧接毛坯生产之后、切削加工之前，或粗加工之后、精加工之前。

• 最终热处理的工序位置。最终热处理包括各种淬火、回火及化学热处理等。零件经这类热处理后硬度较高，除磨削外，不适宜其他切削加工，故其工序位置尽量靠后，一般均安排在半精加工之后、磨削之前。

2.2.1.6 铝合金与镁合金

(1) 铝合金 铝的特点有：导电、导热性好，可用于制作电线、日用器皿等；面心立方结构，塑性好，强度低，可做成铝箔；密度小，比强度高，用于制作汽车轻量化部件；本身电位为负，大气中耐腐蚀性好，可制作一些家用的器皿等。主要分工业纯铝、变形铝合金、铸造铝合金三类。

铝合金牌号采用四位数字体系，第一位数字代表主要合金系列（如 1 系为纯铝，2 系以铜为主，3 系以锰为主，4 系以硅为主，5 系以镁为主，6 系以镁和硅为主，7 系以锌为主，8 系为其他元素系列）。

① 工业纯铝：

a. 铸造纯铝，用 Z＋Al＋铝含量的数字表示，如 ZAl99.5 表示 $w_{Al}=99.5\%$的铸造纯铝；

b. 变形纯铝，用 1×××表示，如 1A30 表示 $w_{Al}=99.30\%$的原始变形纯铝。由于纯铝强度不高，因此其应用受到限制。

② 变形铝合金：

a. 防锈铝，用 5A50 或 LF5 表示，用于制造汽车车身板、油箱等高耐腐蚀性部件；

b. 硬铝，用 2A12 或 LY12 表示，用于制造汽车车身骨架、车门加强件等受力构件；

c. 超硬铝，用 7A04 或 LC4 表示，用于制造汽车保险杠、防撞梁等高强度部件；

d. 锻铝，用 6A02 或 LD2 表示，用于制造汽车轮毂、发动机支架等要求比强度较高的锻件。

③ 铸造铝合金：

a. 铝硅合金，用 ZAlSi7Mg 或 ZL101 表示，用于制造汽车发动机缸体、变速箱壳体等形状复杂的铸件；

b. 铝铜合金，用 ZAlCu5Mn 或 ZL201 表示，用于制造汽车活塞、连杆等工作温度在 175～300℃的零件；

c. 铝镁合金，用 ZAlMg10 或 ZL301 表示，用于制造汽车仪表板支架、座椅骨架等工作温度不超过 150℃的零件；

d. 铝锌合金，用 ZAlZn11Si7 或 ZL401 表示，用于制造汽车发动机支架、油底壳等压铸零件（工作温度不超过 200℃）。

以上铝合金牌号在汽车工业中广泛应用，主要得益于其优异的轻量化性能、良好的力学性能和耐腐蚀性能。随着汽车轻量化需求的增加，铝合金在汽车中的应用将更加广泛。

(2) 镁合金 镁的特点包括：密度小，仅为铝的 2/3，是常用金属结构材料中最轻的，适合轻量化设计；比强度高，优于钢和铝合金，适合制造高强度轻质零件；阻尼性能好，减振降噪效果显著，适合制造需要减振的部件；易于回收，环保性能好，符合可持续发展要求；耐腐蚀性较差，需通过表面处理或合金化改善。主要分为工业纯镁、变形镁合金、铸造镁合金三类。

① 工业纯镁：

a. 铸造纯镁，用 Z+Mg+镁含量的数字表示，如 ZMg99.8 表示 $w_{Mg}=99.8\%$ 的铸造纯镁；

b. 变形纯镁，用 M×××表示，如 M1A 表示 $w_{Mg}=99.95\%$ 的原始变形纯镁。由于纯镁强度较低，其应用受到一定限制。

② 变形镁合金：

a. AZ31B，用于制造汽车仪表板支架、座椅骨架等轻质部件；

b. ZK60，用于制造汽车轮毂、转向节等高强度部件；

c. AM60，用于制造汽车门内板、发动机罩等耐冲击部件。

③ 铸造镁合金：

a. AZ91D，用 ZMgAl9Zn 或 ZM5 表示，用于制造汽车变速箱壳体、离合器壳体等形状复杂的铸件；

b. AM50A，用 ZMgAl5Mn 或 ZM10 表示，用于制造汽车方向盘骨架、座椅骨架等轻质部件；

c. AS41B，用 ZMgAl4Si 或 ZM20 表示，用于制造汽车发动机支架、油底壳等耐高温部件；

d. AE44，用 ZMgAl4RE 或 ZM30 表示，用于制造汽车发动机缸体、缸盖等高强度耐热部件。

镁合金在汽车工业中的应用日益广泛，主要得益于其优异的轻量化性能和良好的力学性能。随着表面处理技术的进步和新型镁合金的开发，镁合金在汽车中的应用前景将更加广阔。

2.2.2 非金属材料

非金属材料是指除金属及其合金以外，通过天然或人工合成方式制备的无机或有机材料，涵盖陶瓷、玻璃、塑料、橡胶、复合材料、石墨、碳纤维等多种类型。这类材料通常具有质轻、耐腐蚀、绝缘性优异、化学稳定性高等特点，部分材料还展现出耐高温（如陶瓷）、高韧性（如碳纤维）或可塑性（如塑料）等特殊性能。在应用领域上，非金属材料广泛应用于建筑（如玻璃幕墙、混凝土）、电子（如半导体陶瓷、绝缘塑料）、汽车（如轮胎橡胶、轻量化复合材料）、航空航天（如耐高温陶瓷涂层、碳纤维结构件）、医疗（如生物陶瓷、医用高分子材料）等行业。随着科技发展，新型非金属材料（如纳米陶瓷、可降解塑料等）不断涌现，推动着节能环保、智能制造等领域的创新。其多样化的性能与可设计性使其成为现代工业体系中不可或缺的基础材料，同时也在可持续发展中扮演重要角色。本节主要介绍汽车工业常见的非金属材料。

2.2.2.1 塑料

塑料是以合成或天然高分子化合物（如树脂）为基础，通过加热、加压等工艺成型的材料，具有轻质、耐腐蚀、绝缘性好、可塑性强的特点。按特性可分为热塑性（可重复加工，如聚乙烯）和热固性（一次成型，如酚醛树脂）塑料，广泛应用于包装、建筑、汽车、电子及医疗器械等领域。其低成本、易加工的优势推动了现代工业发展，但传统塑料的不可降解性导致环境污染问题。当前通过开发可降解塑料（如 PLA）、加强回收利用及循环经济模式，逐步推动塑料产业向绿色可持续发展转型。

（1）塑料的基本构成 塑料的构成主要包括树脂基体和多种添加剂，添加剂用于改善或增强树脂基体的性能。这些组分共同决定了塑料的性能和应用范围。

① 树脂基体。树脂基体是塑料的主要成分，通常由高分子聚合物组成，如聚乙烯（PE）、聚丙烯（PP）和聚碳酸酯（PC）。树脂基体决定了塑料的基本特性，如强度、耐热性和耐腐蚀性。树脂基体的选择直接影响塑料的加工性能和最终用途。例如，聚丙烯因其优异的耐冲击性和耐化学腐蚀性，广泛用于汽车保险杠和内饰面板。

② 填充剂。填充剂是一类重要的添加剂，用于增强塑料的力学性能。玻璃纤维是一种常见的填充剂，用于增强尼龙（PA＋GF）制造的发动机进气歧管，使其能够耐受高温和高压环境。

③ 稳定剂。稳定剂是塑料中的关键添加剂，用于防止材料在加工和使用过程中发生降解。抗氧化剂和紫外线吸收剂是常见的稳定剂，用于车灯外壳等需要长期暴露在户外环境中的部件，以延长其使用寿命。

④着色剂。着色剂用于赋予塑料各种颜色，满足不同设计需求。例如，汽车内饰件通常需要多种颜色和表面效果，着色剂的使用使得塑料部件能够满足这些美学要求。

⑤ 增塑剂。增塑剂是常见的添加剂之一，用于提高塑料的柔韧性和可塑性。邻苯二甲酸酯是一种常用的增塑剂，广泛应用于汽车线束护套和方向盘表皮，使这些部件具有更好的柔韧性和耐用性。

⑥ 阻燃剂。阻燃剂是塑料中用于提高材料防火性能的添加剂。氢氧化铝是一种常用的阻燃剂，用于电池包外壳等关键部件，以提高其安全性。

⑦ 润滑剂。润滑剂用于改善塑料的加工性能，减少摩擦和磨损。例如，在注塑成型过程中，润滑剂可以减少模具与塑料之间的摩擦，提高生产效率。

⑧ 发泡剂。发泡剂用于制造泡沫塑料，如聚氨酯泡沫，广泛用于汽车座椅和 NVH 隔声垫。发泡剂通过在塑料中产生气泡，降低材料密度，同时提供良好的减振和隔声效果。

⑨ 抗静电剂。抗静电剂用于减少塑料表面的静电积累，适用于电子元件和汽车内饰件，以防止静电干扰和灰尘吸附。

塑料的组分构成不仅决定了其物理和化学性能，还直接影响其加工工艺和应用领域。通过合理选择和配比树脂基体和各种添加剂，可以制造出满足特定需求的塑料材料。在汽车工业中，塑料的轻量化、耐腐蚀性和设计自由度使其成为替代传统金属材料的理想选择。未来，随着环保要求的提高，生物基塑料和可降解塑料的应用将进一步扩大，推动塑料行业向绿色可持续发展方向迈进。

（2）塑料的分类　塑料可以根据其热行为、用途、结构和加工特性进行分类。不同类型的塑料具有独特的性能和应用领域。

① 按热行为分类。热塑性塑料在加热时软化，冷却后硬化，且这一过程可重复进行。常见的例子包括聚乙烯（PE）、聚丙烯（PP）和聚碳酸酯（PC）。热塑性塑料易于回收和再加工，适用于需要多次成型的部件。

热固性塑料在加热后发生化学交联反应，形成不可逆的三维网络结构。常见的例子包括环氧树脂和酚醛树脂。例如，环氧树脂用于制动片黏接，因其耐高温性和机械强度优异。热固性塑料适用于需要高稳定性和耐热性的应用场景。

② 按用途分类。通用塑料成本低、产量大，适用于日常用品和工业部件。常见的例子包括聚乙烯（PE）、聚丙烯（PP）和聚苯乙烯（PS）。例如，聚苯乙烯用于汽车空调出风口，因其易加工且成本低。

工程塑料具有优异的力学性能、耐热性和耐化学性，适用于高要求的工业应用。常见的例子包括聚酰胺（PA）、聚碳酸酯（PC）和聚甲醛（POM）。例如，聚酰胺（PA66）用于发动机罩盖，因其耐高温且轻量化。

特种塑料具有独特的性能，如耐高温、耐腐蚀或导电性。常见的例子包括聚苯硫醚（PPS）和聚醚醚酮（PEEK）。例如，聚苯硫醚用于高压电池外壳，因其耐高温且绝缘性能优异。

③ 按结构分类。结晶性塑料分子链排列有序，具有较高的强度和耐化学性。常见的例子包括聚乙烯（PE）和聚丙烯（PP）。例如，聚乙烯用于汽车燃油箱，因其耐油且密封性好。

非晶态塑料分子链排列无序，具有较高的透明度和韧性。常见的例子包括聚碳酸酯（PC）和聚苯乙烯（PS）。例如，聚碳酸酯用于车灯透镜，因其透明且抗冲击。

④ 按加工特性分类。注塑成型塑料适用于复杂形状的部件，如聚丙烯（PP）和ABS树脂。例如，ABS树脂用于汽车仪表板，因其强度高且表面光泽好。

挤出成型塑料适用于连续型材的生产，如聚乙烯（PE）和聚氯乙烯（PVC）。例如，聚氯乙烯用于车门密封条，因其耐老化且密封性强。

吹塑成型塑料适用于中空部件的生产，如高密度聚乙烯（HDPE）。例如，HDPE用于汽车燃油箱，因其无缝且防渗漏。

通过合理选择塑料的分类，可以满足不同应用场景的需求，推动塑料在汽车、电子、建筑等领域的广泛应用。

（3）塑料的性能与应用　塑料的性能与其化学成分、组织结构和加工工艺密切相关，这些性能决定了塑料在各个领域的广泛应用。以下是塑料的主要性能及其在汽车工业中的典型应用。

① 拉伸性能。塑料的拉伸性能包括抗拉强度和断裂伸长率，直接影响其承载能力和耐用性。例如，聚酰胺（PA66）具有高抗拉强度，用于发动机罩盖，能够承受高温和机械应力；聚乙烯（PE）的断裂伸长率高，适用于需要柔韧性的部件，如燃油箱。

② 硬度。硬度是塑料抵抗表面压痕和划伤的能力，通常通过邵氏硬度或洛氏硬度来衡量。例如，聚碳酸酯（PC）具有较高的硬度，用于车灯透镜，能够抵抗外部冲击和磨损；聚丙烯（PP）的硬度适中，适用于汽车内饰面板，兼顾耐用性和美观性。

③ 冲击韧性。冲击韧性是指塑料在受到冲击时吸收能量的能力，通常通过冲击试验来评估。例如，ABS树脂具有优异的冲击韧性，用于汽车仪表板和保险杠，能够在碰撞中保护乘客安全；聚碳酸酯（PC）也具有良好的冲击韧性，适用于车灯外壳，防止破裂。

④ 轻量化。塑料的密度远低于金属，通常在0.9～1.5g/cm^3之间，使其成为轻量化设计的理想材料。例如，聚丙烯（PP）用于汽车保险杠和内饰面板，显著减轻了整车重量，从而提高燃油效率；碳纤维增强塑料（CFRP）用于车门和车顶，进一步减轻车身重量，同时保持高强度。

⑤ 耐腐蚀性。塑料对酸、碱、盐等化学物质具有优异的耐腐蚀性，适用于恶劣环境下的部件。例如，聚丙烯（PP）用于底盘护板，能够抵抗路面盐雾和化学腐蚀，延长部件使用寿命；聚氯乙烯（PVC）用于车门密封条，因其耐老化和耐腐蚀性能优异。

⑥ 绝缘性。塑料具有良好的电绝缘性能，适用于电子和电气部件。例如，聚苯硫醚（PPS）用于高压电池外壳，因其耐高温且绝缘性能优异，确保电池系统的安全性；聚碳酸酯（PC）用于车灯透镜，不仅透明，还能有效绝缘。

⑦ 减振与隔声。塑料的阻尼性能优异，能够有效吸收振动和噪声。例如，聚氨酯泡沫用于汽车座椅和NVH隔声垫，提供舒适的乘坐体验并降低车内噪声；热塑性弹性体（TPE）用于密封条，进一步减少振动传递。

⑧ 设计自由度。塑料易于加工成复杂形状，满足多样化设计需求。例如，注塑成型的ABS材质用于一体式汽车格栅和流线型内饰件，实现美观与功能的结合；吹塑成型的高密度聚乙烯（HDPE）用于燃油箱，无缝设计提高了密封性和安全性。

⑨ 耐热性与耐候性。某些工程塑料具有优异的耐热性和耐候性，适用于高温和户外环境。例如，聚酰胺（PA66）用于发动机罩盖，因其耐高温且轻量化；聚碳酸酯（PC）用于车灯外壳，能够长期耐受紫外线辐射而不老化。

⑩ 成本效益。塑料的原材料成本和加工成本较低，适合大规模生产。例如，聚丙烯（PP）用于汽车内饰件，不仅性能优异，还能显著降低生产成本。热塑性塑料的可回收性进一步提高了其经济性和环保性。

通过合理利用塑料的性能，可以满足汽车工业对轻量化、耐腐蚀、绝缘、减振和设计自由度的需求。未来，随着新型塑料材料的开发，如生物基塑料和可降解塑料，塑料在汽车工业中的应用将更加广泛和可持续。

(4) 塑料的成型工艺 塑料的成型工艺决定了其最终形状和性能，不同工艺适用于不同应用场景。以下是常见的塑料成型工艺及其在汽车工业中的具体应用。

① 注塑成型。注塑成型通过将熔融塑料注入模具型腔，冷却后得到复杂形状的部件。其特点是生产效率高、精度高，适用于大批量生产。例如，ABS树脂用于注塑汽车仪表板和按钮开关，表面光滑且强度高；聚丙烯（PP）用于制造汽车保险杠，兼具轻量化和抗冲击性。

② 挤出成型。挤出成型通过将熔融塑料连续挤出模具，形成固定截面的型材或管材，适用于长条形或中空部件的生产。例如，聚氯乙烯（PVC）用于制造车门密封条，耐老化且密封性强；热塑性弹性体（TPE）用于车窗导槽，柔韧性好且减振效果显著。

③ 吹塑成型。吹塑成型通过将熔融塑料型坯吹胀贴合模具内壁，形成中空制品，适合生产无缝中空部件。例如，高密度聚乙烯（HDPE）用于吹塑汽车燃油箱，防渗漏且耐油性优异；聚碳酸酯（PC）吹塑用于车灯外壳，透明且抗冲击。

④ 压塑成型。压塑成型通过加热和加压使塑料在模具中固化成型，适用于热固性塑料。其特点是产品强度高、耐高温。例如，酚醛树脂压塑用于刹车片基体，耐高温且摩擦性能稳定；环氧树脂用于黏接制动系统部件，确保长期可靠性。

⑤ 热成型。热成型通过加热塑料片材后吸附或压入模具成型，适用于薄壁大型部件。其特点是成本低、设计灵活。例如，ABS片材热成型用于汽车内饰门板，表面纹理细腻且轻量化；聚丙烯（PP）用于仪表台盖板，耐候性强且易于清洁。

⑥ 滚塑成型。滚塑成型通过旋转模具使塑料粉末均匀附着并熔融成型，适合大型中空部件。其特点是壁厚均匀、无内应力。例如，聚乙烯（PE）滚塑用于汽车储物箱，耐腐蚀且容量大；聚氨酯（PU）用于座椅扶手壳体，轻便且减振性能好。

⑦ 传递模塑（RTM）。传递模塑是指将树脂注入闭合模具中固化，适用于纤维增强复合材料。其特点是高精度、低孔隙率。例如，玻璃纤维增强尼龙（PA+GF）用于制造发动机进气歧管，耐高温且强度高；碳纤维增强塑料（CFRP）用于车门框架，实现轻量化与高刚性结合。

⑧ 3D打印（增材制造）。3D打印通过逐层堆积材料制造复杂结构，适合小批量或定制化生产。其特点是无需模具、设计自由度极高。例如，聚乳酸（PLA）用于打印汽车原型件，快速验证设计；尼龙（PA）用于定制化内饰装饰件，满足个性化需求。

通过合理选择成型工艺，塑料在汽车工业中能够实现从轻量化部件到高强度结构件的多样化应用。未来，随着智能化工艺和环保材料的结合，塑料成型技术将进一步推动汽车制造的创新与可持续发展。

(5) 汽车工程常见塑料的代号、成分、性能及应用

① ABS（丙烯腈-丁二烯-苯乙烯共聚物）。ABS是一种由丙烯腈、丁二烯和苯乙烯共聚而成的塑料，具有抗冲击性高、表面光泽好和易加工的特点。其耐弱酸和弱碱，但耐候性较差。在汽车工业中，ABS广泛用于制造仪表板、内饰面板和格栅，因其表面光滑且易于电镀处理。

② PP（聚丙烯）。聚丙烯是一种轻质塑料，密度仅为0.9g/cm^3，具有优异的耐化学腐蚀性和抗疲劳性。其耐温范围为−30～120℃，常通过添加玻璃纤维或滑石粉增强性能。在汽车中，PP用于制造保险杠、内饰门板、燃油箱和电池盒，因其轻量化和耐腐蚀性优异。

③ PC（聚碳酸酯）。聚碳酸酯是一种透明塑料，具有极高的抗冲击性和耐高温性（长期使用温度120℃）。其缺点是易应力开裂，需表面涂层保护。在汽车工业中，PC常用于制造车灯透镜、天窗玻璃和仪表板透明罩，因其透明且抗冲击。

④ PA（聚酰胺，尼龙）。尼龙是一种高强度塑料，具有优异的耐磨损性和耐高温性（PA66耐温可达180℃）。其吸水性较高，需防潮处理。在汽车中，PA常用于制造发动机罩盖、进气歧管和线束插接件，因其强度高且耐高温。

⑤ POM（聚甲醛）。聚甲醛是一种高刚性塑料，具有低摩擦系数和优异的耐疲劳性。其耐化学性较差，不耐强酸和强碱。在汽车工业中，POM用于制造燃油系统齿轮、门锁机构和喷油器部件，因其低摩擦且耐磨损。

⑥ PBT（聚对苯二甲酸丁二醇酯）。PBT是一种耐高温塑料，长期使用温度可达140℃，且尺寸稳定性好。其耐水解性较差，需避免潮湿环境。在汽车中，PBT常用于制造车灯插座、电子连接器和雨刷电机外壳，因其耐高温且绝缘性好。

⑦ PPS（聚苯硫醚）。PPS是一种耐高温塑料，长期使用温度可达220℃，且阻燃性优异（UL94 V-0）。其脆性较高，需改性增韧。在汽车工业中，PPS用于制造高压电池外壳、涡轮增压器管路和传感器支架，因其耐高温且阻燃。

⑧ TPE（热塑性弹性体）。TPE是一种兼具橡胶弹性和塑料加工性的材料，具有优异的耐候性。其耐油性较差，需配方优化。在汽车中，TPE常用于制造密封条、减振垫和方向盘包覆层，因其柔韧性好且减振效果显著。

⑨ PE（聚乙烯）。聚乙烯是一种耐化学腐蚀的塑料，具有优异的柔韧性和耐低温性（−50℃）。其耐温性较低，HDPE耐温约80℃。在汽车工业中，PE用于制造燃油箱、线束护套和防尘罩，因其耐腐蚀且成本低。

⑩ PVC（聚氯乙烯）。PVC是一种耐老化的塑料，具有优异的阻燃性和低成本。其高温易分解，释放氯化氢气体。在汽车中，PVC常用于制造车门密封条、线束绝缘层和地板革，因其耐老化且阻燃性好。

汽车工程塑料通过优化成分和性能，满足了轻量化、耐候性和功能集成化的需求。未来，随着环保材料的推广，塑料在汽车中的应用将更加广泛和可持续。

2.2.2.2 橡胶

（1）橡胶的基本构成 橡胶的构成主要包括橡胶基体和多种添加剂，这些组分共同决定了橡胶的性能和应用范围。橡胶基体是橡胶的主要成分，通常由天然橡胶（NR）或合成橡胶［如丁苯橡胶（SBR）、丁腈橡胶（NBR）］组成，决定了橡胶的基本特性，如弹性、耐磨性和耐温性。例如，天然橡胶因其优异的弹性和抗撕裂性，广泛用于汽车轮胎和减振部件。填充剂（如炭黑和白炭黑）用于增强橡胶的力学性能和降低成本。硫化剂（如硫磺和过氧化物）通过交联反应提高橡胶的强度、弹性和耐热性。增塑剂（如邻苯二甲酸酯）用于提高橡胶的柔韧性和加工性能。防老剂（如抗氧化剂和抗臭氧剂）用于防止橡胶老化，延长使用寿命。着色剂则用于赋予橡胶各种颜色，满足设计需求。通过合理选择和配比橡胶基体和各种添加剂，可以制造出满足特定需求的橡胶材料。在汽车工业中，橡胶的弹性、耐磨性和耐温性使其成为轮胎、密封件和减振部件的理想选择。未来，随着环保要求的提高，生物基橡胶和可回收橡胶的应用将进一步扩大，推动橡胶行业向绿色可持续发展方向迈进。

（2）橡胶的分类 橡胶可以根据其来源、化学结构等进行分类。

按来源可分为天然橡胶（NR）和合成橡胶，天然橡胶从橡胶树乳液中提取，具有优异的弹性和耐磨性，广泛用于轮胎和减振部件；而合成橡胶［如丁苯橡胶（SBR）和丁腈橡胶（NBR）］通过化学合成制得，性能多样，适用于不同场景。

按化学结构可分为碳链橡胶（如NR、SBR）和杂链橡胶（如硅橡胶、氟橡胶），碳链橡胶主链由碳原子组成；杂链橡胶主链含其他原子，具有特殊性能。

（3）合成橡胶的性能特点及应用 合成橡胶具有多样化的性能特点，如优异的耐油性、耐热性、耐化学腐蚀性和耐磨性，能够通过调整配方满足不同需求。在汽车领域，丁苯橡胶（SBR）因其高弹性和耐磨性，广泛用于轮胎胎面；丁腈橡胶（NBR）耐油性优异，常用于燃油系统和液压密封件；硅橡胶耐高温且绝缘性好，适用于发动机密封件和电子元件保护；氟橡胶耐高温和耐化学腐蚀，用于涡轮增压器管路和燃油系统密封件。合成橡胶在汽车中的应用显著提升了车辆的安全性、耐久性和性能表现。

2.2.2.3 复合材料（含碳纤维）

复合材料是由两种或多种不同性质的材料通过物理或化学方式结合而成的新材料，其各组分在宏观上保持独立性，但协同作用后性能优于单一材料。复合材料具有高强度、轻量化、耐腐蚀等优势，但也面临成本高和回收复杂等挑战，是推动现代工业轻量化与高性能化的重要材料。

（1）复合材料的成分、分类及表示方法 复合材料的成分通常包括增强相和基体相。增强相提供强度和刚度，常见的增强材料有碳纤维、玻璃纤维和芳纶纤维。基体相用于固定增强材料并传递载荷，常见的基体材料有树脂、金属和陶瓷。

复合材料可以根据增强材料的形态和基体材料的类型进行分类。按增强材料形态可分为纤维增强复合材料（如碳纤维增强塑料）、颗粒增强复合材料（如碳化硅颗粒增强铝）和层状复合材料（如夹层板）。按基体材料类型可分为聚合物基复合材料（如玻璃纤维增强塑料）、金属基复合材料（如铝基复合材料）和陶瓷基复合材料（如碳化硅增强陶瓷）。

复合材料的表示方法通常采用增强材料与基体材料的组合形式。例如，碳纤维增强环氧树脂可表示为CFEP，其中CF代表碳纤维，EP代表环氧树脂；玻璃纤维增强聚丙烯可表示为GFPP，其中GF代表玻璃纤维，PP代表聚丙烯。这种表示方法简洁明了，能够准确描述复合材料的组成。

在汽车领域，复合材料因其高强度、轻量化和耐腐蚀等优势得到广泛应用。复合材料的应用推动了汽车工业的轻量化与高性能化发展。

（2）复合材料的性能 复合材料因其独特的结构和组成，具有多种优异的性能特点，广泛应用于各个领域。以下是复合材料的主要性能特点：

① 高强度与高刚度。复合材料通过增强相（如碳纤维、玻璃纤维）提供高强度和刚度，同时基体相（如树脂、金属）传递载荷并保护增强材料。例如，碳纤维增强塑料（CFRP）的比强度是钢的5倍以上，广泛用于航空航天和汽车工业的高性能部件。

② 轻量化。复合材料的密度通常低于传统金属材料，能够显著减轻产品重量。例如，玻璃纤维增强塑料（GFRP）用于汽车车身面板，不仅减轻了整车重量，还提高了燃油效率。轻量化是复合材料在汽车、航空航天等领域广泛应用的重要原因。

③ 耐腐蚀性。复合材料对酸、碱、盐等化学物质具有优异的耐腐蚀性，适用于恶劣环境。例如，玻璃钢（GFRP）用于化工设备的内衬和管道，因其耐腐蚀且寿命长。

④ 设计自由度。复合材料易于加工成复杂形状，满足多样化设计需求。例如，碳纤维复合材料通过模压成型制造复杂曲面的汽车车身部件，实现美观与功能的结合。

⑤ 抗疲劳性能优异。复合材料具有优异的抗疲劳性能，能够在循环载荷下保持较长的使用寿命。例如，碳纤维增强塑料（CFRP）用于飞机机翼和汽车悬架系统，因其在高频振动下仍能保持稳定性能。

⑥ 热性能。某些复合材料具有优异的热性能，如耐高温和低热胀系数。例如，陶瓷基复合材料（CMC）用于发动机涡轮叶片，因其耐高温且热胀系数低。

⑦ 功能性。复合材料可以通过添加功能性填料实现特殊性能，如导电性、磁性或阻燃性。例如，碳纳米管增强复合材料用于电磁屏蔽部件，因其导电性优异。

复合材料的性能特点使其在汽车、航空航天、建筑和电子等领域得到广泛应用。未来，随着新材料和新工艺的开发，复合材料的性能将进一步提升，推动更多高端应用的发展。

（3）复合材料在汽车工业中的应用　复合材料因其高强度、轻量化和设计自由度等优异性能，在汽车工业中得到广泛应用。以下是复合材料在汽车领域的主要应用：

① 车身部件。复合材料广泛用于制造车身部件，如车门、引擎盖和车顶。例如，碳纤维增强塑料（CFRP）用于高端车型的车身面板，显著减轻重量并提高燃油效率；玻璃纤维增强塑料（GFRP）用于制造保险杠和翼子板，降低成本的同时实现轻量化。

② 底盘与悬架系统。复合材料在底盘和悬架系统中的应用提高了车辆的操控性和舒适性。例如，碳纤维增强塑料（CFRP）用于制造悬架弹簧和底盘支架，因其高强度和抗疲劳性能优异。复合材料的使用不仅减轻了底盘重量，还提高了车辆的动态性能。

③ 内饰件。复合材料在内饰件中的应用提升了汽车的舒适性和美观性。例如，天然纤维增强塑料（如麻纤维增强 PP）用于制造门板、仪表板和座椅骨架，因其环保且轻量化。复合材料还可以通过模压成型实现复杂曲面设计，满足个性化需求。

④ 动力系统部件。复合材料在动力系统中的应用提高了发动机和传动系统的性能。例如，玻璃纤维增强尼龙（PA＋GF）用于制造进气歧管，因其耐高温且重量轻；碳纤维增强塑料（CFRP）用于制造传动轴，减轻重量的同时提高传动效率。

⑤ 电池与电动系统。随着电动汽车的发展，复合材料在电池和电动系统中的应用日益广泛。例如，碳纤维增强塑料（CFRP）用于制造电池外壳，因其高强度且绝缘性能优异。复合材料还可以用于制造电机壳体，提高散热性能并减轻重量。

⑥ 其他应用。复合材料还用于制造其他汽车部件，如制动片、油箱和排气系统。例如，陶瓷基复合材料（CMC）用于高性能制动片，因其耐高温且摩擦性能稳定；玻璃纤维增强塑料（GFRP）用于制造燃油箱，因其耐腐蚀且密封性好。

2.3　汽车模具材料

模具成型技术是汽车行业广泛应用的关键工艺。冷作模具钢、热作模具钢、塑料模具钢等系列材料，为汽车产业发展提供了有力支撑。

2.3.1　冷作模具材料及热处理

冷作模具钢是应用最为广泛的冷作模具材料，其品种丰富多样。按照工艺性能与承载能力的不同，冷作模具钢可细分为以下类别：低淬透性冷作模具钢、低变形冷作模具钢、高耐磨微变形冷作模具钢、高强度高耐磨冷作模具钢、高强韧性冷作模具钢、抗冲击冷作模具钢、特殊冷作模具钢等。

2.3.1.1 低淬透性冷作模具钢及热处理

常用的低淬透性冷作模具钢为 T7A、T8A、T9A、T11A、T12A、8MnSi、Cr2、9Cr2、W、GCr15、V、CrW5 等。此类钢特点是合金元素少、回火抗力低、硬化层浅，因而其承载能力低。此类钢的主要用途是各种中、小批量生产的冷冲模。

(1) 成分、组织特点 低淬透性冷作模具钢的 $w_C=0.7\%\sim1.7\%$，$w_{Me}\leqslant 2\%$。T7A 及 T8A 为亚共析钢及共析型珠光体钢，其余均为过共析钢。Cr2 及 T12A 对锻后冷速较敏感，易于析出网状碳化物。

(2) 淬透性水平 低淬透性冷作模具钢在油中的淬透直径 $D_{c(油)}$ 为 $\phi5\sim25$mm。除 Cr2、MnSi、9Cr2 钢制的小型模具可用油淬外，其他均以水溶液介质为主。碳素工具钢及钒钢的硬化层厚度仅为 1.5～3mm。

(3) 强韧性水平 当模具的截面直径大于 $\phi30$mm 时，淬火后可形成薄壳淬硬层，表面具有良好的耐磨及挤压能力，并有高达 500～1000MPa 的压应力，因而具有较高的疲劳抗力和脆断抗力。但由于硬化层太浅，总体来看，其抗压水平较低。

低淬透性冷作模具钢的热处理规范如表 2-18 所示。

表 2-18 低淬透性冷作模具钢的热处理规范

牌号	淬火规范				回火规范	
	预热温度/℃	加热温度/℃	淬后硬度 HRC	淬火介质	回火温度/℃	回火后硬度 HRC
T7A	400～500	780～820	59～62	水或油	160～180	57～60
T8A	400～500	780～820	60～63	水或油	160～180	58～61
T10A	400～500	760～810	61～64	水或油	160～180	59～62
T11A	400～500	760～810	61～64	水或油	160～180	59～62
T12A	400～650	760～810	61～64	水或油	160～180	59～62
8MnSi	400～650	800～820	≥60	油	200～300	60～63
Cr2	400～650	830～850	62～65	油	130～150	63～65
9Cr2	400～650	820～850	62～63	油	160～180	59～61
Cr06	400～650	780～800	62～65	油	120～140	62～65
W	400～650	800～820	62～64	水	150～180	59～61
GCr15	400～650	810～850	62～65	油	180～200	≥61
V	400～650	780～820	≥62	水	160～180	59～61
CrW5	400～650	830～850	63～65	油	180～200	64～65

2.3.1.2 低变形冷作模具钢及热处理

低变形冷作模具钢的典型代表是 9Mn2V、CrWMn、9CrWMn、9Mn2、MnCrWV、SiMnMo，其基本优点是具有较好的淬硬性和淬透性，淬火操作简便，淬裂、变形倾向低，并易于控制。低变形冷作模具钢经淬火及低温回火后含有 8%～15%的残余奥氏体和 5%～10%的碳化物。残余奥氏体在 25℃左右回火后分解，使体积膨胀，并加剧低温回火脆性。

2.3.1.3　高耐磨微变形冷作模具钢及热处理

典型代表是Cr12、Cr12MoV、Cr12MolV1、Cr5Mo1V、Cr4W2MoV、Cr2Mn2Si-WMoV、Cr6WV、Cr6W3Mo2.5V2.5。本组钢的共同特点是高淬透性、微变形、高耐磨性、高热稳定性、高抗压强度，是制造冷冲裁模、冷镦模、螺纹搓丝板的主要材料，其消耗量在冷作模具钢中居于首位。

在该类钢中，应用广泛的是Cr12系列钢。这些钢都是莱氏体钢，铸态时存在鱼骨状共晶碳化物，这种碳化物随着钢锭凝固速度变慢和锭形尺寸增大而加剧增长。虽然在锻轧生产中鱼骨状共晶碳化物被破碎，但在钢中还存在不均匀分布或存在纤维方向性。Cr12系列钢退火时可采用普通退火，但最好采用等温退火。淬火后进行低温回火，可获得高的硬度及较高的韧性，但抗压强度较低，一般认为Cr12MoV钢采用中温淬火（1030℃）及中温回火（400℃）可获得最好的强韧性。

2.3.1.4　高强度高耐磨冷作模具钢及热处理

高强度高耐磨冷作模具钢（W18Cr4V、W6Mo5Cr4V2等）具有高强度、高抗压性、高耐磨性和高热稳定性的特点，广泛用于制造各种切削刀具，也用于制造各种高负荷冷作模具，如冷挤压模、冷冲裁模等。但其也存在一定的局限性，主要表现为合金元素消耗量大，价格贵，制造工艺性能不佳，热处理工艺复杂，淬火、回火后的变形难以控制。

2.3.1.5　高强韧性冷作模具钢及热处理

国内外研发了多种高强韧性冷作模具钢，其强度、韧性、冲击疲劳断裂抗力均优于高速钢或高碳高铬钢，而抗压性及耐磨性稍逊于前者。使用寿命较高速钢、高铬钢大为提高。

（1）降碳高速钢（6W6Mo5Cr4V）的特性　6W6Mo5Cr4V钢属于降碳减钒型钨钼系高速钢。与W6Mo5Cr4V2钢相比，碳含量降低20%（质量分数），钒含量降低50%（质量分数），使用效果良好，已列入我国合金工具钢标准，是我国较成熟的一种高强韧性、高承载能力的冷作模具钢。

6W6Mo5Cr4V钢由于适当地减少了碳与钒的含量，降低了MC型碳化物和碳化物的总含量，改善了碳化物分布的均匀性，使共晶碳化物不均匀度降低1～2级，淬火硬化状态的抗弯强度与塑性提高30%～50%，冲击韧度提高50%～100%，仍保持了良好的二次硬化能力和热稳定性，560～580℃回火后硬度为60～63HRC。此钢的锻造温度范围较窄，钢材始锻温度低于1100℃，仍需按莱氏体钢的锻造操作要领进行深透锻造，并控制流线方向。其退火易软化，硬度低于229HBS，机械加工性能好。

（2）7Cr7Mo2V2Si钢的特性　7Cr7Mo2V2Si钢经适当热处理后的抗弯强度可达5000MPa以上，冲击韧度a_K值达100J/cm^{2}以上，其强韧性远高于高速钢或高碳高铬钢，同时具有高的耐磨性。在抗弯强度均达到5000MPa时，7Cr7Mo2V2Si

钢的冲击韧度值比 6W6Mo5Cr4V 钢高出近一倍。

7Cr7Mo2V2Si 钢适宜制造高负荷的冷挤、冷镦、冷冲模具。但此钢的脱碳敏感性比高铬钢大，对淬火后不再加工就直接使用的模具，为避免因脱碳而降低表面硬度的现象发生，最好采用真空加热淬火。

高强韧性冷作模具钢的热处理规范如表 2-19 所示。

表 2-19　高强韧性冷作模具钢的热处理规范

钢种	淬火工艺			回火工艺	
	加热温度/℃	冷却介质	硬度 HRC	回火温度/℃	硬度 HRC
6W6Mo5Cr4V	1180～1200	油	＞60	500～580	60～63
6Cr4W3Mo2VN6	1080～1180	油	≥60	520～580	59～62
7Cr7Mo2V2Si	1100～1150	油	60～61	530～570	57～63
7Cr Si MnMoV	900～920	油	≥60	220～260	56～60
6CrNiMnSiMoV	870～930	油	＞60	180～270	57～62
8Cr2MnWMoVSi	850～900	空	＞60	250～500	45～58

2.3.1.6 抗冲击冷作模具钢及热处理

典型代表是 4CrW2Si、5CrW2Si、6CrW2Si、9CrSi、60Si2Mn、5CrMnMo、5CrNiMo、5SiMnMoV。本组钢的共同特点是过剩碳化物少，组织均匀，由于多元合金的固溶强化和回火碳化物的弥散强化，其具有高强度、高韧性、高冲击疲劳抗力，主要用于风动工具、冲剪工具和大、中型冷镦模、精压模等。本组钢的弱点是抗压能力低，热稳定性差，淬火变形难以控制。

本组钢中 60Si2Mn 钢为普及型弹簧钢，适合应用于风铲、冲击钻探工具等，显示出优良的使用性能，如用于清理铸钢件的 60Si2Mn 钢风铲，刃磨后可连续使用一个班次。

60Si2Mn 钢在 300℃及 400℃回火状态下，以亚温淬火（800～820℃）对强韧性最为有利。但有人指出，在 950℃淬火、370℃回火后，也可获得很高的强韧性。油淬的淬透直径为 ϕ25～30mm。油淬的凸模不如用碱水溶液及新型水基淬火剂淬火的凸模寿命高。

60Si2Mn 钢的回火抗力较好，在 300～350℃回火后硬度为 57HRC，抗拉强度达到 1900MPa，400℃回火后硬度为 48～52HRC，并具有高的强韧性，可用于模具的辅助部件（如预应力套等）。为了获得较高硬度，通常采用 200～280℃回火，近来也有采用 120℃回火 16h（称为低温时效处理）来取代传统的回火工艺的情况。总之，此钢的热处理工艺规范尚有探讨的余地。

60Si2Mn 钢有明显的脱碳倾向。即使轻微脱碳，对耐磨性、疲劳抗力也均有明显损害。60Si2Mn 钢主要用于内外六角螺栓成型冷镦凸模、硬质合金凹模预应力套（48～52HRC），并可应用于小型冲剪工具和各种风动工具及中、厚钢板穿孔凸模等。由于受到淬透性及耐磨性水平的限制，以小型凸模为主。

2.3.1.7　特殊冷作模具钢及热处理

特殊冷作模具钢中，9Cr18、Cr18MoV、Cr14Mo、Cr14Mo4 等为耐腐蚀模具钢，1Cr18Ni9Ti、5Cr21Mn9Ni4W、7Mn15Cr2Al3V2WMo 等为无磁模具钢。

耐腐蚀模具钢制作的模具，除了应具有冷作模具的一般使用性能外，还要求具备良好的耐腐蚀性。为了保证钢的耐腐蚀性，其马氏体组织必须含有 12%左右（质量分数）的铬，同时为了保持钢的耐磨性，钢中碳含量又不能低，所以国内外常用高碳高铬型的马氏体不锈钢制造耐腐蚀模具。这类钢的锻造加热温度一般为 1100～1130℃，始锻温度为 1050～1080℃，终锻温度为 850～900℃，锻后进行砂冷或灰冷。软化退火温度为 800～840℃，保温后炉冷至≤500℃出炉空冷。退火后硬度一般为 197～255HBS。这类钢的淬火温度一般为 1050～1100℃，保温后油冷，回火温度为 160～260℃。例如 9Cr18 钢的典型热处理工艺为：850～870℃预热，1050～1100℃淬火（油冷），−75～−80℃冷处理 1～1.5h，160～260℃低温回火 3h，130～140℃附加回火 10～15h。

无磁模具钢除了应具有冷作模具钢的使用性能外，还要求在磁场中使用时不被磁化，因此钢材在使用条件下应具有稳定的奥氏体组织。常用的材料有奥氏体不锈钢和奥氏体耐热钢等。

新型无磁模具钢 70Mn15Cr2A13V2WMo 属于高锰奥氏体钢，其热处理加工工艺规范为：锻造加热温度 1140～1160℃，始锻温度 1080～1100℃，终锻≥900℃，锻后空冷，硬度为 34～35HRC。高温退火工艺为：加热温度 870～890℃，保温 3～6h，炉冷至 500℃出炉空冷，硬度为 28～32HRC。固溶处理温度为 1150～1180℃，盐浴炉 15～20h，空气炉 30h，水冷，固溶后硬度为 20～22HRC。时效处理温度为 700℃，保温 2h，空冷，时效硬度为 48.5HRC。

2.3.2　热作模具材料及热处理

2.3.2.1　低耐热高韧性热作模具钢及热处理

这类钢主要用于各种尺寸的锤锻模、平锻机锻模、大型压力机锻模等，而锻模是在高温下通过冲击加压强迫金属成型的工具，锻模型腔与炽热的工件表面会产生剧烈摩擦。由于在锻造过程中，模具型腔表面与被加热到很高温度的锻坯接触，使模具表面常升温到 300～400℃，有时局部可达 500～600℃，且锻模的截面较大而型腔形状复杂，因此要求钢具有一定的高温强度和良好的冲击韧度、高的硬度与耐磨性、耐热疲劳性好、淬透性大，并具有良好的导热性以利于散热，避免型腔表面温度过高而降低力学性能，此外还应具有良好的工艺性和抗氧化性。

为了满足上述性能，高韧性热作模具钢中不能含有太多的碳及碳化物形成元素，碳的质量分数应控制在 0.3%～0.5%，同时加入少量的 Cr、Mo、V、Ni、Mn、Si 等以提高淬透性及热强性，加入少量的 Mo、W 有助于消除高温回火脆性。常用的高韧性热作模具钢有 5CrNiMo、5CrMnMo、4CrMnSiMoV、5Cr2NiMoV 及 45Cr2NiMoVSi 等。

（1）5CrNiMo 钢 5CrNiMo 钢是 20 世纪 30 年代初应用至今的传统热锻模具钢，国内应用广泛。它具有很高的淬透性，如截面 300mm×400mm 的锻模，自 820℃油淬和 560℃回火后，截面各处的硬度比表面仅低 10～20HBS。5CrNiMo 钢的塑性、韧性良好，尺寸效应不敏感。由于碳化物形成元素含量不高，二次硬化效应弱，故热稳定性较差，热强性不高，通常在 400℃以下工作可保持较高的强度，超过 400℃时强度便急剧下降，模具温升到 550℃时，σ_b 与室温比较下降近一半。

5CrNiMo 钢用于大型热锻模，通用性强，大、中、小模块和深浅槽的模块均可用。用于制造形状复杂、冲击载荷较重的大型及特大型锻模（最小边长≥400mm）。由于新钢种的研制成功，5CrNiMo 的应用范围在逐渐缩小，此钢的热强性和耐磨性也不如高强度热作模具钢，故不适宜制作受冲击力大的中、小型锻模。

（2）5CrMnMo 钢 考虑到我国的资源情况，为节省镍而研制成的 5CrMnMo 钢，其强度略高于 5CrNiMo 钢，但用锰代镍降低了其在常温及较高温度下的塑性和韧性，而且 5CrMnMo 钢的淬透性比 5CrNiMo 钢的淬透性要低，过热敏感性稍大，在高温下工作时，其热疲劳性能也较差。

应用方面，与 5CrNiMo 钢相比，由于 5CrMnMo 钢的淬透性及韧性均较低，只适用于制造一些对强度和耐磨性要求较高，而韧性要求不甚高的各种中、小型锤锻模具及部分压力机模块（最大边长≤400mm），也可用于工作温度低于 500℃的其他小型热作模具。

（3）4CrMnSiMoV 钢 4CrMnSiMoV 钢是原冶金部标准中推荐使用的 5CrMnSiMoV 钢改进型。碳的质量分数降低了 0.1%，目的是在保持原有强度的基础上提高钢的韧性。该钢无镍，但具有较高的强度、耐磨性、冲击韧度及断裂韧度，其冲击韧度与 5CrNiMo 相近或稍低，而高温性能、抗回火稳定性、热疲劳抗力好于 5CrNiMo 钢。

该钢可代替 5CrNiMo 钢，适用于大、中型锻模，也可用于中、小型锻模，寿命明显比 5CrNiMo 钢高。例如制作连杆模、前梁模、齿轮模、凸缘节模（深型模）等可提高寿命 10%～80%不等；用作矫正模、弯曲模和平锻机锻模，一般寿命都比 5CrNiMo 高出 50%。

（4）5NiCrMoV 钢和 5Cr2NiMoVSi 钢 5NiCrMoV 钢主要添加了一定量的钒和硅，将碳、镍、铬、钼等元素含量合理搭配，从而使得其高温强度大幅度提高，且具有更高的淬透性和热稳定性，用于大型、复杂形状、重载荷的锤锻模和压力机锻模。

5Cr2NiMoVSi 钢在 500℃以下时，高温强度与 5CrNiMo 钢相近；而当高于 600℃时，5Cr2NiMoVSi 钢的强度却高出一倍以上。此外，热稳定性温度提高 150～170℃。对于 500mm×500mm 截面的锻模，心部硬度较 5CrNiMo 钢高出 13HRC。

5NiCrMoV 钢主要用于大型锻模，代替 5CrNiMo 钢；5Cr2NiMoVSi 钢主要用于各类压力机模具和3t锤锻模，平均使用寿命比5CrNiMo钢提高50%～100%；而10t的锤锻模可以选用45Cr2NiMoVSi钢，例如制造“75拖”大从动齿轮锻模，使用寿命比由德国进口的55CrNiMoV（类似我国的5CrNiMo）钢模具提高50%。

2.3.2.2 中耐热韧性热作模具钢及热处理

许多热挤压模、热镦锻模、精锻模以及锻压机、高速锤上的模具等都是在繁重的条件下工作的。这些模具工作时需较长时间与被加工的金属相接触，受热温度往往比锤锻模具要高，特别是当加工黑色金属及难熔金属时。这类模具尽管尺寸不是很大，往往比锤锻模要小，但承受着较高的应力，比大的模具和细长的心棒承受的应力更高，所以要求具有高的热稳定性、比较高的高温强度和耐热疲劳性以及高的耐磨性。

中耐热韧性热作模具钢，主要有含5%铬（质量分数）的铬系热作模具钢和铬钼系热作模具钢，含有较多的铬、钼、钒等碳化物形成元素，其韧性及耐热性介于高韧性及高耐热热作模具钢之间。我国从20世纪60年代开始引进开发这类钢种，用量逐渐扩大，现已成为主要的热作模具钢。

（1）含5%铬（质量分数）的铬系热作模具钢

① H11钢（4Cr5MoSiV）：4Cr5MoSiV钢中w_V＝0.4%左右，简称H11钢，其淬透性很好，直径在150mm以下的钢材可以空冷淬硬，在中温下的热强性和耐磨性都较高，韧性较好，甚至在淬火状态下也有一定的韧性，抗热疲劳性特好，因此用H11钢制作高速锤锻模非常理想，有时也用作压铸模和挤压模。H11钢碳的质量分数为0.4%，热塑性较好，当锻制大型锻件时，先缓慢加热到750℃，再快速加热到1120～1150℃的锻造温度，以减少氧化和脱碳；始锻温度为1080～1120℃，终锻温度≥850℃，锻后缓冷，并及时退火。

② H13钢（4Cr5MoSiV1）：H13钢是国际上广泛应用的一种空冷硬化型热作模具钢，美国牌号为ASTM-H13，日本牌号为JIS-SKD61，我国在“八五”期间将H13钢列为国家重点推广的钢种，国内已经有多家钢厂在生产。

H13钢比H11钢的钒含量高，其质量分数一般在1%左右，热强性和热稳定性高于H11钢，并且具有较高的韧性和耐冷热疲劳性能，裂纹不易扩展，可以制作热锻模或模腔温升不超过600℃的压铸模。

③ 4Cr5W2SiV钢：4Cr5W2SiV钢的钒含量w_V＝0.6%～1.0%，用2%（质量分数）的钨代替1%（质量分数）的钼，从H13钢演变而来，性能与H13钢颇为相似，锻造、热处理工艺参数与H13钢相近。

w_{cr}＝5%的铬系热作模具钢，在500～600℃时具有比高韧性热锻模具钢更高的硬度、热强性和耐磨性，而韧性高于3Cr2W8V等高耐热模具钢，含有硅和铬，其抗氧化性较好，是国内通用性较强的热作模具钢。对于铝型材的挤压模具，采用H13钢制造的空芯模平均寿命是12t，平面模寿命在15t以上，比原用3Cr2W8V钢延长3～5倍；用于机锻模的H11和H13钢代替5CrNiMo及3Cr2W8V钢，模具寿命提高 2～3 倍；用作辊锻模具，最高寿命已达 5 万件，比原用 3Cr2W8V 钢高出 3 倍，在轴承行业中代替 3Cr2W8V 制造碾压辊，寿命提高 2～3 倍。

（2）铬钼系热作模具钢 这类钢中碳含量较低，是在 3Cr3Mo3CoV 的基础上发展而来的，其回火抗力及热稳定性高于 5%铬系钢，冲击韧度和断裂韧度高于 3Cr2W8V 钢。

① M-1 钢（3Cr3Mo3W2V）和 HM-3 钢（25Cr3Mo3VNb）：HM-1 钢是参照国外 H10 钢（4Cr3Mo3SiV）和 3Cr-3Mo 系的热作模具钢，结合我国资源的特点而研制的，加入 2%（质量分数）的钨形成 HM-1 钢；HM-3 钢则是在碳含量较低（w_C=0.25%）的模具钢基础上加入了微量的元素铌（w_{Nb}=0.08%～0.15%），使钢保持高的强度和热稳定性。HM-1 钢的冷热疲劳抗力比 3Cr2W8V 钢高得多，同时还有较高的韧性。HM-3 钢在 600℃以上的高温强度高于 4Cr5W2SiV 钢，但当试验温度低于 600℃时，强度不如 4Cr5W2SiV 钢。

25Cr3Mo3VNb 钢（HM-3）在热锻成型凹模、连杆辊锻模、轴承套圈毛坯热挤压模、高强钢精锻模、小型压力机锻模、铝合金压铸模等方面都有良好的应用。HM-3 钢模具寿命比 3Cr2W8V、5CrNiMo、4Cr5W2SiV 钢制模具提高 2～10 倍，可有效地克服模具因热磨损、热疲劳、热裂等引起的早期失效。

HM-1 钢工艺性能好、使用面广、具有广阔应用前景，用作轴承套圈毛坯热挤压凸模/凹模、碾压辊及辊锻模均取得显著效果，模具平均寿命达 1 万～2 万件，最高达 3 万件以上，比原用 3Cr2W8V、5CrMnMo 钢等模具寿命普遍提高 2～5 倍，高的达 10 多倍。该钢更适宜作为压铸模的材料，在铝压铸模等应用上取得明显效果。

② 析出硬化型热作模具钢，即 PH 钢（2Cr3Mo2NiVSi）：析出硬化型热作模具钢在淬火和低温回火后的硬度约为 45HRC，可以加工成模具直接使用，避免热处理淬火变形及产生表面的氧化、脱碳。模具在使用过程中表层受热升温，析出特殊碳化物 MoC、VC，形成二次硬化，表面硬度可提高到 48HRC，增强了高温强度和耐热性，且心部具有高的韧性。由于组织转变层很薄，因此没有变形。

为了具有良好的切削加工性能，PH 钢中加入了 0.05%～0.12%（质量分数）的锆等微量合金元素，使条状 MnS 夹杂变成纺锤状硫化物，并使铝酸盐夹杂变成球状钙铝酸盐夹杂，从而改善了钢的横向冲击韧度及切削加工性能。

PH 钢适用于在 500～600℃范围内工作的热锻模具，如果模具工作表面升温至 525～550℃，析出硬化后的硬度值可升到 48HRC，常用于制作啮合齿轮模和连杆模等，使用寿命较 H11 钢提高一倍。

2.3.2.3 高耐热热作模具钢及热处理

高耐热热作模具钢主要用于较高温度下工作的热顶锻模具、热挤压模具、铜及黑色金属的压铸模具、压力机模具等。其中压力铸造是在高的压力下，使熔融的金属挤满型腔而压铸成型，在工作过程中模具反复与炽热金属接触，因此要求具有较高的回火抗力及热稳定性。

此类的钢中应用得较多、较早的有3种：3Cr2W8V、5Cr4W5Mo2V(RM-2)、5Cr4Mo3SiMnVAl(012Al)。另外还有几种使用得较好，如4Cr3Mo3W4VNb(GR)、6Cr4Mo3Ni2WV(CG-2)、4Cr3Mo2NiVNbB(HD)奥氏体耐热钢等。这类钢的钨、钼含量较高，比前两类热作模具钢在高温下有更高的强度、硬度和耐磨性，组织稳定性好，但其韧性和抗热疲劳性能不及低耐热韧性热作模具钢。

(1) 3Cr2W8V钢　3Cr2W8V钢是钨系高耐热热作模具钢的代表牌号，早在20世纪20年代开始就用于生产。由于钨含量高，在温度不小于600℃时，钢的高温强度和硬度明显要高于铬系热作模具钢。3Cr2W8V钢的主加元素刚好是W18Cr4V高速钢的一半，因此又称为半高速钢。含钨越高，钢的热稳定性越高，耐磨性越好。铬能增加钢的淬透性，虽因冷热疲劳抗力差，在急冷、急热条件下工作时容易产生冷热疲劳裂纹而失效，但其抗回火能力较强，在550℃回火时会出现二次硬化峰，淬火温度越高，二次硬化峰值的硬度越高，热强性越好。由于W_2C的析出，在650℃时冲击韧度最低，因此高温韧性较差。

3Cr2W8V钢在淬火加热中的脱碳变形倾向较小，热处理工艺稳定，许多中小型机械厂仍广泛应用，主要用在压力机锻模、热挤压模、镦锻模、压铸模、剪切刀上。考虑到3Cr2W8V钢的耐热疲劳性和韧性较差，有以下三种强韧化方法：

① 高温淬火、高温回火：提高淬火温度，能使合金碳化物进一步溶解，奥氏体的钨含量增加，提高淬火钢的热硬性，在晶粒不粗大的条件下使热疲劳性能得到提高。例如，3Cr2W8V钢制的40Cr钢销轴热锻模在作用力1600kN的摩擦压力机上锻造，原工艺用1050～1100℃淬火，600～620℃回火，硬度为47～49HRC，使用寿命仅500～2000件；改用1150℃淬火后660～680℃高温回火，硬度为39～41HRC，模具寿命达7000～10000件。

② 贝氏体等温淬火：3Cr2W8V钢制的自行车曲柄热成型模，在3000kN摩擦压力机上工作。若用常规工艺，即1080℃油淬，580～610℃二次回火，硬度为45～48HRC，平均寿命仅4500件；改用1100℃加热，340～350℃硝盐浴炉等温淬火，可获得在马氏体上分布适量下贝氏体的混合组织，从而提高了裂纹扩展抗力，使模具的平均寿命提高一倍，达到9000件以上，最高达3.8万件。

③ 控制淬硬层淬火：采用高温短时间加热，或控制淬火操作，使模具表面和心部得到不同的淬火加热温度，造成不同的合金度，在随后淬火时可获得内外不同的组织。例如在1000～3000kN摩擦压力机上锻尖嘴钳，需用3Cr2W8V钢制的热压模具，按常规工艺，硬度为46～48HRC，模具寿命仅4000件，就会出现模腔变形塌陷或开裂，而改用高温短时加热淬火处理的模具，寿命可达32000件。

(2) RM-2钢 (5Cr4W5Mo2V)　该钢碳的质量分数属于比较高的，近0.5%，合金元素总的质量分数为12%，碳化物较多，以Fe_3W_3C为主，因而具有较高的硬度、耐磨性、回火抗力及热稳定性，如在硬度为40HRC时的热稳定性温度可达

700℃，但是它的碳化物分布不均匀，韧性较差。

RM-2 钢比 3Cr2W8V 钢具有较高的热强性、耐磨性及热稳定性，适于制作受热温度较高的小型热冲头、热切边模、精锻模、平锻模、压印机凸模、热挤压凸模及辊锻模等，使用寿命比 3Cr2W8V 钢普遍延长 2～3 倍，个别模具可延长 10～20 倍。

（3）012Al 钢（5Cr4Mo3SiMnVAl） 012Al 钢是冷、热作兼用模具钢，热稳定性高于 3Cr2W8V 钢，说明该钢具有较高的热硬性，热疲劳性也比 3Cr2W8V 钢优越得多。用 012Al 钢制作的热作模具比 3CrW8V 钢制的模具使用寿命更长。在轴承套圈热挤压凸模及凹模上应用，寿命可提高 5～7 倍；在壳体热挤压凸模上应用，寿命可提高 2 倍以上；在轴承穿孔凸模及碾压辊上应用，比 3Cr2W8V 钢提高寿命 2～3 倍。

（4）CG-2 钢（6Cr4Mo3Ni2WV） CG-2 钢是在 M2（6W6Mo5Cr4V）高速钢基体的基础上适当增加 Ni 含量、降低 W 和 Mo 含量而研制成的冷、热兼用型基体钢。由于在钢中加入了 2%的 Ni（质量分数），提高了基体的强度和韧性，其室温及高温强度、热稳定性均高于 3Cr2W8V 钢，但高温冲击韧度与塑性要低于 3Cr2W8V 钢。

CG-2 钢适于制作热挤、热冲头等模具。曾在轴承套圈热挤压凸、凹模上应用过，寿命为 3CrW8V 钢凸模的 2～3 倍；制作底板，使用寿命是 3CrW8V 钢底板的 3～6 倍；制作热挤压凸模，寿命提高近一倍。CG-2 钢可用于冷作模具，制作标准件及轴承滚子的冷镦模、缝纫机零件冷镦模，比 Cr12MoV 钢模具寿命明显延长。

（5）GR 钢（4Cr3Mo3W4VNb） GR 钢属于钨钼系热作模具钢，其中加入少量的 Nb 是为了增强钢的回火抗力及热强性。GR 钢有比 3Cr2W8V 更高的屈服强度和热稳定性、冷热疲劳抗力及高温抗压强度，但是韧性较差。

GR 钢主要用于制作热镦和精锻模具，已成功地应用在齿轮高速锻模具、精密锻造模具、轴承套圈热挤压模具、自行车零件及螺母热镦锻模具、小型机锻模、辊锻模上，与 3Cr2W8V 钢相比，寿命提高数倍至数十倍，效果显著。

（6）HD 钢（4Cr3Mo2NiVNbB） 随着少无切削新工艺的发展，常采用热挤压方法来加工黑色金属及铜合金等有色金属。热挤压模具的工作温度可达 700℃左右，3Cr2W8V 钢及铬系热作模具钢 H13 等的耐磨损性和冷热疲劳抗力已不能满足要求，HD 钢是专为适应 700℃左右工作温度而研制的新型热作模具钢。

HD 钢的高温力学性能：经 1130℃淬火、650℃回火后，于 650℃及 700℃进行测量，高温下的屈服强度、塑性和韧性如表 2-20 所示；经 1130℃淬火，回火温度越高，HD 钢比 3Cr2W8V 钢的硬度值越高；在相同的硬度条件下，HD 钢的断裂韧度比 3Cr2W8V 钢高 50%，在 700℃下的高温短时抗拉强度高出 70%，冷热疲劳抗力高出一倍，热磨损性能比 3Cr2W8V 钢高 50%。

表 2-20　HD 钢的高温力学性能

试验温度/℃	$R_{p0.2}$/MPa		A/%		Z/%		a_k/(J/cm^2)	
	HD	3Cr2W8V	HD	3Cr2W8V	HD	3Cr2W8V	HD	3Cr2W8V
650	536.9	414	66.1	49.1	16.3	14.0	56	45
700	405.3	235	66.3	85.4	17.6	21.8	75	62

注：$R_{p0.2}$—条件屈服强度；A—断裂伸长率；Z—断裂收缩率；a_k—冲击韧性。

HD 钢常用于铜合金管材挤压底模和穿孔针、热挤压轴承环凸凹模、汽车挤压底模等，用来挤压 70-1 锡黄铜、10-1-1 铁白铜、低碳钢、4Cr9Si2 钢、GCr15 钢等材料，比 3Cr2W8V 钢制模具的使用寿命提高 1～2 倍。

(7) Y10 钢（4Cr5Mo2MnVSi）和 Y4 钢（4Cr3Mo2MnVNbB）　Y10 及 Y4 是分别为铝合金及铜合金的压铸模研制的新型热作模具钢，铝合金的熔点较低，约为 580～740℃，Y10 钢在 H13 钢的基础上适当提高钒、锰、硅的含量，属于含 5%铬（质量分数）的铬系高强韧性热作模具钢。铜合金的熔点温度较高，约为 850～920℃，Y4 属于成分接近 3Cr3Mo 的铬钼系热作模具钢，但增加了微量元素铌和硼。

Y10 和 Y4 在冷热疲劳抗力及阻碍裂纹扩展的速率方面明显要优于 3Cr2W8V 钢，是比较理想的铝、铜合金的压铸模材料。用于有色金属的压铸模，可使模具的使用寿命延长 1～10 倍，也可用于热挤压模、精锻模。

① 锻造与退火：两种钢的锻造及退火工艺与 3Cr2W8V 钢相近，锻造性能良好，温度范围较宽，无特殊要求，退火硬度低于 3Cr2W8V 钢。

② 淬火和回火：淬火温度为 1020～1120℃，回火温度为 600～630℃，可根据用途及要求进行选择。

2.3.2.4　特殊用途的热作模具钢及热处理

随着工业技术的日益发展，出现了各种新的热加工方法，对模具工作温度的要求更高，工作条件也更加苛刻。为此，各种高速钢、奥氏体耐热钢、高温合金、难熔合金等，都被用于制造模具。

(1) 奥氏体热作模具钢　因为马氏体热作模具钢在 650℃以上会发生碳化物的聚集长大，致使硬度、强度降低，因此为保证模具在 750℃以上能耐高温、耐腐蚀、抗氧化，需要研制出奥氏体热作模具钢。现在主要有铬镍系奥氏体模具钢和高锰系奥氏体模具钢两类。

① 高锰系奥氏体模具钢：此钢又分为高锰系奥氏体耐热模具钢和高锰系奥氏体无磁模具钢。

a. 高锰系奥氏体耐热模具钢。5Mn15Cr8Ni5Mo3V2 和 7Mn10Cr8Ni10Mo3V2 是高锰系奥氏体耐热模具钢，在加热和冷却过程中不发生相变，始终保持奥氏体组织，经 1150～1180℃固溶处理和 700℃时效后具有较好的综合力学性能，硬度为 45～46HRC，但时效软化抗力很高，直到 800℃时效，硬度仍能保持在 42HRC 左右，远远超过 3Cr2W8V 钢。

高锰系奥氏体耐热模具钢主要用于制造工作应力较高、使用温度达 700～800℃的高温热作模具，如不锈钢、高温合金、铜合金的挤压模，模具寿命比 3Cr2W8V 钢制模具提高 4～5 倍。实际应用中应先将模具预热到 400～450℃，由于这类钢的塑性、韧性不高，故实际应用受到限制。

b. 高锰系奥氏体无磁模具钢。7Mn15Cr2A13V2WMo（7Mn15）钢是一种 Mn-V 系无磁模具钢。7Mn15 钢在任何状态下都能保持稳定的奥氏体组织，除可制作冷作模具、无磁轴承及要求在强磁场中不产生磁感应的结构件外，因其在高温下还具有较高的强度和硬度，因此，也用来制作 700～800℃下使用的热作模具。

② 铬镍系奥氏体模具钢：4Cr14Ni14W2Mo、Cr14Ni25Co2V 钢属于铬镍系奥氏体模具钢，在 700℃以下具有良好的热强性，在 800℃以下有良好的抗氧化性及耐蚀性。如 4Cr14Ni14W2Mo 钢在 800℃时仍有 250MPa 的强度，且有很好的塑性与韧性。该类钢可进行 1150～1180℃或 1050～1150℃的固溶处理，再做 750℃的时效处理，适合制造钛合金蠕变成型模具和具有强烈腐蚀性的玻璃成型模具。

（2）高温合金 当挤压耐热钢管时，模具型腔温度会高达 900～1000℃，用奥氏体耐热钢也不能解决问题，需要采用高温合金来制作模具，如铁基、镍基、钴基合金。常用的镍基合金中，以尼莫尼克 100 号热强性最高，其化学成分为；$w_C=0.3\%$，$w_{Ti}=1.0\%\sim2.0\%$，$w_{Cr}=10\%\sim12\%$，$w_{Al}=4\%\sim6\%$，$w_{CO}=18\%\sim22\%$，$w_{MO}=4.5\%\sim5.5\%$，$w_{Fe}<2\%$，其余为 Ni。在 900℃时持久强度仍有 150MPa，可用于制作挤压耐热钢零件或挤压铜管的凹模及芯棒。

（3）硬质合金 硬质合金具有很高的热硬性和耐磨性，可用于制作工作温度较高的凸模或凹模中的镶块。如气阀挺杆热镦挤模，原用 3Cr2W8V 钢制作，模具寿命为 0.5 万件；改用钨钴类硬质合金 YG20 后，模具寿命提高到 1.5 万件。硬质合金还可用于制作压铸模、热切边凹模等。

（4）难熔合金 通常将熔点在 1700℃以上的金属称为难熔金属。在压铸钢铁材料时，压铸模型腔的工作温度可高达 1000℃，型腔表面受到严重的氧化、腐蚀和冲刷，常因产生严重的塑性变形和网状裂纹而失效，只能压铸几十件或几百件。因此可以采用钨、钼、铌等熔点在 2600℃以上的难熔合金来制作压铸模的型腔。

相比之下，钼基合金的热强度和持久强度较高，热导性好、热膨胀小，因此几乎不引起热裂。TZM 合金的塑性较好，便于成型加工，室温脆性也较钨基合金小，但其抗变形能力有限，且力学性能的各向异性十分明显。钼基合金做压铸模具用得比较成功，主要用于铜合金、钢铁材料的压铸模，也可用做钛合金、耐热钢的热挤压模等，其使用寿命远高于其他各种热作模具钢。

图 2-17 是汽车行星齿轮热切边模，原用 8Cr3 钢整体结构制造，刃口易发生早期变形及磨损，模具寿命仅为 0.3 万～0.4 万件；改用镶套结构后，将压制烧结成型的 YG20 硬质合金刃口镶块，经精磨后镶在模体内，耐磨性显著提高，模具寿命提高到 10 万件以上。

汽车后桥半轴法兰盘的锻造成型凹模，原用3Cr2W8V钢制造，使用寿命为2000件；对使用条件较为苛刻的平锻机热镦模采用25Cr3Mo3VNb（HM-3）钢制造，并可用离子氮碳共渗处理，以提高模具表面的耐磨性和抗黏着能力，使用寿命为4000～6000件。

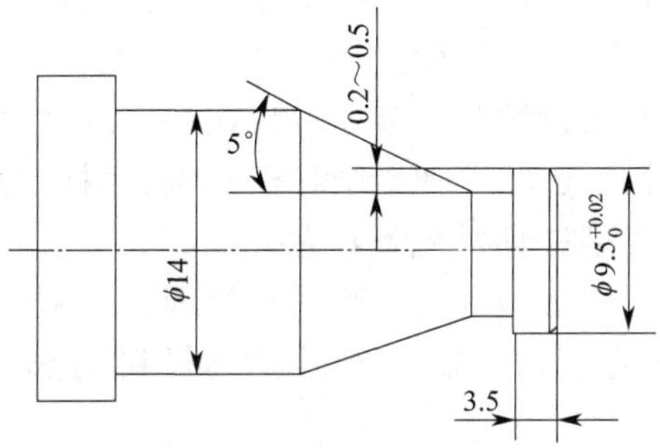

图2-17 汽车行星齿轮热切边模

2.3.2.5 热作模具材料及热处理工艺的选用实例

金属压铸是机械化程度和生产效率都很高的生产方法，是先进的少无切削工艺。压铸生产可以将熔化的金属液直接压铸成各种结构复杂、尺寸精确、表面光洁、组织致密以及用其他方法难以加工的零件或部位，如薄壁、小孔、凸缘、花纹、齿轮、螺纹、字体以及镶衬组合零件等。目前，压铸成型已广泛用于汽车、拖拉机、仪器仪表、航海航空、电机制造、日用五金等行业。

压铸模具是在高压（30～150MPa）下将400～1600℃的熔融金属压铸成型。在成型过程中，模具周期性地与炽热的金属接触，反复经受加热和冷却作用，且受到高速喷入的金属液的冲刷和腐蚀。因此，压铸模具用钢要求有较高的热疲劳抗力、热导性及良好的耐磨性、耐蚀性、高温力学性能等。压铸模具的选材，主要是根据浇注金属的温度及种类而定。

例如，铝合金压铸模的服役条件较为苛刻，铝合金溶液的温度通常在650～700℃，以40～180m/s的速度压入模具型腔，在20～120MPa压力下保压5～20s，每次压射间隔大约为20～75s。模具型腔表面受到高温高速铝液的反复冲刷，因此会产生较大的应力。铝合金压铸模的寿命取决于两个因素，即是否发生粘模和型腔表面是否因热疲劳而出现龟裂。

铝合金压铸模常用钢为：4Cr5MoSiV1（H13）、4Cr5MoSiV（H11）、3Cr2W8V及新钢种4Cr5Mo2MnVSi（Y10）和3Cr3Mo3VNb（HM-3）等。

日本采用硼氮共渗法将铝合金压铸模的工件放在真空度为13.3Pa的炉子内，通入氮气、氢化硼和氢气至1.33×10^3Pa，气体比例为N_2：B_2H_6：H_2=20：10：70，以工件为阴极，炉子为阳极，辉光放电共渗800℃、2h。经此工艺处理后，因为氮与硼向工件表面扩散，形成氮化硼渗层，所以具有良好的耐烧伤性，没有铝合金黏附现象，使用寿命可提高 4 倍。

2.3.3 塑料模具材料及热处理

塑料模具材料已逐渐形成了较独立的体系，制造塑料模具的新型材料相继被研制和开发出来。塑料模具材料体系的主要组成是塑料模具钢，它涉及从结构钢到工具钢、从碳素钢到合金钢的许多钢种。

依据其强化方式或服役特性等因素，可将塑料模具材料大体分为渗碳型塑料模具钢、预硬型塑料模具钢、整体淬硬型塑料模具钢、耐蚀型塑料模具钢、时效硬化型塑料模具钢以及其他类型模具材料等六大类。

塑料模具在制造过程中必须进行适当的热处理，以利于其工艺性能的改善，更主要的是保证所应具有的使用性能。塑料模具材料的热处理技术要求具有如下特点。

①适中的硬度和良好的韧性。不同类型的塑料模具，根据其具体的服役条件应具有不同的硬度。表 2-21 所示为不同塑料模具所要求的工作硬度。

表 2-21 不同类型塑料模具的工作硬度

模具类型	模具用钢	工作硬度	说明
形状简单，压制加有无机填料的热固性塑料模具	Cr12MoV 或 5CrW2Si 等	56～60HRC	在高压力作用下要求耐磨性好
形状简单的小型高寿命塑料模具	9Mn2V、Cr2 等	54～58HRC	在保证较高耐磨性的同时，具有良好的强韧性
形状复杂，精度高的淬火微变形塑料模具	T7A、T10A 等	45～50HRC	用于易折断的部件（如型芯）
软质塑料注射模具	T7A、T10A、3Cr2Mo 等	280～320HBS	无填充剂的软质塑料

② 确保淬火变形微小。塑料模具的尺寸精度直接关系到塑料制品的尺寸精度，应将淬火变形控制在一定参考值内。

③ 模具在热处理时，应特别注意对型腔表面的保护，防止其产生各种热处理缺陷。

④ 热固性塑料模具长期在受热、受压条件下工作，热处理后应具有较高的抗塌陷能力。

不同类型的塑料模具材料，在成分、性能和热处理工艺上各具特点，因此依据模具的具体服役情况，科学地选择材料和制定相应的热处理工艺十分重要。

（1）渗碳型塑料模具钢及热处理 渗碳型塑料模具钢包括碳素渗碳钢和合金渗碳钢。

渗碳钢可以充分地适应塑料模具的使用要求。此类钢经过相应的热处理，可使模具型腔表面具有高的硬度和耐磨性，而中心部位具有较好的强韧性。渗碳钢中碳的质量分数一般在 0.1%～0.25%范围内，退火后硬度较低，具有良好的切削加工性能，也可以采用冷挤压成型法制造模具。渗碳处理之后，模具型腔表面获得高硬度和高耐磨性的使用性能，同时也保证了较好的抛光性能。

10 钢、20 钢是成分最简单、价格最便宜的渗碳钢。渗碳后虽然具有高硬度和耐磨性，但由于淬透性较差，模具淬火后的内部强度仍然很低，故只适宜制造一些承受载荷较小、强度指标要求不高的塑料模具。对于截面大、承受载荷大的塑料模具，必须根据实际的使用性能要求，分别采用不同淬透性级别的合金渗碳钢制造，常用的牌号有 20Cr、12CrNi2、12GrNi3、12GrNi4 和 20Cr2Ni4 等。

合金渗碳钢的淬透性较高，淬火时可采用较缓和的冷却介质，从而减小了模具的热处理变形。随着钢中碳含量及合金元素含量的提高，钢的淬透性将显著提高。

渗碳型塑料模具钢的热处理为渗碳、淬火和低温回火。通过热处理不仅使模具获得了较高的强度，而且也获得了一定的塑性和韧性，保证了模具的使用性能，有效地提高了模具的使用寿命。

在工艺操作上，渗碳以后一般应首先缓冷，然后进行一次淬火。淬火温度应根据需要进行选择，通常控制在 810～850℃的温度区间，使模具表面和心部组织同时得到改善。

对于性能要求较高的塑料模具，可采用二次淬火。第一次淬火的目的在于细化心部组织，并消除渗碳层中的网状碳化物。为了减小零件的变形，第一次淬火不仅可以在油中进行冷却，有时甚至可用正火代替。经第一次淬火后，虽然模具心部组织得到改善，但是渗碳层马氏体晶粒较粗大，因而脆性较大，必须以较低的加热温度（约为 760～830℃）进行第二次淬火，以细化渗碳层中的马氏体晶粒，使渗碳层组织为隐晶马氏体以及均匀分布的细粒状碳化物。但是，二次淬火会增加模具加热时的氧化、脱碳及变形等缺陷，而且生产周期较长，一般不常采用。

对于合金元素含量较高的渗碳钢（如 20Cr2Ni4 等），若在渗碳后直接淬火，其渗碳层中往往含有大量的残余奥氏体，致使模具表面的硬度不足。为了减少残余奥氏体含量，常在渗碳空冷之后、淬火以前进行一次高温回火，在高温回火保温中，残余奥氏体中的碳及碳化物形成元素（如铬等）通过扩散，以碳化物的形式析出并聚集，致使残余奥氏体的合金化程度和碳含量降低，马氏体开始转变温度（M_s）提高。在冷却过程中，残余奥氏体发生转变，使其含量减少。在随后的淬火加热和保温阶段，碳化物只有少部分重新溶入奥氏体中，所以奥氏体的合金化程度和碳含量仍不高。总之，M_s 点的提高，使淬火冷却后的残余奥氏体含量大为减少，从而提高了渗碳型塑料模具型腔的表面硬度，减小了热处理变形。

淬火后的回火工艺关键是温度的控制。根据塑料模具的使用条件，通常采用 200℃左右的低温回火。

（2）预硬型塑料模具钢及热处理　预硬型塑料模具钢分为调质预硬型塑料模具钢和易切削预硬型塑料模具钢。

预硬型塑料模具钢是为避免大、中型精密塑料模具热处理后的变形，保证模具的精度和使用性能而开发的一种塑料模具材料。预先进行调质处理，硬度为 30～

40HRC，切削加工成型后不再进行热处理而直接进行使用，从而避免了热处理引起的模具变形和裂纹问题。主要用于制造型腔复杂、精密，使用寿命要求长的大、中型塑料模具。

此类钢一般是中碳低合金钢，碳的质量分数一般在 0.35%～0.65%之间，并含有一定量的 Cr、Mn、V 等合金元素，以保证其具有较高的淬透性。经过淬火加高温回火的调质预硬处理后，可获得均匀的组织和所需的硬度。

4Cr5MoSiV1 是一种典型的调质预硬型塑料模具钢，与其他调质预硬型塑料模具钢相比，还有较高的耐热性，适用于聚甲醛、聚酰胺树脂制品的注射成型模具，预硬后的硬度约为 45～50HRC。3Cr2Mo（简称 P20）是国内较早开发的预硬型塑料模具钢，加工时一般先进行预硬处理，即先经 850～880℃淬火、580～640℃回火，硬度达到 28～35HRC，然后再进行切削加工。该钢适用于制造大、中型精密塑料模具，如电视机、洗衣机壳体等塑料模具，并已得到了广泛的应用。

调质预硬型塑料模具钢的使用硬度一般为 30～42HRC，但在较高硬度区间（36～42HRC）时，可切削性能较差。为改善切削性能，减小机械加工工时，延长刀具寿命，降低模具成本，国内外研制开发了一些易切削预硬型塑料模具钢。此类塑料模具钢是在调质预硬型塑料模具钢中加入 S、Se、Ca 等易切削元素而研制成的。如日本在 DKA（相当于 SKD61）钢中加入 0.10%～0.15%（质量分数）的 Se，调质后的硬度为 39～43HRC，并具有良好的切削加工性能，适合制造尺寸精度要求高的大型塑料模具。

5CrNiMnMoSCa（简称 5NiSCa）、8Cr2MnWMoVS（简称 8Cr2S）、40CrMnVBSCa（简称 P20BSCa）、Y55CrNiMnMoV（代号 SM1）等为常用的易切削预硬型塑料模具钢，在这些钢中由于加入了 S、Ca、Pb、Se 等元素，改善了预硬型塑料模具钢的切削加工性能。如 5NiSCa 钢预硬处理后的硬度为 39HRC，但其磨削力比 40Cr 钢（硬度为 25HRC）的磨削力还小。此钢不仅适用于制造大、中型精密注射模具，还可用于制造精密冷作模具。

预硬型塑料模具钢是以预硬状态供货，因此易切削预硬型塑料模具钢在制作模具过程中，一般不设热处理工艺，切削形成模具型腔后即可直接使用。但对于制造过程中需要进行锻造加工时，必须在锻后进行必要的热处理，其中包括预先热处理和预硬热处理。

预先热处理一般为球化退火，目的是消除锻造应力，获得均匀的球状珠光体组织，降低硬度，提高塑性，改善切削加工或冷挤压成型性能。

(3) 整体淬硬型塑料模具钢及热处理 在模具切削加工完成以后，将其整体进行一定的淬火、回火处理，以获得所需力学性能的塑料模具钢，称为整体淬硬型塑料模具钢。

整体淬硬型塑料模具钢具有较高的硬度，以及较好的耐磨性、抛光性和电加工性能。但它与渗碳钢和预硬型塑料模具钢相比，韧性降低，变形、扭曲和产生裂纹的倾向增大。整体淬硬型塑料模具钢包括：碳素工具钢，如 T7A、T8A、T10A；合金工具钢，如 9SiCr、CrWMn、Cr12Mo、4Cr5MoVSi、Cr12V1 等。T7A、T8A、T10A 等碳素工具钢适合制造形状简单、尺寸不大、受力较小和变形要求不高的塑料模具；9SiCr、CrWMn 等低合金工具钢适合制造形状复杂、尺寸较大和形状精度要求较高的塑料模具；Cr12V1 和 Cr12Mo 适宜制造具有高耐磨性、形状复杂的大型塑料模具，其特点是高淬透性，在油或空气中即可实现淬火，Cr12V1 的塑性和韧性好于 Cr12Mo，但硬度稍差。

整体淬硬型塑料模具钢的最终热处理一般为淬火加低温回火，少数采用中温回火或高温回火，热处理后的硬度通常在 45HRC 以上。形状比较复杂的塑料模具，在粗加工以后即进行热处理，然后进行精加工，以保证最小的热处理变形。精密模具的热处理变形应小于 0.05%。

塑料模具的型腔表面要求十分严格，在淬火加热过程中要确保型腔表面不氧化、不脱碳、不侵蚀、不过热。因此应在保护气氛炉或严格脱氧后的盐浴炉中加热，若在普通箱式电阻炉中加热，应在模具型腔表面涂以保护剂，同时严格控制加热速度。冷却时应选择比较缓和的冷却介质，控制好冷却速度，避免在淬火冷却过程中产生变形或开裂现象，因而采取分级淬火冷却方式较好。

淬火后应及时回火，回火温度要高于模具的工作温度，回火时间应该充分，具体应依据模具材料和断面尺寸确定，但应在 40min 以上。

(4) 时效硬化型塑料模具钢及热处理 时效硬化型塑料模具钢是根据制造高精度、复杂型腔塑料模具的需要而研制开发的一种高质量塑料模具钢。此类塑料模具钢的大致特点是碳含量低，合金元素含量较高，经过固溶处理后为单一组织的过饱和固溶体，处于软化状态。若将其在一较低温度进行时效处理后，固溶体中能析出细小弥散的金属化合物，使模具钢的强度和硬度大幅度提高，而且在强度和硬度提高的过程中，尺寸和形状的变化极小。因此，采用此类钢制造塑料模具时，可在固溶处理后进行切削成型加工，然后通过时效处理，使模具获得较高的强度和硬度，并有效保证模具的最终尺寸和形状精度。

由于时效硬化型塑料模具钢一般采用真空熔炼，纯净度高，其镜面抛光性和表面刻蚀性良好。另外通过镀铬、渗碳或离子束增强沉积等表面处理方式，可以提高其耐磨性和耐蚀性。

时效硬化型塑料模具钢经过时效处理能获得高的力学性能，适合制作强度和韧性、尺寸精度、表面粗糙度和耐蚀性都要求较高的塑料模具，以及透明塑料模具等。

25CrNi3MoA1 属于低碳低镍时效硬化型塑料模具钢，由我国自行研制开发，其特点是：钢中碳含量和镍含量低，使其价格远低于马氏体时效钢；调质硬度为 230～250HBS，常规切削加工性能和电加工性能良好，时效后硬度为 38～42HRC；镜面研磨性好，表面刻蚀性好；焊接补修性好；可用于制作普通和高精密的各种塑料模具。

18Ni 类塑料模具钢属于低碳马氏体时效硬化型塑料模具钢（简称马氏体时效钢），此类钢的碳含量极低，目的是改善钢的韧性。依据屈服强度可分为 1400MPa、1700MPa、2100MPa 等三个级别，可分别简写为 18Ni140、18Ni170、18Ni210。18Ni 马氏体时效钢中的 Ti、Al、Co、Mo 等合金元素，起时效硬化作用。大量加入元素 Ni，其主要作用是确保模具固溶体淬火后能获得单一的马氏体组织，Ni 与 Mo 相互作用形成时效强化相 Ni_3Mo，Ni 的质量分数超过 10%后，还可显著提高其断裂韧度。此类钢主要用于制作精度高、超镜面、型腔复杂、大截面、大批量生产的塑料模具。

06Ni6CrMoVTiAl（06Ni）钢属于低镍马氏体时效硬化型塑料模具钢。其显著的性能特点是：热处理变形小，抛光性能好，固溶硬度低，切削加工性好，具有良好的综合力学性能以及渗氮和焊接能力。由于合金含量低，使其价格远低于 18Ni 型马氏体时效钢。06Ni 钢可用于制作磁带盒、照相机、电传机、打字机等塑料制品的模具。

10Ni3MnCuAl（PMS）镜面塑料模具钢，是一种新型的时效硬化型塑料模具钢，具有良好的冷热加工性和综合力学性能。热处理工艺简便，淬透性高，变形小，表面粗糙度值低，光亮度高，尺寸和形状精度高。适宜进行表面强化处理，固溶后的硬度仅为 30～33HRC，可进行模具型腔的挤压成型。经时效后弥散析出硬化相 Al_3Ni，基体硬度随之上升至 38～43HRC。该钢具有优良的镜面加工性能，模具表面粗糙度值可达 $Ra=0.05\mu m$，适于制造要求高镜面、高透明度、高精度的各种热塑性塑料光学镜片的注射模具，以及外观质量要求光洁和光亮的各种家用电器塑料模具，如电话机、石英钟、车辆灯具等塑料壳体模具。由于 PMS 钢含铝，其渗氮性良好，可以在渗氮处理的同时进行时效处理，使其表面硬度、耐磨性提高。另外，该钢具有良好的焊接性能，便于损坏后的补焊修复。

Y20CrNi3AlMnMo（SM2）为一种易切削调质时效硬化型塑料模具钢。含 0.1%（质量分数）左右的 S，切削加工性能得到了改善，生产工艺简单，性能稳定，使用寿命长。现已在电子、仪表、家电和玩具等行业推广应用，效果显著。

0Cr16Ni4Cu3Nb（PCR）钢是一种时效硬化型不锈钢，经淬火处理后，获得单一的板条马氏体组织，硬度为 32～35HRC，可进行切削加工。成型后再经过时效处理，硬度升高至 42～44HRC，具有较好的综合力学性能。该钢淬透性高，热处理变形小，变形率为 0.04%～0.05%，且具有良好的抛光性能，同时由于其具有优良的耐蚀性，因而适用于制造氟塑料、聚氯乙烯等塑料的成型模具。它在时效和抛光后，再于 300～400℃的温度下进行 PVD（物理气相沉积）离子涂镀，使模具表面覆盖 3～5μm 厚的 TiC 薄膜，其硬度高于 1600HV，可用于高硬度、高耐磨而又耐腐蚀的塑料模具。

时效硬化型塑料模具钢的热处理工艺基本分为两个步骤：第一步进行固溶处

理，将钢加热至高温，使各种合金元素充分溶入奥氏体，然后进行淬火处理获得马氏体组织；第二步进行时效处理，使模具达到所需的力学性能。固溶处理的加热一般在盐浴炉中进行，而后油冷淬火，淬透性好的钢种也可采用空冷淬火。时效处理最好在真空炉中进行，若在箱式电炉中进行需通入保护气体，以防止模具型腔表面的氧化。

(5) 耐蚀型塑料模具钢及热处理 以聚氯乙烯、聚苯乙烯和ABS加抗燃树脂等化学性腐蚀塑料为原料，生产塑料制品时，成型过程中会分解出腐蚀性气体，将对模具产生腐蚀作用，为此要求模具材料必须具有相应的防腐蚀性能。塑料模具获取腐蚀性能的最佳方式是采用耐蚀型塑料模具钢制造，这种方式已经得以推广。耐蚀型塑料模具钢如同其他类型的塑料模具钢一样，需要有一定的硬度、强度和耐磨性等使用性能要求。常用的钢种有：高碳高铬型耐蚀钢，如9Cr18、Cr18MoV、Cr14Mo4V、4Cr13等耐蚀钢；马氏体时效不锈耐酸钢，如1Cr17Ni2；析出硬化型不锈钢，如0Cr16Ni4Cu3Nb等。

9Cr18、Cr18MoV和Cr14Mo4V等牌号属于高碳高铬型耐蚀钢。为了保持钢的耐蚀性能，其马氏体组织必须含有11%～12%的铬（质量分数）；为了保持钢的高硬度和高耐磨性，钢中必须有较高的碳含量。实际使用的钢含有14%～18%的铬（质量分数），保证了马氏体的铬含量。例如，9Cr18钢经1075～1100℃淬火后具有耐蚀性，这时马氏体中含有11%铬（质量分数）和0.25%碳（质量分数），其余的铬存在于碳化物中。对于碳的质量分数为1.0%～1.2%的高铬不锈钢，钢中必须添加钼元素，以代替$M_{23}C_6$型碳化物中的一部分铬，这样可以增加固溶体中的铬含量，进一步改善钢的耐蚀性。同时钼还可以在回火后引起弥散硬化，有利于提高钢的二次硬化程度和热稳定性。

高碳高铬型耐蚀钢的热处理，大体分为预先热处理和最终热处理两部分。常用的预先热处理为球化退火，目的是降低模具钢锻造后的硬度，改善切削加工性能，并为淬火做组织准备。退火组织为粒状珠光体和均匀分布的粒状碳化物，退火后的硬度为197～255HBS。一般的最终热处理工艺为淬火加低温回火，淬火温度应控制在1050～1100℃较佳。随着淬火温度的增加，二次碳化物的溶解量增加，奥氏体中的碳和铬含量增高，淬火硬度可高达62～63HRC。

高碳高铬型耐蚀钢具有较好的淬透性，淬火冷却一般采用油冷，亦可用空冷或在100～150℃的热油中冷却。用后两种方法冷却，可有效地防止模具的变形和开裂，但它只适用于薄壁模具的淬火冷却。对于大型或形状较复杂的模具，为减少模具的变形和开裂，可以采用分级淬火或等温淬火。

高碳高铬型耐蚀钢的正火组织为隐晶马氏体、残余奥氏体和细粒状的碳化物。在淬火后的钢中，残余奥氏体含量较高，例如，9Cr18钢自1050～1100℃淬火后，钢中奥氏体的质量分数为22%～70%。为了提高模具的硬度和使用过程中的尺寸稳定性，模具淬火后应在−75～−80℃的条件下进行一次冷处理，使钢中的残余奥氏体减少至10%～15%，同时可提高钢的硬度和抗弯强度，但冲击韧度会明显下降。因此，对于制造承受冲击载荷的模具，在选用冷处理时必须慎重考虑。

为了提高淬火或淬火加冷处理后模具的组织稳定性，消除内应力，并提高综合力学性能，必须进行回火。高碳高铬型耐蚀钢经150～400℃回火后，马氏体中的铬含量几乎不变，在沸水、蒸气、湿空气、干燥空气和冷态的有机酸中，均很稳定。但相对而言，在200℃以下回火，其耐蚀性更高。而经500～550℃高温回火后，由于形成了含铬的碳化物，降低了固溶体中的铬含量，因此，钢的耐蚀性有所下降。

根据回火温度对钢的力学性能和耐蚀性的影响，9Cr18等高碳高铬型耐蚀钢一般采用160～200℃的回火处理。当模具最后磨削成型后，为了消除其磨削应力，还应该在130～140℃进行附加回火。

0Cr16Ni4Cu3Nb（PCR）是一种析出硬化型不锈钢，该钢经过淬火后获得单一的马氏体组织，硬度为32～35HRC，可进行切削加工，然后再经过460～480℃时效处理，合金碳化物呈弥散析出，使其获得较好的综合力学性能。

（6）其他类型模具材料及热处理 在某些条件下工作的塑料模具，还可以选用铝合金、铍青铜、锌合金和铸铁等材料制作。如聚苯乙烯泡沫塑料的发泡成型模具，要求导热、耐蚀并能承受脉动热载荷。当用于中小批量生产时可采用铸造铝合金制造模具，当大批量生产时可采用不锈钢或铍青铜制造模具。低发泡注射成型的压力低，冷却时间长，要求模具的机械强度不高而热导性要好，可采用铝合金等制造模具。吹塑成型模具也常采用铝合金、锌合金和铍青铜等制造。

例如，变形铝合金和铸造铝合金均可用于塑料模具制造。铝合金的密度小、熔点低，加工性能和导热性能都优于模具钢，其中铸造铝合金还具有优良的铸造成型性能，因此可用其制作塑料模具，以缩短模具制作周期，降低制作成本。典型的用于制作塑料模具的是铸造铝合金ZL101，适于制作要求高热导率、形状复杂的塑料模具。变形铝合金LC9也是一种用于塑料模具的铝合金，因其强度高于ZL101，可用来制作强度要求相对较高且导热性良好的塑料模具。

2.4 本章小结、创新点及思考题

（1）小结 本章详述了汽车工程材料的分类、性能特点及其在汽车零部件、模具制造中的应用。本章所阐述的汽车工程材料，主要划分为金属材料、非金属材料与模具材料三大类。金属材料方面，重点分析了合金钢的相变规律、热处理工艺及表面强化技术，如渗碳、渗氮、TD工艺等，以提高耐磨性和耐腐蚀性。非金属材料部分，探讨了工程塑料（如ABS、PC）的成型工艺、橡胶的弹性与耐老化性，以及碳纤维复合材料在轻量化中的应用。模具材料部分详细介绍了不同模具钢的选材原则、热处理工艺（如淬火、回火、等温处理）及其对模具寿命的影响。

（2）创新点　本章展现出多方面的创新点：

首先，紧跟汽车电动化、智能化发展趋势，强调材料正向轻量化、功能集成化和可持续化方向演进，突出铝合金、碳纤维及生物基材料等新型材料的广泛应用；其次，深入解析了金属材料（如合金钢、铝合金、镁合金）和非金属材料（如工程塑料、橡胶、复合材料）的性能特点及其在车身、底盘、动力系统等关键部件中的优化选用。

此外，在汽车模具材料技术方面展现出显著创新：系统梳理了冷作、热作及塑料模具钢的分类与性能优化路径，重点发展了高强韧性冷作模具钢（如7Cr7Mo2V2Si）、高耐热热作模具钢（如HD钢）及预硬型塑料模具钢，通过精密热处理工艺与多元表面强化技术（如渗金属工艺、激光相变硬化、氮碳共渗、气相沉积等），显著提升模具的耐磨损、抗热疲劳、耐腐蚀性能与尺寸稳定性。这些创新技术有效解决了复杂模具在高温、高压、高磨损工况下的早期失效问题，大幅延长了模具使用寿命，为汽车轻量化零部件精密成型与高效生产提供了关键材料支撑。

最后，注重材料与工艺的结合，推动汽车材料从传统金属向多材料、复合化、可回收方向发展，为实现汽车轻量化、高性能和绿色制造提供了重要的材料技术支撑。

（3）思考题

思考题1：下列哪种硬度测试方法适用于薄材料或表面硬化层？

A. 布氏硬度（HBS）

B. 洛氏硬度（HRC）

C. 维氏硬度（HV）

答案

思考题2：解释合金元素在钢中的作用，至少列举三点。

思考题3：为何高碳工具钢（如T12）淬火后需进行低温回火？

思考题4：比较退火与正火的主要区别及应用场景。

思考题5：论述表面渗碳和TD工艺在模具强化中的优势。

参考文献

［1］ GB/T 700—2006. 碳素结构钢.

［2］ GB/T 1591—2018. 低合金高强度结构钢.

［3］ GB/T 1299—2014. 工模具钢.

［4］ GB/T 9943—2008. 高速工具钢.

第3章　用于汽车的先进钢材

3.1　汽车轻量化与先进钢材发展的必要性

3.1.1　先进钢材对汽车轻量化的推动作用

在整车材料构成体系中，钢材以超60%的占比，占据主导地位。其中，高强钢作为实现轻量化的关键材料，其应用比例不断攀升。这归因于高强钢在强韧性平衡以及综合成本控制方面，具有无可比拟的显著优势[1]。在确保车辆碰撞安全性的前提下，高强钢凭借工艺创新与结构性优化达成轻量化目标。通常，汽车轻量化常面临成本上升难题，而高强钢却独具成本优势，具体分析如下。

3.1.1.1　成本困局的解决方案

(1) 轻量化技术的成本剖析：不同方案的经济性差异　从材料成本、工艺改造成本与维修成本这三个核心维度深入剖析，不同轻量化方案呈现出显著的经济性差异。

① 材料成本：汽车用钢的成本要远低于铝镁合金和碳纤维，而且钢的加工成本更低（原材料成本几乎占到整个零件成本的70%以上），因此，应用高强钢无疑是成本最优的轻量化材料解决方案。图3-1所示为不同轻量化材料方案降重比例与成本增加的关系。

② 工艺改造成本：采用高强钢的轻量化方案，最大的优势在于能够与现有冲压、焊接产线完美兼容。而铝合金方案则面临较大挑战，由于其材料特性与传统钢材不同，需要新增如摩擦搅拌焊、铆接机等焊接设备，这使得初期产线改造成本大幅增加。

③ 维修成本：在汽车的全生命周期中，维修成本也是不可忽视的重要组成部分。高强钢方案得益于成熟的钣金修复工艺，维修过程便捷高效，且成本最低，成为行业内维修成本的基准参照。如果采用铝合金方案，由于其加工硬化的特性，通常需要整体更换部件，这使得维修成本比高强钢高出30%，增加了车主的使用成本。

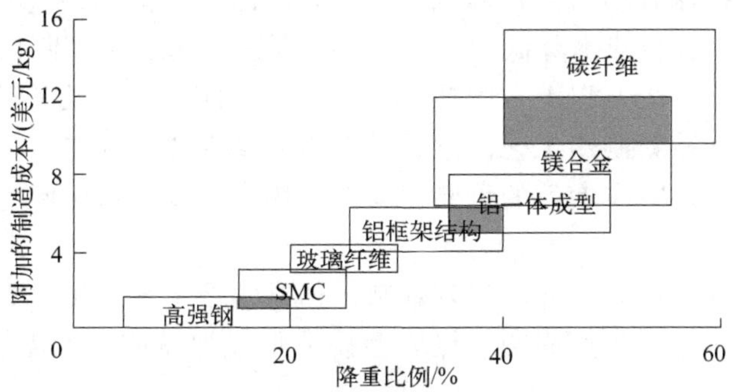

图 3-1　不同材料降重比例与成本增加的关系

SMC—片状模塑料

(2) 轻量化决策：精准探寻经济可行性边界　汽车轻量化绝非简单的材料替换或结构优化，深入解析轻量化成本构成及其影响因素，成为企业制定科学合理决策的关键所在。

① 降低车辆搭载动力电池的成本。在维持一致续航里程的前提下，轻量化技术能够凭借降低电池容量配置，有效达成成本控制目标。需要关注的是，随着电池能量密度逐步攀升，当达到某个临界数值后，轻量化所带来的边际效益便会逐渐减弱。此时，尽管轻量化举措仍具备一定价值，但在成本把控与性能提升方面，其额外增益幅度将显著缩小，企业在制定发展策略时，需要充分权衡这一关键因素，以实现资源的最优配置[2]。

② 降低能耗（碳排放）。即便电池成本下降，轻量化对电动汽车仍具持续性价值，其核心体现在能源效率提升（碳排放减少）方面。铝镁合金、碳纤维等轻质材料在全生命周期的 CO_2 等效排放远高于钢，仅在材料生产环节的排放就为钢的5～20 倍[3]。

③ 降低车辆全周期使用成本。轻量化带来的节能效益还可转化为显著的使用成本优势：燃油车可降低油耗，电动汽车可减少电能消耗。若将这部分节约的成本循环投入轻量化技术研发，能形成技术迭代的良性循环。尽管使用成本节约具有非显性特征，但随着消费者认知深化和企业推广力度加强，该效益逐步被市场认可。新兴的分时租赁商业模式更凸显了运营车辆应用轻量化技术的必要性。

3.1.1.2　先进钢材的成本策略

(1) 材料端：以强度优势实现用量与成本的优化平衡　厚度减薄法则：在材料升级实践中，用 1500MPa 热成型钢替换 600MPa 高强钢成效显著。随着材料强度大幅提升，零件厚度可从 2.0mm 减至 1.2mm，单件材料用量锐减 40%。尽管 1500MPa 热成型钢单价比 600MPa 高强钢高出 30%，但得益于用量的大幅减少，最终实现总成本下降 18%，成功在保障零件性能的同时降低了材料成本。

合金替代经济性：第三代 QP 钢（淬火配分钢）在合金成分优化上实现突破，

通过将 Mn 含量控制在 5%～7%，替代 TWIP 钢（孪晶诱导塑性钢）中 15%～25%的 Mn 含量，合金成本降低 50%。而且，第三代 QP 钢在降低成本的同时，强塑积依然保持在 25GPa%以上，维持了良好的材料性能，兼顾了经济性与实用性。

（2）工艺端：革新制造工艺，掀起效率与成本变革 制造工艺优化：制造工艺的优化是汽车轻量化降本增效的重要驱动力，热成型技术相比传统冷冲压工艺，展现出全方位的优势。

工序精简提效：传统冷冲压工艺繁杂，通常需要 5～7 道工序，工件在不同设备间多次转移，拉长了生产周期。热成型技术则极为简洁，仅需供应商提供成品，提高生产效率。

（3）设计端：创新设计理念，达成系统集成降本目标 拓扑优化技术：利用 CAE 仿真进行拓扑优化，在 B 柱加强板设计上成果斐然。不仅使 B 柱加强板质量降低 22%，还将焊点数量从 18 个减少至 9 个，连接成本下降 40%，在减轻重量的同时降低了制造过程中的连接成本。

模块化设计：电池包壳体采用 DP980＋TWB（激光拼焊板）一体化结构的模块化设计，零件数量从 32 个锐减至 5 个，装配工序大幅简化，装配成本降低 65%。

3.1.1.3 实证案例

（1）特斯拉 Model Y 后底板的创新变革 特斯拉 Model Y 采用了先进的一体式 1200MPa 马氏体钢压铸件，这一创新性的材料与工艺选择，带来了令人瞩目的成果。后底板减重幅度达到 23%，有效提升了车辆的能源效率与操控性能，成本下降了 14%，实现了成本与性能的双重优化。

深入剖析其成本逆转逻辑，虽然 1200MPa 马氏体钢的材料单价相比 600MPa 高强钢上升了 25%，但由于采用了一体化压铸工艺，材料用量大幅减少，同时模具复用率显著提升。这两个关键因素相互作用，成功对冲了材料单价上涨带来的成本压力，最终实现了总成本的下降，为汽车制造行业提供了全新的轻量化与降本思路。

（2）比亚迪刀片电池钢制壳体：材料选择与成本效益的平衡 比亚迪采用了 SAPH440＋DP590 高强钢混合设计。将此方案与全铝方案对比后发现，在达成等效刚度的情形下，钢制方案的总质量相较于铝制方案增加了 8%。但比亚迪凭借精妙的结构设计，采用蜂窝夹层结构，成功实现了轻量化补偿。在成本方面，钢制方案的材料成本仅为 0.8 万元/套，而铝制方案却高达 2.2 万元/套。

3.1.1.4 未来成本下探路径

（1）短流程钢板应用推动低碳高强钢发展 在汽车行业向轻量化、低碳化转型时，国内钢铁企业借助短流程炼钢技术，尤其是氢基直接还原铁（DRI）工艺，重构汽车钢产业链。传统钢铁生产流程复杂、能耗高，短流程炼钢通过连铸连轧直接生产薄板坯，能耗比传统流程降低 60%。氢基 DRI 技术以氢气作还原剂，近乎零排放，还提升了钢材纯净度和强度。生产出的低碳高强钢满足汽车制造需求，凭借成本优势推动汽车轻量化。

(2) 互联网与智能制造深度融合降低成本 李晓飞等大胆采用热成型钢材用于车轮生产，并运用热加工方式，有效减小了簧下质量，不仅显著提升了车辆的操控性能，还使产品舒适度大幅提高，在降低能耗的同时增强了经济性。

在这一过程中，互联网的优势得到充分彰显。通过与传统产业的深度融合，实现了生产流程的数字化重塑。利用大数据分析、物联网监控等技术手段，生产过程中的每一个环节都能被实时监测与精准调控，从而大幅提高生产效率与产品质量，最终实现生产过程的可视化，管理者能够对生产现场的状况一目了然，让决策更加科学、高效[4]。

3.1.1.5 结论

成本一直是阻碍汽车轻量化落地的关键因素。科研人员聚焦先进钢材，深度创新，推动汽车轻量化从理论设想变成了切实可行的产业变革。

未来，随着电池技术不断进步，以及回收与梯次利用的发展，电池成本有望进一步降低，届时轻量化技术降低电池成本的效果会减弱，但在降低能耗（碳排放）方面仍能发挥显著作用。所以，车企在选择轻量化技术策略时，应更注重能效性价比。其中，高强钢的应用对提升电动汽车综合竞争力尤其关键。这一系列转变的背后，是先进钢材创新重塑汽车产业经济学的底层逻辑。

3.1.2 钢材在汽车材料中的不可替代性：以宝马 i3 为例

钢材是汽车制造中无可替代的基石。在汽车设计领域，即便全铝车身或碳纤维材质的应用日益广泛，钢材凭借其独特且难以复制的核心优势，也始终占据着不可替代的关键地位。以宝马 i3 为例，尽管其碳纤维车身结构备受瞩目，但在实际设计中，钢材的协同作用不可或缺，这也从侧面印证了钢材在汽车制造中的重要价值。

(1) 不可替代性逻辑 关键结构锚点和安全基石：在以碳纤维座舱和铝合金底盘著称的宝马 i3 超轻量化设计中，高强钢主要应用于连接碳纤维乘员舱与铝制底盘的关键框架、电池包外围防护结构以及悬挂安装点等局部加强区域。这些由热成型高强钢构成的部件，凭借其极高的强度和刚度，核心解决了多材料车身最关键的工程挑战：在碰撞中高效传导和分散冲击力，确保碳纤维主体结构免受局部过载，并为电池包提供刚性防护。因此，即便在追求极致减重的创新架构中，高强钢依然以其在极限载荷下保障整体结构完整性、实现可靠力传导的独特性能，牢固占据着不可替代的战略位置。

成本、性能、连接工艺的约束：从材料成本来看，高强钢具有显著的价格优势，同时在维修和工艺改造成本方面，高强钢也远低于其他材料。在性能层面，高强钢的抗拉强度范围在 600～2000MPa，能够满足汽车悬挂系统硬点对应力的严苛需求。此外，高强钢还具备天然的电磁屏蔽性，这一特性使其在现代汽车电子设备日益增多的情况下，能够有效保障车内电子系统的稳定运行。在连接工艺上，高强钢可采用点焊或气体保护焊，具有成本低、节拍快的优势。

功能集成需求：汽车的一些关键部件对材料有着特定的功能需求。例如，电池包壳体需要具备良好的电磁屏蔽性能，钢材的磁导率 $\mu=5000$，而铝和塑料的 $\mu\approx 1$，钢材在这方面具有绝对优势。此外，汽车悬挂硬点需要承受高达 2000MPa 级的局部应力，只有马氏体钢能够满足这一严苛要求，进一步凸显了钢材在汽车功能集成方面的不可替代性。

(2) 宝马 i3 的钢材应用实证 宝马 i3 以其独特的碳纤维乘员舱闻名于世，但在其关键子系统中，钢材的身影随处可见。

底盘结构：后副车架采用热成型钢（22MnB5，抗拉强度 1500MPa），为电机悬置点提供强大的抗扭能力，确保车辆在行驶过程中的稳定性。电池包框架则采用 DP600 钢制外骨架，在车辆遭遇侧面碰撞时，能够有效提供防护，保障电池包的安全。

安全冗余设计：A 柱加强板采用激光拼焊硼钢，以应对 25%小重叠碰撞，为车内乘员的头部安全提供可靠保障。门槛梁内层使用 TRIP 钢（相变诱导塑性钢，抗拉强度 800MPa），在低速碰撞时能够高效吸能，减少碰撞对车内人员的伤害。

工艺兼容性：钢制部件与 CFRP 通过胶铆复合连接（环氧胶＋自冲铆钉），这种创新的连接方式有效确保了异质材料界面的强度，使得不同材料能够协同工作，发挥各自的优势。

(3) 所谓“全铝车身”的钢材应用案例 案例分析：部分车型虽然宣称采用全铝车身，但在实际设计中，为满足核心性能需求，仍然离不开钢材的支持。以蔚来 ES6 为例，其采用铝基轻量化平台（全铝前副车架＋高压铸铝减振塔），然而在前纵梁位置，采用了 1500MPa 热成型钢。在正面碰撞时，热成型钢能够引导能量传递路径，避免能量直接冲击乘员舱。铝材在高速冲击下容易发生脆断，而热成型钢则可通过可控溃缩，有效保护乘员舱的完整性。

共性逻辑：一方面，安全法规对汽车关键区域的强度提出了严格要求，如 C-NCAP 对 A/B 柱、纵梁等区域的强度要求为≥1000MPa，只有钢材能够在满足强度需求的同时，兼顾成本因素。另一方面，悬挂硬点、电池包固定点等区域需要承受 2000MPa 级的应力，高强钢作为唯一的量产化解决方案，在保障汽车安全与性能方面发挥着不可替代的作用。因此，即使在“全铝”“全塑”等营销概念的影响下，钢材始终是汽车安全与性能的“隐形守护者”，其在汽车工业中的不可替代地位毋庸置疑。

(4) 结论：刚柔并济的材料哲学 钢材凭借高强度、可修复性、电磁兼容性及成熟供应链，在汽车轻量化进程中始终扮演“安全锚点”角色。即使如宝马 i3 这类碳纤维先锋车型，仍需钢材在力学与功能维度补位。未来汽车材料体系将是“钢为骨，铝/塑为肉”的有机组合，而非非此即彼的替代关系。

3.2　汽车高强钢的分类与特性

根据强度值分类，屈服强度在 210～550MPa 和抗拉强度在 270～700MPa 的钢为高强钢（HSS），屈服强度大于 550MPa 和抗拉强度大于 700MPa 的钢为超高强钢（UHSS）；若根据冶金学特征分类，则分为普通高强钢［碳锰钢、高强度无间隙原子钢（IF-HS）、烘烤硬化钢（BH）、高强度低合金钢（HSLA）等］和先进高强钢［双相钢（DP）、复（多）相钢（CP）、相变诱导塑性钢（TRIP）等］[5]。

汽车高强钢经历了三代的发展历程，按照代际分类，可分为第一代高强钢（1st HSS）、第二代高强钢（2nd HSS）和第三代高强钢（3rd HSS），如图 3-2 所示。

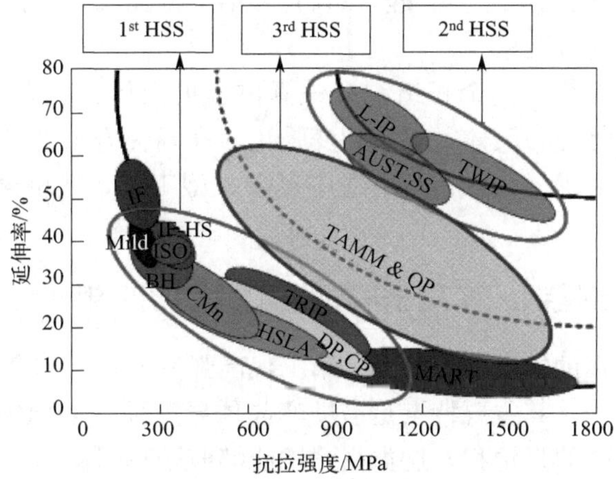

图 3-2　三代高强钢的强度和塑性分布

L-IP—轻量化诱导塑性钢；TRIP—相变诱导塑性钢；AUST. SS—奥氏体不锈钢；TAMM&QP—孪晶诱导塑性钢与淬火配分钢；DP—双相钢；CP—复相钢；MART—马氏体钢；Mild—普通低碳钢；IF—无间隙原子钢；IF-HS—高强度无间隙原子钢；ISO—各向同性钢；BH—烘烤硬化钢；HSLA—高强度低合金钢；CMn—碳锰钢；TWIP—孪晶诱导塑性钢

3.2.1　第一代高强钢：双相钢（DP 钢）、相变诱导塑性钢（TRIP 钢）

(1) 第一代高强钢：汽车轻量化的基石与开端　第一代高强钢的强塑积通常在 10～20GPa%之间，主要通过铁素体基体和相变强化机制来实现高强度和良好的延展性。第一代高强钢性能较差，促使行业向第二代升级。在新能源车领域，第一代高强钢仍用于非承力结构件（如电池包支架），与更高代际材料形成互补。

第一代高强钢包括 HSLA 钢及初代 DP/TRIP 钢。这类钢通过添加少量的合金元素如铌、钒、钛等，以细化晶粒和沉淀强化的方式来提高钢的强度和韧性，具有良好的焊接性能和耐腐蚀性。

（2）双相钢（DP钢）：结构与性能的巧妙融合 微观组织构成：主要由软质的铁素体与硬质的马氏体构成。通过对低碳钢或低碳微合金钢进行两相区热处理，马氏体在铁素体基体中呈岛状分布，马氏体含量处于5%～20%区间。

卓越力学性能：强度较高，一般抗拉强度在500MPa到1200MPa，还兼具较高的加工硬化指数、低屈强比和良好的抗疲劳性能。

汽车制造中的关键应用：在汽车制造中，用于电池托盘，凭借高强度稳固托盘结构，防止电池移位、受损，较高的加工硬化指数可让托盘抗变形；也用于电机外壳，保护内部组件，兼顾防碰撞、防尘、防水汽以及助力电机散热等功能。

（3）相变诱导塑性钢（TRIP钢）：性能独特的汽车用钢 主要成分剖析：主要成分包括铁、锰（2%～3%）、硅（3%）和铝（0.03%），有些TRIP钢含有镍、钒、钼、铜、钛和铌等元素。

微观组织与性能优势：金相组织含铁素体、贝氏体与残余奥氏体。受力变形时，残余奥氏体转化为马氏体，实现相变强化，大幅提升塑性。抗拉强度为600～1000MPa，成型性卓越，比双相钢更适应复杂成型工艺，还融合烘烤硬化钢特性，扩孔性优异。

3.2.2 第二代高强钢：孪晶诱导塑性钢（TWIP钢）

（1）第二代高强钢的性能与特点 第二代高强钢的强塑积介于50～70GPa%之间，以奥氏体为基体。其主要特点是借助孪晶诱导塑性（TWIP）效应来提高强度和延展性。凭借较高的强塑积，这类高强钢能够兼顾高强度与高塑性，实现抗拉强度和延伸率的同时提升。不过，由于需要添加大量的合金元素，合金元素含量在15%至40%之间，其性价比偏低。

（2）TWIP钢：第二代高强钢的典型代表 TWIP钢即孪晶诱导塑性钢，属于第二代高强钢。TWIP钢通常含有较高含量的锰（15%～30%）等合金元素，主要依靠奥氏体基体以及孪晶诱导塑性效应来实现高强度和高塑性。在变形过程中，材料内部会形成大量的孪晶，这些孪晶阻碍位错运动，进而提高材料的强度，同时还能保持良好的塑性，这种强化机制是第二代高强钢的典型特征。

（3）TWIP钢在新能源汽车中的应用与发展 TWIP钢是第二代高强钢中的特殊分支，其超高塑性弥补了第二代高强钢的不足，但因成本与工艺限制，未纳入第三代标准体系。在新能源车轻量化中，它常与第三代高强钢形成性能-成本互补方案，例如A柱用QP1180钢，B柱用TWIP钢。

第二代高强钢是在第一代的基础上发展起来的，破解了材料强度与成型性的矛盾，其出色的力学性能使其在高端应用中占据一席之地。鉴于成本高的问题，研发人员通过对TWIP钢进行降锰改性使其向第三代技术靠拢。将锰含量降至8%，成本降低40%，同时强塑积仍大于50GPa%，为第二代高强钢的进一步发展和应用拓展了新的可能。

3.2.3　第三代高强钢：淬火配分钢（QP 钢）与中锰钢

第三代高强钢利用残余奥氏体调控、纳米析出等，实现强度-塑性协同提升，满足新能源车对超高强度及高碰撞安全的需求。

（1）第三代高强钢：性能与成本的完美精妙平衡　第三代高强钢的强塑积范围处于 20～50GPa%之间，采用了极为复杂且精妙的多相组织体系，涵盖淬火配分钢、中锰钢等多种典型钢种。其合金元素含量被精准控制在 5%～12%的区间，这种经过精心设计的成分与组织结构，成为其展现卓越性能的关键因素。

从性能维度考量，第三代高强钢表现卓越。一方面，它具备高强度特性，足以满足各类对材料强度要求严苛的应用场景，无论是承受巨大压力的工业机械部件，还是关乎安全的汽车关键结构件，均能有效适配；另一方面，它拥有远超传统高强钢的优异延展性，成功解决了传统高强钢延展性不足的问题，极大地拓展了其在成型加工领域的应用范围。

在成本控制方面，第三代高强钢亦有出色表现。通过合理优化成分体系以及采用先进的制备工艺，有效降低了生产成本，展现出良好的经济性，这使其在众多领域具有广阔的应用前景。

（2）淬火配分钢（QP 钢）：第三代高强钢的杰出典范　作为第三代汽车用高强钢的典型代表，QP 钢的成分设计以 C-Si-Mn 为基础框架，并可依据实际需求，灵活引入铌（Nb）、钛（Ti）等其他合金元素。值得着重指出的是，QP 钢的成分比例并非一成不变的固定数值，而是可以紧密结合具体的应用场景和预期达成的性能指标，进行灵活且极为精准的调配。

在汽车零部件制造领域，当涉及对高强度、高韧性有着迫切需求的部件时，QP 钢的优势便得以充分彰显。经过科学合理的成分调配与工艺处理，通常情况下，QP 钢能够展现出卓越的力学性能，其抗拉强度超过 1.0GPa，延伸率达到 20%以上。如此优异的性能表现，使其成为汽车制造等领域中不可或缺的关键材料，有力推动了汽车行业在安全性能与轻量化设计方面的持续发展。

（3）中锰钢：独特性能赋能多领域应用　中锰钢的锰含量一般在 5%～12%，其微观组织包含铁素体、奥氏体以及少量马氏体或贝氏体等。这些不同相组织相互交织、协同作用，构建了中锰钢复杂而高效的强化机制。

中锰钢的强化机制一方面通过细晶强化手段，细化晶粒尺寸，提升单个晶粒的强度与韧性，进而提高整体材料的强度和韧性；另一方面，巧妙利用相变诱导塑性（TRIP）效应和孪晶诱导塑性（TWIP）效应，在变形过程中，奥氏体相可通过马氏体相变或产生孪晶提高钢的强度和塑性。中锰钢可用于制造汽车悬挂系统部件，悬挂系统作为汽车与路面的关键连接部分，需承受路面的各种冲击力和振动。

3.2.4 马氏体钢（MS 钢）、多相钢（CP 钢）等

（1）马氏体钢（MS 钢） 马氏体钢的成分体系较为复杂，以铁作为基体，碳元素含量在 0.1%～1.0%之间。碳元素是马氏体钢发生马氏体相变、提升强度的关键要素，它在钢的组织结构转变与性能优化中发挥着核心作用。马氏体钢中含有铬、钼、镍、锰等多种合金元素。铬能增强淬透性和耐腐蚀性，钼可细化晶粒、增强强度和韧性，镍可改善低温韧性，锰可辅助形成马氏体并提高强度。

成型工艺对马氏体钢性能影响重大，热加工时，要把加热温度精确控制在奥氏体化区间，让组织结构均匀。锻造时控制好锻造比，能让钢材内部更致密，消除缺陷；轧制采用多道次工艺，精准控制压下量，可细化晶粒，增强强度和塑性。像新能源汽车防撞梁用钢，经加热奥氏体化、多道次轧制和快速回火处理，强度大幅提升，还能保持良好塑性，满足使用要求。马氏体钢在实际应用中优势突出，比如特斯拉用的马氏体钢屈服强度达 1700MPa，为车身安全和轻量化提供了有力支持。

（2）多相钢（CP 钢） 多相钢构建于多种元素协同组成的合金成分体系之上。其中，钛、钒等元素作为关键的合金元素，通过微合金化作用发挥重要作用。它们能够促使晶粒细化，在微观层面优化钢的组织结构，进而产生显著的强化效果，有效提升多相钢的强度和韧性等综合性能。基于马氏体和贝氏体的复合强化作用，多相钢的强度通常可达 800～1000MPa，满足了众多工程领域对材料强度的要求。

多相钢展现出极为卓越的能量吸收性能与扩孔性能。在汽车制造领域，这两种性能优势使其在车门防撞杆、保险杠等汽车构件的制造中具有突出的应用价值。车门防撞杆和保险杠在汽车遭受碰撞时，需要具备良好的能量吸收能力，以减轻碰撞对车身和车内人员的冲击；而扩孔性能则保证了在加工过程中，材料能够顺利进行冲孔、钻孔等工艺操作，满足汽车零部件复杂形状的加工需求。多相钢凭借其出色的性能，成为汽车制造中不可或缺的关键材料，为提高汽车的安全性能和制造工艺水平作出了重要贡献。

3.3 热成型钢（PHS）技术

（1）热成型钢的研发开端 瑞典沃尔沃公司率先在热成型钢领域取得突破，成功研制出一系列热成型钢，并依据成分差异，分别将其编号为 22MnB5、30MnB5 以及 38MnB5 等。这些热成型钢的问世，为汽车制造等行业提供了全新的材料选择[6]。

（2）热成型钢的成分 热成型钢以铁为基体，添加硼、碳、锰、硅等合金元素。硼含量为 0.001%～0.005%，能提升淬透性，助力马氏体生成；碳含量为 0.02%～0.5%，负责调控强度和硬度；锰含量为 1.0%～2.0%，可优化热加工结构，增强强度和韧性；硅含量为 0.1%～0.5%，起到脱氧和强化的作用。

（3）热成型钢的热处理强化　热成型钢是依靠热处理实现强化的典型钢材。首先，把常温下的硼合金钢坯加热到 900～950℃，使其进入高温奥氏体状态，此时钢材塑性良好，便于后续冲压成型。接着，在钢材处于奥氏体状态时，利用模具快速冲压，加工成所需形状。最后，冲压成型的工件在模具内淬火冷却，冷却速率通常需达到 27℃/s 以上，促使奥氏体快速转变为高强度的马氏体组织，大幅提升钢材的强度与硬度。经过这样的热处理后，热成型钢屈服强度可达 1000～1600MPa，抗拉强度可达 1300～2000MPa。

（4）热成型钢冷弯性能与碰撞安全　热成型钢的冷弯性能和汽车零部件的碰撞断裂指数密切相关。在汽车实际使用中，遇到碰撞时，热成型钢制成的零部件需具备良好的抗断裂能力。

提升热成型钢的极限尖冷弯角，是增强热成型构件碰撞安全性的有效方法。极限冷弯开裂机制和微孔聚合断裂相似，断裂过程大致分为三个阶段：先是微裂纹在材料缺陷处聚集，接着微裂纹数量增多，最后发展至断裂。研究发现，铌钒微合金化处理是提高热成型钢极限尖冷弯角的可行办法。这种处理方式能有效控制大尺寸夹杂物数量，减少带状组织与高碳组织的形成，细化马氏体板条尺寸，增加晶界数量，进而延长裂纹扩展路径，显著提升热成型钢的冷弯性能。

（5）抗氧化免涂层技术　抗氧化免涂层技术是热成型钢领域的创新突破，它打破依赖镀层抗氧化的传统，通过精准调配热成型钢化学成分，深度优化热成型工艺，让热成型钢无需镀层也能抗氧化。

某汽车整车企业创新性研发了无镀层热成型钢，为热成型钢领域带来了新的发展思路[7]。通过对 Cr 和 Si 含量的精确调控，在热成型加热过程中展现出卓越的性能，能够有效抑制表面脱碳与氧化现象的发生，同时在冷却阶段具备高淬透性，确保钢材内部组织结构均匀且性能稳定[8]。

由于无镀层热成型钢无需添加硼元素，同此其在回收利用方面具有显著优势，可以与废钢实现良好兼容。部分钢厂已成功采用 50%的废钢，并结合电炉短流程工艺，成功生产出无镀层热成型钢。经实际检测，该材料在热成型后性能出色，抗拉强度高于 1600MPa，弯曲角大于 55°，满足了汽车制造行业对高强度、高韧性钢材的要求。

抗氧化免涂层技术的挑战是其化学成分调控难度大，需要精确调控 Cr 和 Si 等元素的含量，以确保在热成型加热过程中抑制表面脱碳与氧化现象的发生。

3.4　高强钢在车身系统的应用

3.4.1　安全笼结构强化（高强钢的强度-刚度协同设计）

在现代汽车安全技术体系中，乘员舱的力学架构设计处于核心地位，是确保驾乘人员生命安全的关键所在。基于拓扑优化理论构建的高强度乘员舱（见图 3-3），借助高强钢材料与笼式框架的协同配合，打造出具备梯度抗撞特性的安全防护体系[9]。

从材料工程的角度深入剖析，这种安全笼式结构的卓越力学性能，很大程度上得益于高强钢的大规模应用：在关键承力构件，如A柱、B柱、门槛梁以及顶盖纵梁部位，普遍采用抗拉强度超过1500MPa的热成型钢，以保障关键部位的结构强度；而在能量吸收区，像前纵梁、地板横梁这些位置，则多选用双相钢DP980或DP1180，通过精心设计的可控溃缩变形，高效吸收碰撞能量，为车内乘员筑牢安全防线。

图3-3　高强度乘员舱

在安全笼结构中，诸如A柱、B柱、防撞梁以及车顶加强梁等关键部位的零部件，不仅需要具备高强度，还必须拥有出色的塑性，这样才能在碰撞时有效抵御冲击，保护车内乘客的安全。基于这一需求，高强钢凭借其优异的性能，在这些关键部位得到了广泛应用，成为守护乘客生命安全的坚固屏障。

高强钢B柱的应用较为广泛，孟庆刚等人针对某车型汽车B柱在侧碰过程中的情况开展了全面且完整的数值模拟研究。在该研究中，采用高强钢DP590、DP780、MS1180、PHS1500、PHS1800和PHS2000作为B柱的材料，采用的钢板厚度为1.2mm、1.5mm、1.8mm、2.0mm和2.5mm。研究发现钢板的屈服强度越高，侧碰后B柱的侵入变形量就越小。在实际应用中，综合考虑防止零件失稳等多种因素，以及成本与工艺可行性，1.5mm厚度的DP780为该B柱的最佳材质选择[10]。

3.4.2　高强钢防撞横梁（材料强度-吸能特性拓扑优化）

(1) 汽车防撞横梁　防撞横梁是汽车行人保护装置中的关键部件，按照其在车身上所处的位置进行划分，主要涵盖三种类型：其一，是设置于前保险杠后方的前防撞梁；其二，为安装在车门部位的侧面防撞梁，也被称作车门防撞杆；其三，则是位于车尾的后部防撞梁。车门防撞杆和前防撞梁见图3-4。这三种防撞梁各司其职，前防撞梁用以抵御来自车辆正面的碰撞冲击，侧面防撞梁负责应对侧面的撞击，后部防撞梁则承担起防护车辆后部的重任，它们协同工作，全方位守护车辆与驾乘人员的安全[11]。

汽车防撞梁作为汽车结构中至关重要的部件，堪称汽车碰撞时的“第一承力

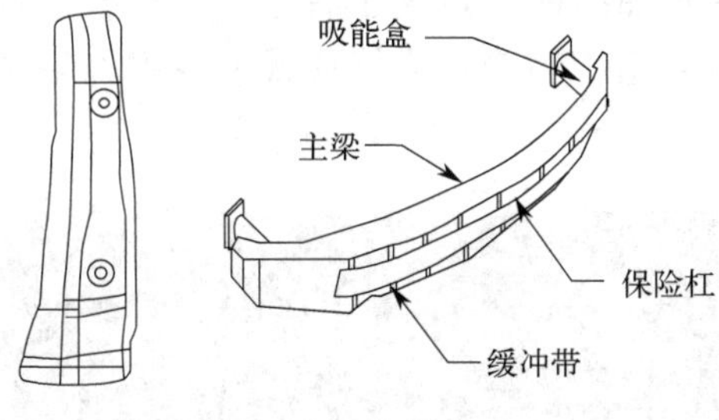

(a) 车门防撞杆　(b) 前防撞梁

图 3-4 汽车防撞梁

点"，在极大程度上影响着汽车碰撞时的安全性，是汽车安全体系中不可或缺的关键零部件。

(2) 高强钢防撞横梁

① 核心性能：强度优势与轻量化支撑。第三代高强钢（如 DP 钢、TRIP 钢）的屈服强度可达 800～1500MPa，显著提升了防撞梁的承载能力。在相同截面尺寸下，其承载能力较传统材料提升 3～5 倍，能够有效抵御高速碰撞产生的能量。通过多相组织调控（如马氏体与贝氏体的协同作用），高强钢实现了高强度与良好塑性的平衡，兼顾了碰撞过程中的吸能需求与结构稳定性。

此外，高强钢通过减薄设计（厚度可降低至 1.5～2mm）进一步实现轻量化目标。例如，某车型采用 1.8mm 厚的 DP 钢防撞梁，相比 3mm 厚的普通钢材，减重约 35%，同时强度提升 40%。通过表面脱氢处理及合金元素优化，有效防止了高强钢材料的延迟裂纹问题，确保材料的可靠性和耐久性。

② 辅助特性：韧性保障与抗断裂性能。高强钢通过微观组织控制（如添加 Ti/N 微合金元素）有效抑制低温脆性，显著提升了材料的韧性。双相钢（DP 钢）在碰撞过程中，其相变诱导塑性（TRIP）效应能够延缓裂纹的扩展，避免防撞梁因局部失效而引发的整体结构破坏，从而显著提升了碰撞防护的可靠性。

③ 高强钢防撞梁的应用情况：刘志民等针对 5 年内（2018～2023 年）市场上 104 款主流车型展开调研，这些车型轴距处于 2550～2850mm 区间，价格在 10 万～30 万元，属于中低端车型，其高强钢使用比例为 42%[12]。

随着超高强度材料逐步应用到高刚性的管状结构上，国内外学者开展了管件热成型技术研究。德国开发了管件热气胀成型工艺，将预先制备的异型管件加热到奥氏体化温度区间，再通过约 60MPa 的内高压热气体胀形至最终产品。

宝钢开发出一种高强钢热辊弯前保险杠防撞梁总成（见图 3-5）。通过采用材料高强化手段以及对零件截面进行高刚性设计，防撞梁虽然在零件质量上增加了 8%，总成质量增加了 14%，但其轻量化水平已十分接近铝合金设计方案。高强钢冷辊弯成型能够塑造复杂的截面形状，但随着材料强度的不断提升，回弹以及弯曲起皱等问题愈发显著。

此项技术运用感应加热线圈，将辊压后的日字形管件加热至 950℃，随后冷却促使奥氏体向马氏体发生组织转变，最终形成了组织均匀的马氏体高强钢，提升了防撞梁的性能。

图 3-5 高强钢热辊弯前保险杠防撞梁

中低端车保险杠防撞梁由低成本的高强钢为主，高强钢热辊弯防撞梁有着用于中端车型的趋势。在设计防撞梁时，需综合考量其抗弯性能、轻量化指标、成本控制以及成型性等多方面因素，有效提升汽车整体的安全性能。

3.5 高强钢在内外饰系统中的应用

3.5.1 汽车内外饰材料的轻量化场景

(1) 汽车内外饰件 汽车内外饰件主要是指车身内外部对车身起保护或装饰作用的零部件，如图 3-6 所示。不同的汽车企业对内外饰件的定义不同，有的企业会把车身部分的内外饰件归类于车身系统。一般情况下，内饰件指的是车内兼具装饰性、功能性、安全性以及工程属性的零部件，例如仪表板、副仪表板、座椅、车门、车顶、地板及侧壁内饰、遮阳板、扶手、车内后视镜等等。而外饰件则包括前后保险杠、车身防撞装饰条、轮胎挡泥板、门槛压板、玻璃、行李架、密封条、车外后视镜、车灯等。

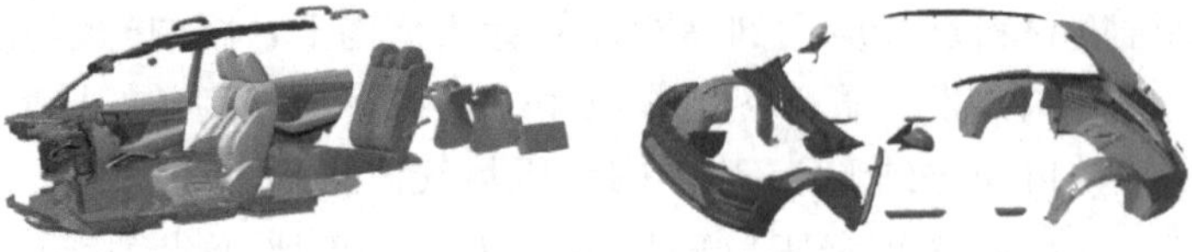

(a) 内饰件　　(b) 外饰件

图 3-6 内外饰件示意图

汽车内饰所采用的材料丰富多样，涵盖了金属、皮革、织物、木材以及塑料等材料。

在金属材料方面，钢铁和铝凭借出色的强度与韧性，主要应用于汽车座椅、扶手等内部骨架结构，为这些部件提供稳固支撑。

塑料作为汽车内饰中应用最为广泛的材料之一，常见类型包括 PU、PVC、ABS、PP 等。这些塑料具有良好的可塑性、耐腐蚀性和成本优势，用于中控台各部件的外部主体、座椅基座外壳以及车门内板等部位，为汽车内饰的设计与制造提供了丰富的可能性。

皮革凭借柔软触感与独特外观，被广泛应用于汽车座椅面料、车门饰板以及中控台等部位，营造出舒适且豪华的氛围。尼龙织物在透气性方面优于皮革，成本也更为低廉，因此常被用于经济型汽车的座椅面料和车厢顶棚，为消费者提供高性价比的内饰选择[13]。

(2) 新能源汽车内外饰的轻量化 新能源汽车内外饰的轻量化设计既与传统燃油汽车存在共性，又有其独特之处。开展具有性能及成本优势的轻量化设计，能够更好地满足汽车功能需求，凸显新能源汽车的竞争优势，推动新能源汽车产业的快速发展[14]。

① 材料成本与性能的平衡。充分考量不同零部件性能需求的显著差异，采用轻量化材料，致力于实现与零部件的精准适配。以汽车座椅这一关键部件为例，在日常使用场景下，它需要长时间均匀承载乘客的体重；而一旦车辆在行驶途中遭遇颠簸路面，或是面临诸如急刹车、碰撞等突发状况时，汽车座椅还会遭受不同程度的冲击力。采用具有足够的刚度和强度的材料，才能切实保障乘客在乘车过程中的安全性与舒适性。

② 模具设计与制造技术。先进的模具设计与制造技术，是降低生产成本、提升产品竞争力的核心要素。借助先进的模拟技术，能够对模具在不同工况下的运行状态进行精准模拟。通过深入分析模拟结果，有针对性地优化模具的结构形状，使其在工作过程中能够更好地满足生产需求。

在制造环节，注重提升模具的制造精度与表面质量，有效减少模具在使用过程中的磨损。这不仅降低了模具的更换频次，降低了模具成本，还避免了因频繁更换模具而导致的生产中断，大幅提高了生产效率。高效的模具设计与制造技术，为汽车零部件的高质量、低成本生产提供了有力支持 。

3.5.2 高强钢座椅骨架（强度-密度平衡的刚度保障技术）

(1) 高强钢座椅骨架轻量化 座椅骨架质量占整椅质量的 50%～65%，因此，降低座椅骨架质量对实现座椅轻量化有着关键作用，能为座椅轻量化作出较大贡献[15]。

高强钢座椅骨架的发展历程与技术路径：

① 历史应用。21 世纪初，丰田普锐斯首次采用 980MPa 超高强钢替代 590MPa 钢材，将座椅滑轨板厚度从 1.8mm 减至 1.4mm，减重 22%。该技术通过拓扑优化设计，在保证碰撞防护能力的同时实现材料高效利用。

② 材料性能升级。980MPa 高强钢将座椅靠背骨架侧板的钢材厚度由 1.6mm 减至 1.0mm。更有甚者，采用 1180MPa 的钢材，能够进一步降低板材厚度，最低可减至 0.8mm。

宝钢 DP 系列高强钢凭借优异成型性（延伸率≥12%）和强度（780～980MPa），成为座椅支架首选材料。通过热处理工艺（如 QP 钢淬火＋回火）可在不改变牌号前提下提升强度，实现板厚减薄 15%～30%。

③ 综合性能优势。安全性能：通过 100 多次强度测试（含 53.8m/s^2 动态碰撞试验），确保骨架在极端工况下的完整性。

耐久性：通过 25000 次疲劳测试和 60 天超长周期测试，验证全生命周期可靠性。

（2）座椅骨架的热处理强化 李登云等人创新性地将热处理工艺与座椅骨架优化进行了有机融合，成功探索出一条既能显著提升座椅性能，又能有效实现轻量化的可行路径。研发人员聚焦于热处理工艺参数，展开了全面且系统的优化工作。通过对各项参数的精细调整与反复试验，最终实现了热处理后座椅骨架强度大幅提升的显著成效，其强度提升幅度高达 25%[16]。

在此基础上，研发团队充分利用座椅骨架强度提升所带来的优势，对座椅骨架的壁厚进行了减薄设计，具体减薄量为 0.5mm。这一举措使得座椅整体质量得以有效降低，实现减重 1.38kg。优化后的座椅骨架完全符合相关法规要求，无论是强度方面，还是座椅安全带固定点以及行李厢冲击等方面，均达到了规定的标准。

为验证该方法的有效性和可靠性，研发人员开展了全面且深入的最终模拟分析，从多个维度对座椅在不同工况下的力学性能进行了精准预测，充分考虑了各种可能影响座椅性能的因素，确保分析结果的全面性和准确性。其中，安全带固定点试验模拟了实际使用场景中安全带对座椅的作用力情况，通过真实还原实际工况，进一步验证了座椅在实际使用中的安全性和可靠性，为汽车座椅的性能提升和轻量化设计提供了有力的技术支持和实践参考。

（3）用于座椅的高强钢技术的提升方向

① 刚性增强技术。通过采用第三代高强钢（如双相钢、QP 钢）提升材料屈服强度至 1180MPa 以上，结合拓扑优化设计实现壁厚减薄 30%的同时保持结构刚性。例如，通过有限元分析（FEA）对座椅骨架进行拓扑优化，在保证碰撞强度（如前向位移≤66.5mm）的同时减重 0.8kg。

② 冲压回弹控制技术。采用预成型工序消除内应力，并通过校正弯曲工艺使回弹量减小 50%。研究表明，液压成型工艺可使高强钢回弹率从 12%降至 3%，同时通过局部加热（如热弯工艺）提升材料塑性变形的充分性。

③ 模具创新。优化模具设计，通过数值模拟预测回弹趋势，增加补偿角度或调整模具间隙。使用预应力组合凹模设计，将模具抗压强度提升至 2000MPa 以上，配合 80%料厚间隙，降低 30%模具反力。采用激光拼焊模具，通过分体式结构设计，成型寿命延长至传统模具的 2.5 倍。

3.6 高强钢在底盘系统中的应用

3.6.1 新能源汽车底盘系统及簧下质量

3.6.1.1 新能源汽车底盘系统及轻量化

底盘主要由传动系统、制动系统、转向系统和悬架系统组成，见图 3-7。

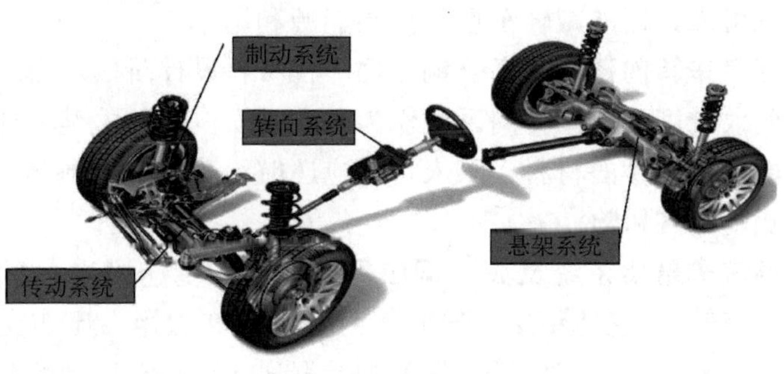

图 3-7 底盘的 4 大系统示意图

在新能源汽车底盘 4 大系统部件中，轻量化技术有着显著的应用效果。以稳定杆为例，使用高强钢，可在减轻重量的同时，增强其抗扭能力，使得车辆在高速过弯或紧急避让时，车身侧倾得到更好的抑制，极大地提升车辆行驶的安全性和舒适性。

(1) 新能源汽车传动系统及高强钢应用 新能源汽车的传动系统犹如其动力传输的“神经网络”，主要由变速器、万向传动装置、主减速器、差速器以及半轴等部件组成，各部件协同工作，确保车辆高效运行。

新能源汽车的传动系统是动力传输的关键，高强钢则是构建传动系统的重要材料。

① 变速器：高强钢用于制造变速器的齿轮、轴和壳体。齿轮能承受大扭矩和交变载荷，避免失效；壳体可保护零件，还能助力车辆轻量化。

② 万向传动装置：万向节叉、传动轴等零件用高强钢制造，其韧性好、抗疲劳，能保证动力传输稳定，降低振动和噪声。

③ 主减速器：新能源汽车通常采用单级减速器，其作用是将驱动电机的高速低扭矩转换为低速高扭矩，以满足车辆的动力需求。高强钢用于主减速器的齿轮和壳体。齿轮可承载高载荷，减小尺寸和质量；壳体能支撑齿轮，保证运转精度。

(2) 新能源汽车制动系统及高强钢应用 汽车制动系统是行驶过程中的“安全卫士”，主要由供能装置、控制装置、传动装置以及制动器等组件有机结合而成。高强钢在其中发挥着关键作用。

① 制动盘：制动时与制动片摩擦生热、受力大。高强钢强度高、耐磨、热稳定性好，能延长制动盘寿命，提升制动性能，还能减薄减重，实现轻量化。

② 制动钳：压紧制动片产生制动力。高强钢强度和刚性好，能保证制动钳不变形，确保制动片与制动盘良好接触，还能减轻非簧载质量，提升操控性。

③ 制动管路：传输制动液，需耐压、密封。高强钢耐压、耐腐蚀、抗疲劳，能保证制动系统可靠，还能减轻车重，提高能源利用率。

(3) 新能源汽车转向系统及高强钢应用 在材料设计阶段，需要全方位考量主动与被动安全两大维度。汽车转向系统作为“主动安全”的关键一环，选用高强度且具备一定智能适配特性的材料，融入自适应巡航、车道偏离预警等技术系统，以此精准识别并化解潜在风险。

(4) 新能源汽车悬架系统及高强钢应用 悬架系统连接汽车车架和车桥或车轮，就像“缓冲弹簧”。它能传递车轮和车身间的力和力矩，比如支撑力、制动力等，还能缓和路面冲击、衰减振动，保障乘员舒适，减小车辆动载荷，让车轮有好的运动特性。

高强钢应用在悬架上，凭借其高强度、轻量化特点，既能保证悬架性能，又能降低重量。

新能源汽车靠电池和电机驱动，底盘轻量化就像给它穿上轻盈“战靴”。底盘变轻后，车辆更易被电机驱动，动力响应更快。操控性上，车辆转弯更敏捷，不管是城市小路还是高速弯道，都能带来更好的驾驶体验和安全保障。

未来新能源汽车底盘设计，倾向采用专有平台，滑板式底盘设计是其中典型。其优势是设计自由度高，把电池、电动传动系统、悬架和制动系统等核心部件集成于底盘，实现高度集成且通用。

3.6.1.2 簧下质量及轻量化

(1) 汽车质量的划分 在汽车工程领域，根据部件与车身及悬挂系统的相对运动关系，汽车质量可分为“簧下质量”和“簧上质量”。

簧下质量（非簧载质量）指弹簧支撑以下的部件质量，一般界定为：车轮、制动器、轮毂轴承、转向节等没有与车身直接连接的部件的质量，加上与车身或者副车架之间连接的导向杆件、驱动半轴、弹簧、减振器等所有构件的一半质量。弹簧支撑的上面部分的质量则称为簧上质量（或簧载质量）[17]。

（2）簧下质量轻量化对车辆性能的关键作用 簧下质量的轻量化对车辆性能的提升作用极为关键，其效果可达簧上质量的5～15倍，这背后有着严谨的力学原理和车辆动力学依据。当簧下质量减小，悬架系统的效率会显著提升：在车辆加速时，动力输出更为顺畅，响应变得更加迅速；制动时，由于惯性减小，制动距离得以缩短，制动效率大幅提高；转向时，响应敏捷性增强，操控性显著提升，同时驾乘舒适性也得到极大改善。因此，汽车行业流传着“簧下一公斤，簧上十公斤”的说法，即减小1kg簧下质量，对整车操控性能的提升效果等同于减小10kg簧上质量。

（3）以加速性能为例剖析簧下质量耗能 以车辆加速性能为例，加速过程高度依赖轮胎的高速旋转。在这一过程中，轮胎如同一个飞轮，从静止状态转变为转动需要消耗能量，且轮胎越重，所需能量就越大。与此同时，整车的其他部分（即簧上质量）在加速时也会消耗能量，包括克服风阻以及轮胎与地面摩擦所产生的能量损耗。由此可见，轮胎作为簧下质量的关键构成部分，在加速过程中消耗的能量是双重的，既包含自身快速转动所需的能量，也涵盖因风阻和自身重量引发的地面摩擦阻力所消耗的能量。

（4）簧下质量轻量化提升车辆动态响应 簧下质量的轻量化，还极大地提升了车辆的动态响应能力。簧下质量越小，车辆在不平坦路面上就越能够更迅速地跟随路面起伏，有效减少颠簸，提高行驶稳定性。在制动时，惯性减小使得制动距离缩短，制动效率得以提升；转向时，车辆响应更加灵敏，操控灵活性显著增强，提升了车辆的安全性能。

3.6.2 高强钢控制臂（兼顾轻量化与热处理）

（1）控制臂的轻量化与疲劳性能提升 控制臂也称为摆臂或导向臂，其外端通过球铰与车轮轮毂相连，内端则通过球铰、橡胶衬套与车架相连。在控制臂的设计中，对强度、固有频率、横向及纵向刚度等都有较高的要求。

通过开展材料、工艺与结构的协同设计，能够有效改善高强钢的疲劳性能。在材料与结构方面，选用含有Mo、V元素的52CrMoV4钢，借助淬火加回火的热处理工艺，使其获得回火屈氏体组织（硬度达到42HRC），这种组织能够显著提升基体的抗疲劳性能。同时，在结构设计上运用拓扑优化技术，对非承载部位进行壁厚减薄处理（如从1.6mm减至1.0mm），并采用弹簧网增强节点刚度，以此在保证结构强度的前提下，实现轻量化设计。

针对52CrMoV4钢导向臂的疲劳寿命试验中出现的早期断裂现象[18]，研发人员经过深入分析，采用以下技术方案来提升其耐疲劳性能，达到了设计性能指标。

① 强化热处理气氛控制：采用保护性气氛（如惰性气体或还原性气体）加热，严格控制炉内氧、水蒸气含量，避免氧化与脱碳。通过碳势控制技术（如富氢保护气氛）减少碳元素向表面扩散，确保表面碳含量稳定。

② 脱碳层深度控制与修复：通过吹砂工艺去除表面脱碳层，在尺寸公差允许范围内实现无脱碳层残留。

③ 喷丸强化工艺优化：采用全覆盖喷丸（弹丸覆盖率≥95%），通过 0.1～0.4mm 硬化层生成残余压应力，抑制疲劳裂纹萌生。

(2) 高强钢单片冲压控制臂（图 3-8） 先进的单片冲压控制臂采用第三代先进高强钢，如 CP780、CP800 等，取代高强度结构钢。这些材料具有良好的弯曲和拉伸翻边性能，这对于控制臂至关重要，因为控制臂在加工过程中需要进行扩孔，若材料的弯曲和拉伸翻边性能不佳，扩孔时极易出现开裂现象。

下控制臂作为悬架总成中重要的受力构件，其最大应力应低于材料的屈服极限。陈静等采用 DP780A 高强钢对单片冲压控制臂进行设计，结果表明：优化后控制臂的各项性能均满足设计要求；新控制臂较原控制臂质量减小 33.3%，实现了轻量化。疲劳性能分析采用试验场道路试验实测数据，试验循环路面是组合环路。结果表明其最小疲劳寿命为 2.94 万个循环，折算成行驶里程为 243 万公里，均远远大于机动车强制报废标准规定的 60 万公里报废里程[19]。

图 3-8 高强钢单片冲压控制臂模型

3.6.3 高强钢轮毂（兼顾轻量化与疲劳性能）

(1) 大通风孔高强钢轮毂 随着高强钢的普及以及轮毂设计水平的提高，高强度、轻量化且更美观的大通风孔高强钢轮毂得到开发[20]，其与传统钢制轮毂的对比如图 3-9 所示。

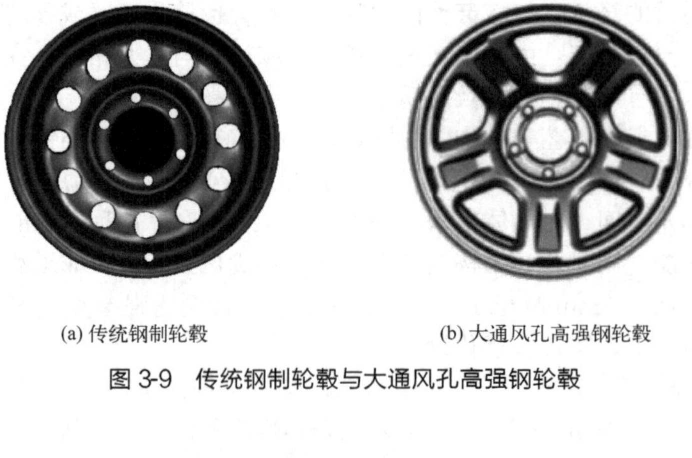

(a) 传统钢制轮毂　　(b) 大通风孔高强钢轮毂

图 3-9 传统钢制轮毂与大通风孔高强钢轮毂

以 16 英寸❶的轮毂为例，采用高强钢大通风孔设计，轮辋厚度 2mm，材料强度为 550～650MPa，其载荷的负荷率为 76N/kg。若用普通材料设计，则其承载的负荷率为 67N/kg。这样，单轮毂可减重 1kg 左右，整车轮毂可减重 4kg，且可靠性及抗超载能力均有提高。

（2）高强钢轮毂耐疲劳性能　轮毂疲劳性能仿真分析模型如图 3-10 所示。高强钢轮毂得到了广泛的研究和开发，例如采用内外压复合成形工艺制造轮辋，使用低合金高强度热连轧钢 S500M，其抗拉强度大于 710MPa。从材料和工艺双维度着手，最大程度达成轮辋的轻量化目标，同时还减少了加工工序。

图 3-10　轮毂疲劳性能仿真分析模型

任世杰采用液压成型工艺，历经三道工序成型的轮辋，在长春一汽富维汽车零部件股份有限公司车轮分公司加工并通过焊接工艺完成装配。采用液压成型工艺制备初始壁厚为 2.0mm 的高强钢汽车轮辋，数据表明，即便高强钢汽车轮辋在液压成型后壁厚有所减薄，但由于材料强度提升，也能够满足轮辋弯曲疲劳性能的设计要求，具备实际应用价值[21]。

3.7　高强钢在三电系统中的应用（跨级别化与归一化）

新能源汽车在行驶过程中，路面平整度的差异以及复杂多变的整车行驶工况，要求电池框架不仅要具备满足静态强度的能力，还必须拥有较高的动态疲劳寿命，从而确保在长期、频繁的振动冲击下，依然能够维持稳定可靠的结构性能，保障动力电池安全稳定运行，避免因电池框架失效而引发的性能问题。

金泉军等根据 CAE 分析与试验，综合评价了热辊压成型高强钢的电池框架结构的性能[22]。电池框架由左侧动力电池托架、右侧动力电池托架、动力电池底护板、动力电池连接梁总成以及动力电池防护板等零部件构成，其三维模型如图 3-11 所示。

该结构中，左侧动力电池托架、右侧动力电池托架以及动力电池连接梁矩形管采用 HR950/1300HS 高强钢。研究人员基于随机振动与定频振动两种疲劳分析方法，对采用热辊压成型高强钢制作的电池框架的结构耐久性进行了综合评估。分析结果表明，该结构具备充分的安全裕度：

① 随机振动分析（模拟实际宽频载荷工况）：结构最大损伤因子为 0.13，该值显著低于线性累积损伤理论的临界值 1.0，表明在预期的振动载荷谱下，结构发生疲劳破坏的风险极低。该损伤点对应的均方根应力为 49.66 MPa，远低于该级别钢材的疲劳极限，进一步从应力角度验证了安全性。

---

❶ 1in（英寸）＝0.0254m。

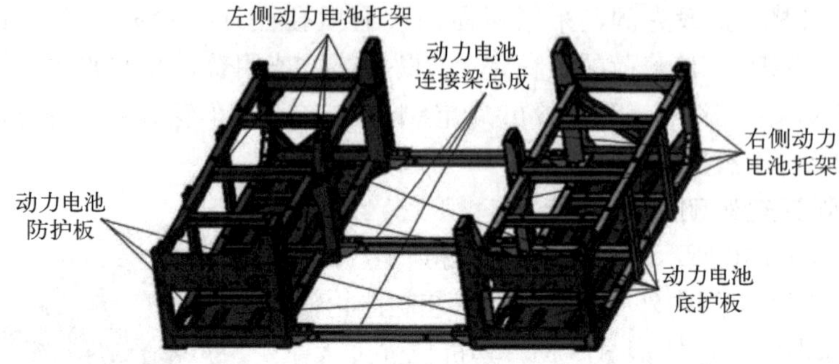

图 3-11　电池框架三维模型

② 定频振动分析（考核共振点疲劳强度）：所测得的最大损伤因子量级为 10^{-8}（5.806×10^{-8}），此微乎其微的数值表明结构在单一频率点上的疲劳累积效应可完全忽略。

综合结论：两项分析结果相互印证，共同表明此电池框架所用钢材具有优异的疲劳强度和抗动态载荷能力。其结构设计能够有效抵御复杂工况下的振动激励，为动力电池系统提供长期可靠的承载保障，满足高标准的工程安全要求。

3.8 新型高强钢的开发（强度与塑性、韧性的平衡）

（1）高抗拉强度材料的开发　在材料科学领域，如何有效化解材料的强度与塑性、韧性之间的矛盾，一直是科研工作者们不懈追求与深入探索的核心目标。特别是对于汽车钢这种每年有着千万吨级大规模工业应用的材料而言，在大幅提升其强度的同时，又不牺牲其延伸率和断裂应变，更是汽车钢材料发展的关键诉求。

易红亮等通过创新性的材料设计理念，并在热冲压成型过程中巧妙运用淬火-闪配分（quenching and flash-partitioning，Q&FP）工艺，成功引入残余奥氏体，使材料实现了 1500～1800MPa 的抗拉强度，同时具备约 10%的延伸率[23]。该合金体系构成简单，仅包含 Fe-C-Si-Mn 元素，并且其热冲压工艺能够与现有的生产线无缝对接，具备良好的工业应用基础。

通过一系列扎实的基础理论研究和富有创新性的技术突破，最终成功实现了高弯曲断裂应变的 2000MPa 级 Al-Si 镀层热冲压钢的工业化生产。1.4mm 厚的钢板展现出了极为优异的性能：抗拉强度高达 1940MPa，根据 VDA（德国汽车工业协会）的测试方法，最大弯曲角达到 59.5°。与传统的 Al-Si 镀层 22MnB5 钢相比，这种新型热冲压钢不仅实现了强度上的显著跃迁，同时在弯曲断裂应变方面也有了大幅提升，从而能够更好地满足汽车在碰撞安全性和轻量化设计方面的严苛要求。

从实际应用效果来看，这种新型热冲压钢凭借其卓越的性能，为汽车减重提供了强有力的支持。此外，Al-Si 镀层技术的全新突破，不仅有望重塑全球供应链的格局，还将随着使用规模的不断扩大，带来成本的显著下降。综合以上优势，热冲压技术在未来高强钢与汽车领域的应用中，极有可能占据主导地位，引领汽车材料技术的发展方向。

(2) 高断裂应变性材料的开发　材料的断裂应变是 CAE 碰撞分析中判断零件是否发生断裂失效的重要指标，较高的断裂应变有助于提升零件的碰撞性能。用于碰撞抗侵入的车身热成型零件，如 A/B 柱等，在碰撞发生时主要的变形形式为弯曲变形。

热成型钢零件的弯曲断裂应变可以用通过 VDA238-100 三点弯曲试验方法中的最大弯曲角来评价[23]，较高的最大弯曲角代表着材料具有较高的弯曲断裂应变。VDA238-100 标准规定弯曲角≥60°为合格。如何提高热成型钢的最大弯曲角成为研究的热点方向。图 3-12 为 1500MPa 和 1800MPa 热成型钢的弯曲角试验结果，可以看出，材料强度的提高导致了弯曲角的明显降低，1800MPa 及更高强度热成型钢的断裂韧性的评价成为热成型钢评价的重要关注点之一。

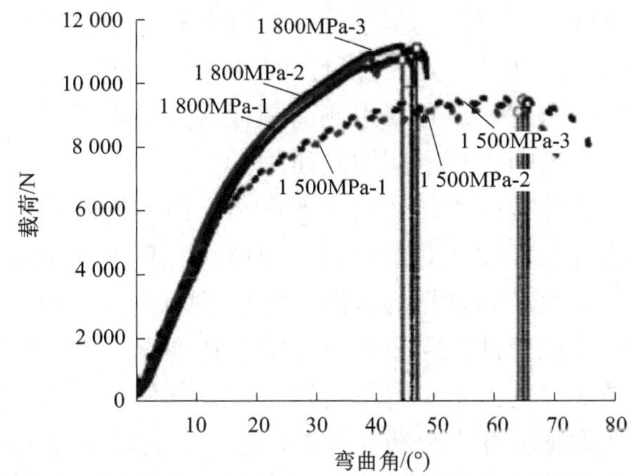

图 3-12　1500MPa 和 1800MPa 热成型钢的弯曲角对比

新型高强钢既满足需求，又更环保、碳排放量更低。汽车制造商与钢铁企业合作，对车身框架、底盘部件和电池包结构开发意义重大，能推动材料创新和产品升级，提升新能源汽车产业的竞争力。

3.9　车身结构安全部件材料匹配优化设计

当前主流车型的车身安全部件广泛采用高强度钢材料。这类材料在动态冲击时的能量吸收能力相比传统钢材提升 40%至 60%。但强度等级的提高造成成本提升，而且成型工艺的复杂程度会呈指数式上升。因此，从安全性角度出发的材料匹配优化设计尤为重要。

3.9.1　车身结构安全部件材料匹配优化原则

(1) 优化设计原则

① 分级应用准则：依据碰撞安全性能的要求，构建材料强度梯度分布模型。

保证乘员舱区域（例如 A/B 柱、门槛梁）采用强度在 1000MPa 以上的超高强钢；吸能区（像前纵梁、防撞梁）配备 500～800MPa 的高延伸率材料；非承载区则维持常规钢材的使用。

② 碰撞路径优化：借助拓扑优化算法明确关键力传递路径，对涉及正面碰撞能量传递的关键节点进行材料升级。经实验数据证实，优化后的碰撞力传递系统能够将碰撞峰值载荷降低 18%～22%。

③ 多目标协同设计：构建一个涵盖材料成本、安全系数、轻量化指数的三维优化空间，运用 NSGA-Ⅱ（非支配排序遗传算法Ⅱ）求解最优解集。

（2）针对汽车正面碰撞的设计原则[24] 在交通事故中相当大比例的事故是由汽车正面碰撞所引发。为保障汽车在正面碰撞时的安全性，良好的汽车结构强度性能特征至关重要。当汽车遭遇正面碰撞，理想的车身结构应能吸收整车动能，从而有效控制汽车的加速度与入侵量。基于此，在汽车车身结构安全部件的材料匹配优化设计中，需遵循以下原则：一是要控制乘员舱的加速度，避免其过高，以此减轻驾乘人员所承受的冲击力度；二是要限制前围板侵入量以及转向柱后移量，防止汽车正面碰撞后，驾乘人员的生存空间遭到压缩。

（3）基于原则的设计方式[25] 在开展汽车正面碰撞安全设计工作时，存在一些整体强度协调上的难点。设计对象材料的选择具有较强的主观性，而且各设计零件的材料之间缺乏交互性，如材料的材质与厚度的相关性方面。进行汽车车身结构安全部件的材料匹配优化设计，需要对汽车的力传递路径和吸收能量分布展开深入分析，基于分析结果来筛选汽车车身结构安全设计部件。同时，还需对汽车力传递和吸收能量的零部件敏感度加以分析，进而明确对汽车正面碰撞安全性影响显著的零部件。如此一来，既能较为精准地确定汽车车身结构安全设计部件，又能降低零部件材料选择的难度。

3.9.2 车身结构安全部件材料匹配优化方法及案例

（1）主要设计分析方法

① 碰撞仿真驱动设计：搭建包含 2000 多个单元的精细化有限元模型，利用 LS-DYNA 针对 25 种碰撞工况展开迭代计算。重点监测 B 柱下部处加速度峰值（需控制在 40g 以内）、前围板侵入量（需控制在 120mm 以内）、踏板后退量（需控制在 80mm 以内）等关键指标。

② 成本效益分析：建立全生命周期成本（LCC，即寿命周期成本）模型，涵盖原材料、加工、维修等全流程的成本项目。计算在关键部位使用超高强度钢后的成本效益，例如某车型车身结构安全零件采用高强钢，单车材料成本仅增加 3.5%，同时正面碰撞得分提升 27%。

（2）车身结构安全部件材料匹配案例 为了验证 Ford Taurus 轿车整车模型的有效性，美国国家碰撞分析中心进行了 Ford Taurus 轿车车型的碰撞试验，得到了此模型具有较高可信度的结论。

经分析，在汽车发生正面碰撞的过程中，会引发一定的应力流动现象。通过对力传递路径展开分析，能够明确在汽车正面碰撞时，对保障安全性起关键作用的部件。在开展汽车正面碰撞仿真计算工作时，可得出以下结论：在碰撞发生 60ms 时，汽车的变形程度达到最大值，所以针对 0～60ms 这一时间段内，汽车的应力变化情况以及汽车部件的截面力进行深入剖析。通过汽车发生正面碰撞过程中的应力变化情况，确定汽车正面碰撞主要涉及三条力传递路径，各条路径及其对应的变形位置如图 3-13 所示。

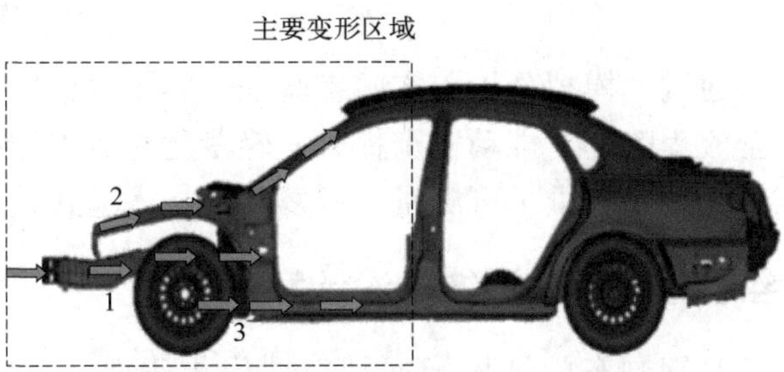

图 3-13　力传递路径及其变形位置示意图

汽车正面碰撞时三条力传递路径如下：①汽车的主要变形位置为前保险杠，变形产生的应力变化会传递给上边梁，进而传递给 A 柱上端，然后再继续传递。②汽车的主要变形位置为前保险杠防撞梁，变形产生的应力变化会传递给前纵梁，进而传递给 A 柱下端、门槛梁、地板纵梁，然后再继续传递。③受到前轮的影响，前轮变形产生的应力变化会传递给 A 柱下端，进而传递给门槛梁，然后再继续传递。

A 柱下端的能量传递优于 A 柱上端，因此乘员舱能量吸收工作主要由车辆下部的力传递路径完成。此时，通过对汽车正面碰撞时各部件的能量吸收情况分析，便能进一步确定汽车正面碰撞过程中发挥主要能量吸收作用的构件，依次为前保险杠防撞梁、前纵梁、上边梁、前围板、A 柱下端、地板纵梁等。

3.9.3　车身结构安全部件材料匹配的验证

在整车设计过程中，车身结构安全部件的材料匹配与轻量化设计需协同开展系统化验证。轻量化设计在提升车辆能效、续航与动态性能方面具有关键作用，其与安全性能的平衡是技术方案落地的核心。具体验证流程如下：

① 材料匹配与轻量化方案需完成三个阶段的验证：

a. 模拟仿真验证：在满足 C-NCAP 星级标准的同时，评估轻量化结构在碰撞中的能量吸收与传力路径合理性；

b. 台架试验验证：开展 50km/h 刚性壁障碰撞测试，检验轻量化部件在实际冲击载荷下的变形行为与耐久性；

c. 实车道路验证：覆盖 10 种以上典型碰撞场景，验证轻量化车身在真实事故工况下的安全可靠性。

② 通过三阶段系统化验证，材料匹配与轻量化协同方案实现以下目标：

a. 安全与轻量协同达标：基于 2000 多个单元精细化仿真与多场景实车验证，在控制重量的同时全面满足 C-NCAP 安全要求；

b. 成本-性能-轻量三重平衡：材料成本增幅可控，轻量化设计提升能效与经济性，形成安全、重量与成本的整体优化；

c. 全场景可靠性保障：实车验证覆盖多种碰撞工况，关键部件（如 A 柱、前纵梁）在 50km/h 碰撞中变形误差≤3.2%，体现材料-结构-工艺-轻量化集成设计的稳定性。

该质量控制体系通过“模拟分析—实验室验证—实车验证”三重递进验证，构建从设计到量产的全流程闭环，推动安全提升、轻量化与成本控制的协同实现，为新能源汽车的节能车身设计提供了可测量、可复现的技术范式。

3.9.4 提高安全性的汽车车门结构设计案例

徐宏平等学者针对钢制车门结构开展创新性优化研究，通过系统性的结构改进，显著提升了车身的综合性能[26]。研究发现，车门外板性能的优化对解决高速行驶工况下的动态变形与异常振动问题具有关键作用。研究团队基于 CAE 仿真技术建立多目标优化体系，在严格保持车门总质量的前提下，创新性地采用“结构强化-轻量化协同设计”策略，成功实现了性能提升与重量控制的平衡。

具体的结构优化方案包含三个核心改进：首先，对外板支撑板进行拓扑优化布局调整，使其几何中心与抗凹刚度薄弱区域的加载点形成最优空间匹配；其次，在外板支撑板涂胶点周围边界创新设计阵列式直线翻边结构——采用间隔 15mm 均布的 3mm 长度翻边，并通过参数化建模实现向焊接端部的渐变式平滑过渡；最后，对主梁结构实施深度优化，将外板支撑板上下涂胶槽间的主梁深度增至 20mm 以提升整体刚度，同时在槽底创新布置梯度分布的腰形减重孔阵列，形成刚度强化与质量控制的协同效应。

优化后的实验数据显示：车门外板抗凹性能提升率达 27%，关键区域的抗凹刚度薄弱点由 4 个缩减至 3 个，且所有加载点的刚度响应值均满足目标阈值要求。该研究通过结构拓扑优化与 CAE 仿真验证相结合的方法，为汽车覆盖件性能提升提供了可量化的工程解决方案，其“刚度导向型轻量化”设计理念对车身结构优化具有重要参考价值。

3.10 汽车用钢的环保及回收技术

汽车用钢作为汽车制造的主要材料（占整车质量的 60%～70%），其环保生产和高效回收是实现汽车产业低碳化与循环经济的关键。以下从环保技术和回收体系两方面展开分析。

(1) 汽车用钢的环保技术

① 生产过程环保：随着“双碳”目标的推进，钢铁企业积极采取措施降低汽车用钢生产过程中的碳排放。例如，宝钢等企业积极规划建设净零碳汽车板产线，其净零碳工艺相比长流程工艺可减碳约 90%。一些企业还通过优化工艺参数，如调整转炉热平衡、采用废钢多元化加入方式等，提高转炉废钢比，实现减碳目标。

② 使用阶段环保：汽车用钢的高强度化和轻量化趋势，有助于降低汽车的整体重量，达到节约能耗的目的。先进高强度钢（如马氏体钢、双相钢）通过微观结构优化，在减薄厚度的同时提升强度，降低车身重量与能耗。

③ 镀层钢环保工艺：通过无铬钝化镀锌技术（如宝钢 Ecoat 系列），减轻重金属污染。

④ 全生命周期环保：国际上，欧盟最早重视汽车全生命周期碳管控，提出碳边境调节机制等政策。各国车企也纷纷响应，以欧盟企业为代表的领先车企将供应商低碳管理能力及碳足迹水平作为选择供应商的重要标准。国内的吉利汽车等初步建成了内部碳管理平台，加强与供应商的低碳协同。

(2) 汽车用钢的回收体系

① 回收方法：从汽车中回收钢材的方法主要有利用磁性材料筛选，由于钢材含有可被磁性材料吸附的成分，可有效筛选出钢材，与其他报废材料分离；将含有钢材的物质放入含有化学制剂的容器中清洗杂质，融化无用的油脂、灰尘等，得到较纯净的钢铁；高温去除杂质，使钢材在高温环境下，让油脂类杂质分解、水分蒸发掉，获得纯净钢材，有利于后期重新炼制。

② 智能化拆解与分选：AI 视觉＋机器人拆解电池包（德国库卡系统）效率提升 300%。

③ 加强新材料的回收技术研究：钢材与铝、塑料等材料的复合结构（如车身轻量化设计）增加了分选难度，这类技术亟待开发。

综上所述，汽车钢的回收现状复杂多样，不同地区面临着不同的挑战和机遇。未来，随着技术的不断创新和多材料复合应用的发展趋势，汽车钢的回收将更加高效，为可持续发展作出更大的贡献。车企与钢厂合作开发闭环回收技术，推动“生产-使用-回收-再生产”闭环，汽车行业的头部企业已建立废钢追溯系统。

3.11 本章小结、创新点与思考题

(1) 小结 系统阐述了先进高强钢在汽车轻量化发展中的核心地位与技术创新路径，构建了涵盖“必要性-材料体系-工艺突破-应用场景-优化设计”的全链条研究框架。通过翔实的技术经济性分析，论证了高强钢在成本控制（具有材料/工艺/维修成本综合优势）、安全性能（碰撞吸能效率提升）与制造兼容性（产线改造成

本降低）的三维优势。重点解析了第三代高强钢在多相组织调控（如 QP 钢残余奥氏体梯度分布）、工艺创新（热成型抗氧化免涂层技术）与结构优化（拓扑降重＋焊点减少）等维度的突破，并通过特斯拉 Model Y（成本降低）、比亚迪刀片电池（材料成本降低）等典型案例验证理论模型的工程可行性。前瞻性地指出短流程炼钢（降能耗）与数字孪生技术（生产节拍提升）将重构汽车钢产业链价值。

（2）创新点

① 成本分析范式创新：建立“全生命周期成本-边际效益临界点”双轴评估模型，首次量化轻量化材料替代的经济可行性边界（如电池能量密度达 300Wh/kg 时边际效益下降 40％），突破传统单一成本比较的局限。

② 材料-工艺-设计协同理论：提出“强度梯度分布×拓扑优化×连接工艺简化”的三元协同设计方法，在 B 柱加强板等关键部件实现 22％轻量化与 40％连接成本下降的同步突破，形成可复制的技术路径。

③ 实证研究体系构建：创建涵盖 CAE 仿真（2000 多个单元模型）-台架试验（50km/h 碰撞）-实车验证（10 多个场景）的三级验证体系，在 Model Y 后底板等案例中实现 14％降本与 23％减重的工程验证。

④ 刚度导向型轻量化：通过构建 CAE 仿真驱动的多目标协同优化体系，创新性地提出“刚度导向型轻量化”设计范式，在结构设计层面首创阵列式渐变翻边结构与梯度分布减重孔的新型复合构型，通过拓扑优化实现支撑板刚度薄弱区的精准强化。在工程验证层面建立双指标量化评价体系，系统性解决了传统车门设计中刚度提升与重量控制的对立矛盾，为汽车轻量化工程提供了可复用的技术路径和理论支撑。

⑤ 价值体现：突破传统材料学单一性能优化范式，构建了“经济性-安全性-可持续性”三位一体的汽车用钢研发方法论，为行业应对电动化转型中的轻量化挑战提供了兼具理论深度与实践价值的解决方案。特别是成本控制模型与工艺创新案例，已纳入主机厂的轻量化技术路线图。

（3）思考题

思考题 1：高强钢比轻金属材料有哪些成本优势？

思考题 2：高强钢的生产工艺对其成本有何影响？

思考题 3：未来高强钢技术的发展趋势是什么？

答案

思考题 4：目前汽车结构中越来越多地使用高强度钢的原因不包括以下哪一项？（　　）

A. 韧性好

B. 耐撞性好

C. 制造困难

D. 易于用原有生产线制造

参考文献

［1］ 李军，刘鑫，曹广祥，等．汽车车身高强度钢的应用发展及挑战［J］．汽车工艺与材料，2021（08）：

1-6.
[2] 朱成，刘頔，滕欣余，等．新能源汽车综合经济性对比分析及预测研究［J］．汽车工程，2023，45（02）：333-340.
[3] 王存宇，杨洁，常颖，等．先进高强度汽车钢的发展趋势与挑战［J］．钢铁，2019，54（2）：1-6.
[4] 李晓飞．新能源汽车热成型钢制车轮的智能制造策略［J］．汽车与新动力，2022，5（04）：71-74.
[5] 王广勇，王刚．高强度钢在汽车轻量化中的应用［J］．汽车工艺与材料，2011（01）：1-5.
[6] 王鹏程，赵棪，路洪洲，等．超高强度热成形钢研究进展及展望［J］．中国冶金，2023，33（11）：12-28.
[7] 王舟，李昭，庞佳琛，等．低碳视野下无镀层热成形钢的激光拼焊研究［J］．汽车工艺与材料，2024（06）：36-43.
[8] GAIED S，VIAUX I. A New Methodology to Validate Crashworthiness of Hot Stamped Laser Welded Blanks［C］. Barcelona：CHS2，2022.
[9] 马廷涛，庄厚川，金科，等．高强钢材料车身轻量化研究［J］．汽车工艺与材料，2019（05）：1-5，11.
[10] 孟庆刚，海超，郭晓静．6种高强钢材质的汽车B柱耐碰撞性能对比研究［J］．汽车工艺与材料，2021（08）：18-22.
[11] 唐远寿，司宇，徐正萌，等．汽车防撞梁用超高强度钢的设计和选材研究现况［J］．广东化工，2021，48（21）：279-281.
[12] 刘志民，赵宗杰，倪慨宇．新材料与新工艺在保险杠防撞梁中的应用与发展趋势［J］．汽车文摘，2023（02）：29-33.
[13] 郭晶，姚梦园，尹晨霄．“碳中和”背景下汽车内饰材料减碳策略研究［J］．丝网印刷，2024（03）：45-47.
[14] 杨宝奎，张亮亮．新能源汽车内饰轻量化设计研究［J］．汽车测试报告，2023（21）：76-78.
[15] 肖宇宁，王斌．汽车座椅骨架轻量化进展［C］//2020中国汽车工程学会年会论文集，2020：4.
[16] 李登云，符大兴，刘华官，等．热处理工艺在座椅骨架轻量化上的研究应用［J］．汽车实用技术，2019（22）：155-158.
[17] 伍时灼．基于底盘平台化的新能源微车悬架布置设计与优化［D］．长沙：湖南大学，2019.
[18] 彭霜，滕跃飞，金一，等．导向臂疲劳寿命试验断裂原因［J］．理化检验-物理分册，2024，60（09）：69-73.
[19] 陈静，彭博，王登峰，等．单片冲压式汽车下控制臂轻量化优化设计［J］．同济大学学报（自然科学版），2018，46（03）：389-393.
[20] 路洪洲，李军，王杰功，等．乘用车轻量化钢制车轮的发展［C］//2014中国汽车工程学会年会论文集，2014：5.
[21] 任世杰．液压成形高强钢轮辋的疲劳性能研究［D］．沈阳：沈阳理工大学，2021.
[22] 金泉军，高明，吕玲芳，等．热辊压高强钢的商用车电池框架疲劳损伤分析［J］．汽车零部件，2023（09）：75-79.
[23] 易红亮，常智渊，才贺龙，等．热冲压成形钢的强度与塑性及断裂应变［J］．金属学报，2020，56（04）：429-443.
[24] 黄亮．汽车车身结构安全部件材料匹配优化设计［J］．南方农机，2020，51（18）：118-119.
[25] 麻凯，高继东，徐涛．基于简化碰撞仿真模型的概念汽车部件布局优化［J］．吉林大学学报（工学版），2017，47（1）：58-63.
[26] 徐宏平，周士智．外板支撑板在提升汽车车门抗凹性中的应用［J］．汽车实用技术，2019，（12）：80-81，87.

第4章 铝合金、镁合金与轻量化应用

4.1 汽车铝合金和镁合金的分类及特点

4.1.1 汽车铝合金的分类

汽车铝合金的分类方式丰富多样，每一种分类方式都具备其独特的应用场景。

4.1.1.1 按合金成分分类

铝合金根据添加合金元素的不同，可划分为多个系列。按照中国国家标准GB/T 3880.1—2023对铝合金材料的分类，常见的有1～7系铝合金：1系为高纯铝；2系铝合金中主要合金元素为铜；3系含锰；4系以硅为主要添加元素；5系中镁是关键合金元素；6系同时含有镁和硅；7系则以锌为主要合金元素。具体说明如下。

1×××系列，一般称作1系铝合金，含铝量≥99.00%，常见型号有1070、1060等。

2×××系列，通常被叫作2系铝合金，属于Al-Cu系合金的典型代表，像2024、2017等都在此列。

3×××系列，常被称为3系铝合金，是Al-Mn系合金的代表，3003便是该系列的典型产品。

4×××系列，一般称为4系铝合金，作为Al-Si系合金的代表，4032是其中具有代表性的型号。

5×××系列，通常称作5系铝合金，为Al-Mg系合金的典型，比如5052、5083等都属于这一系列。

6×××系列，常被叫作6系铝合金，是Al-Mg-Si系合金的代表，常见的6061、6063等型号就来自这个系列。

7×××系列，一般称作7系铝合金，代表着Al-Zn系合金，像7075、7001等均是该系列的典型产品。

在汽车领域，应用较为广泛的铝合金系列主要涵盖 4 系至 7 系。

4.1.1.2　按加工工艺分类

铸造铝合金：将熔融金属进行浇注成型，主要应用于发动机缸体、缸盖、离合器壳、保险杠、车轮等部件。

轧制铝合金：经轧制工艺制成板材、带材和箔材，常用于车身面板、车门蒙皮、散热系统、电池壳等部件。

挤压铝合金：通过挤压工艺制成，用于防撞梁、悬挂件、支架、电池托盘等部位。

4.1.1.3　按热处理强化分类

分为可热处理强化与非热处理强化铝合金，这里介绍一下铝合金回火命名系统。

铝合金回火命名系统主要依据为国际标准 ISO 2107：2023 及国家标准 GB/T 16475—2023 等，其主要的命名规则如下：

（1）基础状态代号

F：自由加工状态，适用于在成型过程中，对于加工硬化和热处理条件无特殊要求的产品，该状态产品的力学性能不作规定。

O：退火状态，适用于经完全退火获得最低强度的加工产品。

H：加工硬化状态，适用于通过加工硬化提高强度的产品，H 代号后面必须跟有两位或三位阿拉伯数字，以表示热处理的类型和硬度。

W：固溶热处理状态，一种不稳定状态，仅适用于经固溶热处理后，室温下自然时效的合金，该状态代号仅表示产品处于自然时效阶段。

T：热处理状态，适用于热处理后经过（或不经过）加工硬化达到稳定状态的产品，T 代号后面必须跟有一位以上的阿拉伯数字。

（2）T 状态的细分

T1：由高温成型过程冷却，然后自然时效至基本稳定的状态，适用于由高温成型过程冷却后，不再进行冷加工的产品。

T2：由高温成型过程冷却，经冷加工后自然时效至基本稳定的状态，适用于由高温成型过程冷却后，进行冷加工以提高强度的产品。

T3：固溶热处理后进行冷加工，再经自然时效至基本稳定的状态，适用于在固溶热处理后，进行冷加工以提高强度的产品。

T4：固溶热处理后自然时效至基本稳定的状态，适用于在固溶热处理后，不再进行冷加工的产品。

T5：由高温成型过程冷却，然后进行人工时效的状态，适用于由高温成型过程冷却后，不经过冷加工，予以人工时效的产品。

T6：固溶热处理后进行人工时效的状态，适用于在固溶热处理后，不再进行冷加工的产品。

T7：固溶热处理后，进行过时效的状态，适用于在固溶热处理后，为获取某些重要特性，在人工时效时，强度在时效曲线上越过了最高峰点的产品。

T8：固溶热处理后经冷加工，然后进行人工时效的状态，适用于经冷加工以提高强度的产品。

T9：固溶热处理后进行人工时效，然后进行冷加工的状态，适用于经冷加工提高强度的产品。

T10：由高温成型过程冷却后，进行冷加工，然后人工时效的状态，适用于经冷加工以提高强度的产品。

4.1.2 汽车铝合金的性能特点

(1) 低密度、高比强度 铝合金密度低，仅为 $2.7g/cm^3$，约为钢的 1/3（34%～37%），减重效果显著。比强度是衡量材料性能的关键指标，数值等于抗拉强度除以密度，直观反映材料在轻量化设计中的效率，比强度越高，相同重量下材料能承受的载荷越大。

不同系列铝合金比强度有差异。6061 铝合金 T6 状态抗拉强度为 290MPa 以上；6063 铝合金 T5 状态抗拉强度为 180MPa 以上，比强度约为 $67MPa \cdot cm^3/g$；7075-T6 铝合金比强度达 $241MPa \cdot cm^3/g$，优于多数高强钢，如 DP980 钢比强度仅为 $126MPa \cdot cm^3/g$。

(2) 强度较高、刚度较低 铝合金的抗拉强度范围为 100～700MPa，7 系合金（如 7075-T6）可达 500～700MPa，用于高端汽车的关键部件。刚度约为钢的 1/3，需通过结构优化补偿刚性不足。

铝合金微观结构多为面心立方晶格，赋予其良好塑性与韧性。经热处理，铝合金强度和韧性大幅提升。

(3) 弹性模量偏低 铝合金弹性模量约 69GPa，约为钢（210GPa）的三分之一。汽车开发时，可通过适当加厚与优化设计，使铝合金强度、刚度接近钢板，实现轻量化。

(4) 导热与导电性较好 铝合金热导率是钢的 3 倍，同时具备良好的导电性。在新能源汽车领域，铝合金的高导热特性使其成为电池热管理系统散热器的不二之选。在电池充放电过程中，大量热量会持续产生，铝合金散热器能够迅速将这些热量导出，有效避免电池因过热而性能下降。

凭借出色的导电性，铝合金在电气系统中发挥着重要作用。铝合金材料可显著减轻电气系统的整体重量，降低能量传输损耗，提升新能源汽车的能源利用效率。

4.1.3 可热处理强化铝合金及应用场景

某些铝合金不能进行热处理强化的主要原因在于其合金元素的固溶特性及相变

能力。例如，3系（Al-Mn）和5系（Al-Mg）合金因锰、镁的固溶度变化有限，主要依赖加工硬化而非热处理强化。

通过固溶处理、淬火和时效等工艺，可热处理强化铝合金（如6系、7系）的强度可提升50%以上，同时保持低密度。例如：2系铝合金（Al-Cu）经时效处理后，抗拉强度可达400～500MPa，接近低碳钢水平。

热处理还可改善耐腐蚀性和加工性能，例如通过T6处理（固溶＋人工时效），6061铝合金的疲劳寿命提高2～3倍。

下面针对汽车铝合金板材、型材及铸造铝合金，说明热处理后铝合金的特点及应用。

(1) 可热处理强化铝合金板材

① 2系是可热处理强化铝合金，例如2091、2618。

特点：通过固溶＋人工时效（T6状态）处理，合金中会析出如$CuAl_2$、$Al_3(Sc, Zr)$等强化相，屈服强度提升幅度可达70%。然而，该系列合金抗腐蚀性欠佳，且在烘烤过程中容易发生软化现象，这极大地限制了其在车身外板方面的应用。

应用场景：主要应用于对强度要求较高，但对耐蚀性要求相对较低的结构件，例如汽车内部支架。

② 6系是可热处理强化铝合金，例如6016、6014、6061。

特点：经过固溶＋人工时效（T6状态）处理后，合金强度会显著提升。以6016为例，其屈服强度可达147.3MPa，抗拉强度为259.1MPa。值得注意的是，热处理工艺对该系列合金的成型性和抗应力腐蚀能力有直接影响。

应用场景：广泛应用于车身外板、车门防撞梁等既需要保证强度，又对成型性有一定要求的部件。

(2) 可热处理强化铝合金型材

① 6系挤压型材，例如6061。

特点：6061经过T6热处理后，会析出强化相，使其抗拉强度提升至280MPa以上。

应用场景：常用于汽车轻量化结构件，如纵梁、电池托盘，以及承载部件，如悬挂系统。

② 7系高强型材，例如：7050、7020。

特点：需经过固溶＋双级时效（T76状态）处理，才能获得最佳的强度-塑性平衡，其抗拉强度可达600MPa以上。

应用场景：主要应用于高端新能源汽车的高强度结构件，如车架、碰撞吸能盒。

(3) 可热处理强化的铸造铝合金

① A356系列（Al-Si系）：

特点：通过固溶＋人工时效（T6 状态）处理，合金中会析出 Si 颗粒和 Mg_2Si 相，抗拉强度可提升至 300MPa 以上，同时延伸率能保持在 5％以上。

应用场景：适用于制造轮毂等对力学性能和耐蚀性要求较高的部件。

② ZL101A（Al-Si-Cu 系）：

特点：经过热处理后，Si 相均匀分布，抗拉强度可达 250MPa。

应用场景：主要应用于汽车动力系统，适用于制造复杂薄壁铸件，如变速箱壳体。

（4）热处理工艺的关键影响 时效温度与时间：例如，6016 铝合金在 70℃时效 25 分钟，可优化其强度与塑性的组合；7075 铝合金在 T6 状态下，需严格将温度控制在 120℃±5℃。

冷却方式：水冷（快速冷却）与空气冷却（慢速冷却）对合金析出相的形貌和强度有着显著差异。

在汽车铝合金材料中，2 系、6 系板材及型材，以及 A356、ZL101 等铸造合金对热处理的敏感度较高。合理的热处理工艺能够有效提升合金强度，例如 7075 在 T6 状态下强度可提升 40％。实际应用中，需要综合考虑成本与性能之间的平衡。

4.1.4 汽车镁合金的性能特点

第 2 章已就镁合金的分类展开论述，在此，着重介绍汽车镁合金的性能特点。

（1）汽车镁合金性能特点

① 轻量化：密度仅为 1.7～1.8g/cm^3（比铝合金轻 30％，比钢轻 75％），是实际应用中最轻的金属结构材料。例如，镁合金方向盘骨架（约 1.2kg）比铝合金减重 40％，比钢制件减重 70％。

② 高比强度与比刚度：

比强度：150～200MPa・cm^3/g（接近铝合金，显著高于工程塑料）。

比刚度：25～28GPa・cm^3/g（与铝合金相当）。（比刚度＝弹性模量/密度。）

③ 优异的阻尼性能：阻尼系数是铝合金的 10～25 倍，吸振能力突出，适用于对汽车舒适性敏感的部件。

④ 较好的导热与电磁屏蔽性：热导率为 80～120W/(m・K)（优于塑料），电磁屏蔽效能为 60～100dB（适合电池壳体）。

（2）存在问题

① 耐腐蚀性差：镁化学活性高（标准电极电位－2.37V），易氧化腐蚀，需表面处理。

② 成本波动大：原镁价格受制于电解工艺（能耗 35～40kWh/kg），价格波动在 2500～4500 美元/t，是铝的 1.5～2 倍。

镁合金凭借极致轻量化和独特功能特性，在汽车轻量化中具有战略意义，但其腐蚀、高温性能及成本问题仍需通过材料创新与工艺升级突破。短期内难以全面替代铝和钢，但在特定高附加值部件（如电池壳体、座椅骨架）中不可替代。

4.2 铝合金在车身上的应用

4.2.1 铝合金汽车覆盖件（轻量化与安全性的平衡）

汽车覆盖件主要包括机盖内外板、翼子板、顶盖和行李厢内外板等（图4-1），它们覆盖在车身框架外部，起到保护、美观等作用[1]

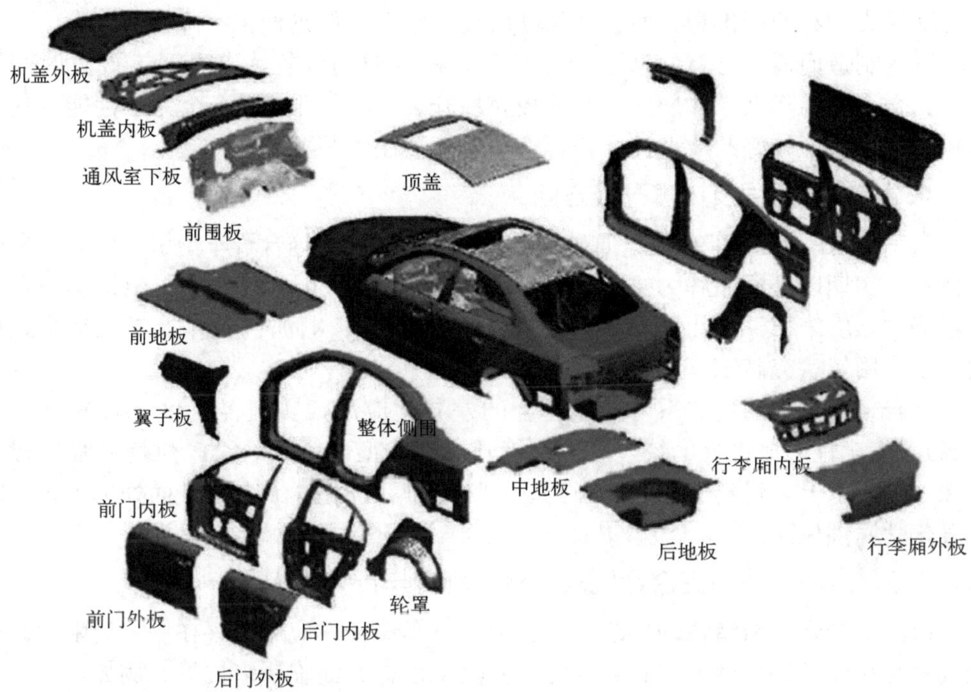

图4-1 汽车覆盖件

4.2.1.1 铝合金汽车覆盖件的材料

（1）铝合金车门内板、机盖内板材料：5系铝合金 合金类别：采用非热处理强化的5系铝合金。5系铝合金的主要合金元素为镁。镁原子均匀溶解在铝基体中形成固溶强化效应，显著提升材料的抗腐蚀性和塑性。

特点：5系铝合金成本低，成型性能和抗腐蚀性能较高。典型牌号有5052、5182、5754。虽然5系铝合金强度比6系铝合金低（屈服强度较低，约100～150MPa），但由于塑性变形能力强，适用于形状复杂的覆盖件内板及结构件。

（2）铝合金车门外板、机盖外板材料：6系铝合金

① 材料组成与强化机制。6系铝合金（如6016、6022）属于可热处理强化铝合金，主要含镁（Mg）和硅（Si）。通过固溶淬火（T4状态）使合金元素过饱和

固溶于铝基体，后续经喷漆烘烤（人工时效）析出 Mg_2Si 强化相，时效作用可使其屈服强度提高近 100%。

② 性能特点。

成型与强化的平衡：T4 状态时屈服强度较低（约 80～120MPa），便于冲压成型；烘烤后强度提升至 200MPa 以上，抗凹性显著增强。

性能及表面质量优势：在冲压成型时无滑移线产生，适用于强度、刚度要求高的汽车外板部位，能保证良好的外观和抗凹性，确保外板光滑平整。

时效敏感性：在自然时效过程中，6 系铝合金内部组织会发生变化，溶质原子会逐渐形成细小的析出相，使合金强度增加，塑性（如延伸率）降低。

汽车制造商通常会将 6 系铝合金汽车外板保质期设置为 6 个月。放置时间过长，铝合金塑性降低，冲压成型时外板容易开裂；6 个月内铝合金力学性能变化相对较小，能保证较好的成型性，符合汽车外板冲压工艺要求。

4.2.1.2 发展历程及技术升级方向

21 世纪初，中国车企最早通过别克君威、奥迪 A6 等合资车型引入铝合金覆盖件技术，初期以外资品牌为主导。2010 年后，特斯拉 Model S 采用全铝车身，国产新势力（蔚来 ES8、小鹏 G9、极氪 001）在车门、电池包壳体上扩大铝合金应用，单车用铝量突破 150kg。

铝合金覆盖件通过 5 系与 6 系合金的差异化应用，实现轻量化（减重 30%～50%）、安全性、成型性的统一。未来将开发高成型性 6 系合金，烘烤后强度提升至 300MPa 以上，材料保质期提升至 9～12 个月。优化 5 系合金表面处理工艺，降低电化学腐蚀风险。

4.2.1.3 冷冲压成型铝合金机盖（材料刚度与行人保护）

（1）铝合金材料特性的挑战 铝合金在汽车覆盖件应用中存在一定局限性。由于其塑性相较于钢材处于劣势，因此铝质汽车覆盖件面临诸多挑战。例如，成型工艺欠佳，难以满足复杂形状的加工需求；强度和抗凹陷性能较低，影响汽车的耐用性和安全性；可焊接性能以及结合部位抗腐蚀性能不尽人意，增加了后期维护成本；成本相对较高，在一定程度上限制了其大规模应用[2]。

（2）刚度与行人保护法规相关要求 在汽车覆盖件设计中，行人安全保护是核心要素之一。从行人安全保护角度出发，机盖面板需具备适宜的刚度以及科学合理的结构拓扑形式。合适的刚度能确保在与行人碰撞时，既不会因过硬对行人造成过度伤害，也不会因过软而无法起到缓冲作用。合理的结构拓扑形式则有助于均匀分散碰撞力，进一步降低对行人的伤害程度。这不仅是出于人道主义考量，更是相关行人保护法规的必然要求[3]。

（3）铝合金机盖（图 4-2）实际案例 铝合金材料性能开发对冷冲压件质量及车辆被动安全具有显著影响：

① 铝合金塑性与冲压开裂机理。铝合金材料因塑性储备不足，在冷冲压过程

中易产生应力集中开裂。典型表现为：在曲率半径转角处（R/t[1]<1.5）或拉深系数较大（$\delta \geqslant 1.2$）工况下，其真应力-应变曲线呈现明显陡升特征，导致材料在未达到理论断裂强度前发生颈缩失效。

② 材料屈强比与褶皱控制机制。铝合金材料屈强比过高（>0.65），是其对压力分布敏感的关键因素；铝合金的延伸率通常低于 25%，相比钢材料（≥30%）的塑性储备显著不足；铝合金板材的平面各向异性系数一般小于 1.2，纵向（轧制方向）强度高于横向。在非对称载荷下，这种各向异性会加剧应力分布不均，进一步降低抗褶皱能力。

为有效攻克铝合金材料在汽车覆盖件应用中的难题，本书作者团队与国内头部铝企深度合作，开展创新研发，成功研制出 6063-0.5Si-Cu-Mg 系新型机盖材料。同时，选用型号为 5182 的 5 系铝合金作为机盖内板。经过严格性能验证，该材料不仅满足行人保护头部伤害值的相关标准，还顺利通过高速冲击测试，展现出良好的综合性能，为铝合金在汽车覆盖件上的应用提供了案例。

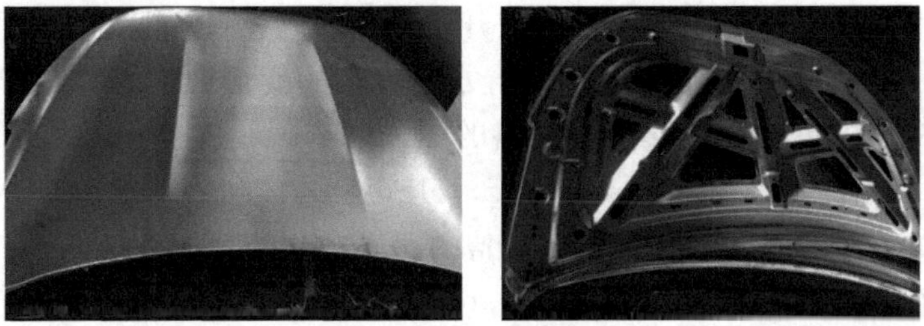

图 4-2　铝合金机盖

4.2.2　铝合金汽车 B 柱加强板（热成型钢的塑性平衡）

铝合金汽车板相较于钢板，塑性偏低，在加工过程中极易出现开裂、回弹等状况，而热成型技术则是解决这一难题的有效途径之一。热成型技术通过将铝合金板加热至特定温度，能够大幅提升其塑性，进而顺利制造出形状复杂的零部件。适用于热成型工艺的铝合金板材有众多牌号，如 5754、5083、5182、6111、7075 等。需要说明的是，5 系铝合金是非热处理强化铝合金，其强度提升主要依赖加工硬化。在这里，是利用铝合金在高温下的塑性变形能力，而非通过固溶-时效机制进行强化。

热成型技术的关键在于调控温度场与应力场的耦合机制，以此显著提升材料塑性。其核心原理是：当在材料再结晶温度以上进行成型操作时，原子扩散速率会大幅提高，动态再结晶过程能够消除加工硬化层，使得材料在极低的流动应力下就能实现较大的变形量。以 6 系铝合金为例，当在再结晶温度以上加热时，其真应力-应变曲线呈现出双线性特征，屈服平台消失，并且流变应力对应变速率的敏感性降低，这为复杂形状零部件的加工制造提供了更有利的条件。

[1] R 为转角半径，t 为板料的初始厚度。

中铝集团的7075铝合金板材通过热冲压成型制备了某型汽车的多个高强零部件，其中热成型B柱加强板如图4-3所示。采用7075铝合金汽车板制备B柱加强板的热成型技术，试制的零件尺寸精度满足要求，抗拉强度大于550MPa[4]。

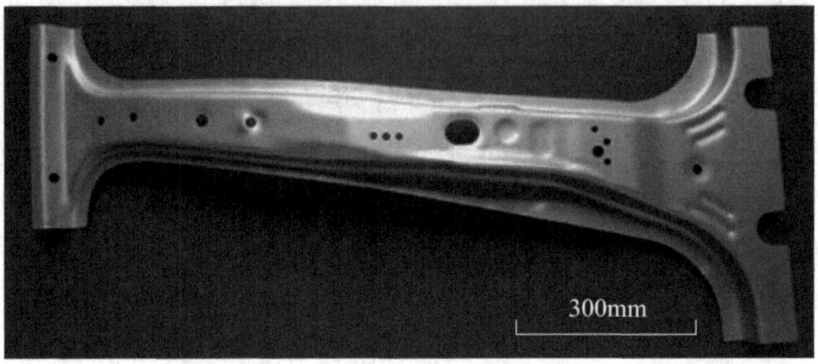

图4-3 铝合金热成型B柱加强板零件（7系铝合金）

铝合金热成型改善性能的案例还包括：王义林等人[5] 针对7075铝合金在不同温度和应变速率条件下的变形行为展开了深入研究。在高温拉伸进程中，加工硬化与动态回复这两种机制相互抗衡。当处于较高的变形温度以及较低的应变速率时，动态回复占据主导地位，使得材料的延伸率得以提升。Lin等人[6] 成功研发出热成型-淬火（hot forming-quenching，HFQ）一体化技术。该技术专门用于制造形状复杂的汽车零部件，能够显著提高零部件的强度，为汽车零部件制造工艺的革新提供了有力支持。

4.2.3 铝合金防撞梁设计案例（作者团队的开发案例）

作者团队的研究人员运用结构优化方法，针对铝合金防撞梁开展了轻量化设计工作，并针对防撞梁于刚度、模态、拖钩强度以及高速刚性墙碰撞等不同工况下的性能，进行了系统性分析。

研究选用铝合金6082-T6，并将其与钢质防撞梁进行对比剖析。传统的横梁一般采用HC550/980DP双相钢，吸能盒采用HC340/590DP材料。基于轻量化的考量，研究人员把横梁所使用的双相钢替换为强度高且塑性优良的6082-T6铝合金材料，吸能盒则采用吸能效果更为出色的6063-T6铝合金材料。

① 模态分析结果：对钢质与铝质防撞梁的自由模态和约束模态分别展开深入分析，结果如下。

自由模态工况：铝质材料的一阶弯曲模态相较于钢质材料有所提高；在一阶扭转模态方面，铝质材料比钢质材料的模态提升幅度超过43.7%。

约束模态工况：铝质材料的上下摆弯曲模态，相比钢质材料的模态提升幅度超过44%；左右摆弯曲模态较钢质材料提升幅度大约在40%以上；前后摆弯曲模态比钢质材料提升幅度达35.6%以上；上下扭转模态的提升更为显著，铝质材料比钢质材料的模态提升幅度高达62%以上。

② 拖钩强度分析结论：通过对防撞梁总成上安装的拖钩在三种工况下的强度进行分析可知，无论是钢质材料还是铝合金材料，均能满足拖钩强度的技术标准要求。不过，当采用铝合金材料时，加载后的最大变形量以及卸载后的残余变形量均小于钢质材料，这为相关设计工作提供了更为广阔的设计空间。

③ 碰撞工况综合评估：从法规所规定的碰撞工况进行综合考量，采用铝合金材料进行设计，能够使防撞梁总成的质量分布更为合理。在保证一定轻量化效果的前提下，铝合金材料制成的防撞梁在碰撞工况中的耐撞性能得到明显提升。

④ 材料轻量化对比：将铝合金材料与传统高强度钢材料进行对比后发现，铝合金可实现 50.7%的减重。并且，该铝合金材料能够满足碰撞标准要求，在车身结构件的应用上具备可行性。

综上所述，相较于高强度钢防撞梁，铝合金防撞梁在轻量化和安全性能层面均实现了显著提升。铝合金防撞梁具有吸能量大、加速度峰值小的优势，不仅能够充分满足被动安全性与行人保护安全性的要求，还能够高效达成轻量化目标[7]。

4.3　镁合金在内外饰上的应用

4.3.1　镁合金仪表板横梁（轻量化与设计灵活度）

(1) 镁合金仪表板横梁的显著优势　镁合金仪表板横梁与传统钢制横梁相比，优势十分突出。其最直观的优势便是轻量化，这有助于减轻整车重量，提升车辆的燃油经济性或延长新能源汽车的续航里程。同时，镁合金横梁零件集成化程度高，减少了零部件的数量和组装工序，不仅提高了生产效率，还降低了因零部件过多而产生的故障风险。在尺寸精度上，它的安装尺寸精度高，能确保与其他部件精准配合，提升整车的装配质量。此外，镁合金横梁设计灵活，可根据不同车型的设计需求，打造出多样化的结构和造型，满足汽车制造商对个性化和创新设计的追求。

(2) 镁合金仪表板横梁的发展脉络　镁合金仪表板横梁在汽车行业的应用历史颇为悠久。早在 1968 年，奥迪车型就率先采用了镁合金仪表板横梁，这一创新之举为汽车轻量化发展开辟了新道路。1995 年，通用汽车在新年度车型中也引入了这一材料，进一步推动了镁合金在汽车领域的应用。

早期的第一代镁合金仪表板横梁质量大约在 7～8kg，壁厚约为 3.5～4mm。随着材料科学和制造工艺的不断进步，第二代产品在保持较高防撞性以及减振、降噪、刚度要求的同时，壁厚和质量进一步降低。这一发展不仅体现了技术的迭代升级，也反映了汽车行业对轻量化和高性能零部件的持续追求。

(3) 镁合金仪表板横梁的应用案例　在国内，北汽新能源积极响应汽车轻量化的发展趋势，在 EX3 车型和 LITE 车型中都使用了镁合金仪表板横梁，并取得了显著的轻量化效果。以 EX3 车型为例，如图 4-4 所示，其仪表板横梁总成质量仅为 5.77kg，与传统材料相比，减重约 40%。这种轻量化设计不仅提升了车辆的操控性能，还为新能源汽车的电池续航提供了更大的保障，充分展示了镁合金仪表板横梁在实际应用中的巨大价值[8]。

研究人员雷稳采用生命周期评价法，深入探究了传统钢质仪表板横梁与镁合金仪表板横梁对环境的影响以及各自的轻量化成效。研究结果显示，随着车辆运行阶段里程持续增加，镁合金仪表板横梁的轻量化优势会逐步凸显。具体而言，当行驶里程超过 53.44 万公里时，镁合金仪表板横梁在“全球变暖潜值”这一指标上，其数值低于传统钢质仪表板横梁，表明镁合金仪表板横梁在长里程使用下，在减缓全球变暖方面展现出更优的环境效益[9]。

图 4-4　EX3 车型的镁合金仪表板横梁

4.3.2　镁合金座椅骨架（轻量化与集成化）

相较于其他合金，镁合金具有密度更低的显著特点。也正因如此，镁合金在汽车领域的应用和研究相对较多。其主要应用部件包括汽车座椅的坐垫、靠背骨架等。在加工形式上，主要采用压铸工艺。

镁合金在座椅骨架中的应用具有显著的优势，可以实现复杂结构的集成化设计，减少零件数量，并且不需要焊接，提高了精度。

20 世纪 90 年代，奔驰公司率先使用了镁合金座椅骨架，随后福特汽车开发的镁合金骨架，使座椅质量从 4.0kg 减为 1.0kg。丰田公司开发的镁合金骨架可使座椅质量减小 40%。通用的 IMPECT、奔驰 300/400/500SL、雷克萨斯 LS430 等也使用了镁合金骨架。

某车企研发了一种采用镁合金挤压型材和冲压板件相结合的新型半封闭镁合金靠背骨架结构，用以替代前排座椅靠背的冲压钢板骨架。该结构与纵向调角器构成封闭的靠背骨架，在满足座椅各项性能要求的前提下，减重比可达 48.5%，同时还能节约模具费用并简化工艺流程[10]。

韩洁丽等人使用压铸 AM60B（Mg-6Al-0.2Mn）镁合金替代原有的座椅靠背骨架（材质为 SPCC 冷轧钢板），通过数值模拟、铸造工艺分析、结构优化以及零件试制等一系列流程，对镁合金座椅靠背骨架进行了研究，在保证座椅强度要求的前提下，成功减重 1.564kg，减重比例达到 26.7%[11]。

图 4-5 是重庆博奥镁铝金属制造有限公司研发的镁合金骨架。镁合金座椅骨架广泛使用 AM50 和 AM60B 这两种牌号。AM50 和 AM60B 相比 AZ91D 具有更高的强度和韧性，更适合需要较高力学性能的应用场景。

图 4-5　镁合金座椅骨架

4.4　铝合金、镁合金在底盘上的应用

随着轻量化的发展，底盘用轻质高强材料出现快速的增长。

4.4.1　铝合金转向节（簧下质量的提升）

铝合金转向节铸造成型工艺一般采用低压铸造或重力铸造，常用材料为 A356、AlSi7Mg0.3 等，锻造成型铝合金常用材料为 6061、6082 等。

根据铝合金转向节零件的性能和结构特点，可选择铸造或锻造成型工艺。锻造零件因加工硬化及热处理过程，可获得较高的力学性能，屈服强度可达到 300MPa 以上，适合对力学性能要求高的零件，其成本高于铝铸件。对于结构较为复杂的转向节，锻造工艺不易实现时，也可采用铸造成型工艺，不同成型工艺铝合金转向节如图 4-6 所示。

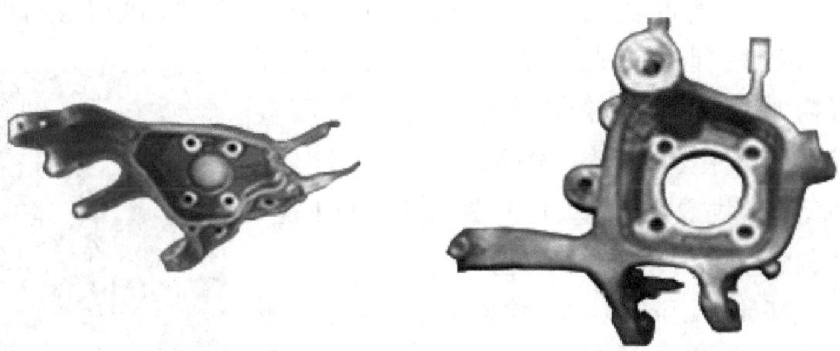

(a) 锻造转向节　　(b) 铸造转向节

图 4-6　不同成型工艺铝合金转向节

使用铝合金转向节可有效减小簧下质量，如比亚迪宋 LEV、宋 PLUS DM-i 的转向节采用铝合金材质，能提升车辆操控响应速度和路感清晰度。“2023 中国汽车供应链大会暨第二届中国新能源智能网联汽车生态大会”上，中信戴卡“高性能轻量化铝合金转向节差压铸造成型关键技术及应用”项目获评 2023 中国汽车供应链优秀创新成果。该项目攻克了传统转向节产品强韧性低、缺陷多、精度差等难题，并研制出配套设备，大幅提高了自动化程度及生产效率，降低了生产成本。

4.4.2　铝合金摆臂（强度与疲劳性能）

摆臂是底盘控制臂的一种。铝合金摆臂（图 4-7）常采用的铝合金型号有：具有中等强度、良好耐腐蚀性、良好可焊性和加工性能且能热处理强化的 6061 铝合金，高强度、高韧性及抗腐蚀性良好的 7075 铝合金，强度较高、耐腐蚀性和焊接性良好的 6082 铝合金，以及强度高、焊接性能好且可热处理强化的 7005 铝合金。例如，通过添加合金元素如镁、硅等，并采用锻造、压铸等工艺，可以使铝合金摆

臂达到与钢制摆臂相当的强度。

铝合金摆臂还具有良好的抗疲劳性能。在新能源汽车的长期使用过程中，摆臂需要承受不断变化的载荷，铝合金材料的抗疲劳性能能够保证摆臂在复杂的工况下长时间稳定工作，减少因疲劳损坏而导致的安全隐患。蔚来、小鹏等国产新能源汽车品牌也在一些高端车型或者高性能版本车型中采用铝合金摆臂，以提高车辆的操控性和舒适性。

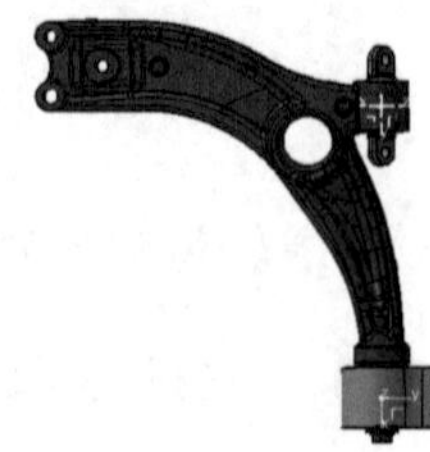

图 4-7　铝合金摆臂结构图

4.4.3　镁合金轮毂（比强度与抗阻尼）

在镁合金轮毂（图 4-8）的制造领域，常用的镁合金型号各具优势。AZ31B 镁合金凭借良好的抗腐蚀性、加工性与强度，成为较为常见的选择；铝锌镁合金 AZ61A 则比 AZ31B 更加坚硬；AZ80A 与 AZ80M 具备轻质且高强度的特性；AM50A 拥有高塑性和高韧性；AM60B 在铸造性能和耐腐蚀性方面表现出色；而 Mg-Zn-Zr 系 ZK61M 镁合金则兼具高强度、良好的延展性与耐腐蚀性。

镁合金独特的密排六方晶体结构，对其加工性能产生了显著影响。镁合金轮毂的制造工艺丰富多样，常见的成型方式包括压铸、锻造、挤压、冲压、旋压以及半固态成型等。这些工艺为制造高性能、多样化的镁合金轮毂提供了技术支持。

图 4-8　镁合金轮毂

孙文龙[12] 基于 SolidWorks 软件对材料的轻量化效果进行分析后发现，单只镁合金轮毂减重效果极为显著，可减重 5.1kg，减重比例高达 41.03%。从能耗角度而言，总能耗可减少 34096MJ，不仅有助于提高能源利用效率，还能降低对能源的依赖程度。在环保方面，镁合金轮毂的使用能使总 CO_2 排放量减少 2414.6kg，对改善空气质量、减缓温室效应发挥了积极作用，充分展现了镁合金轮毂在推动电动汽车绿色、经济发展方面的关键作用。不过，若电池成本发生变化，上述数据需重新计算并适当调整。

与铝合金轮毂相比，镁合金轮毂在燃油经济性方面优势显著，能够节省 10%～14%的燃油消耗[13]。这得益于镁合金自身的特性，其比强度高，弹性模量低于钢和铝合金。镁合金轮毂抗振性能优越，对外力的退让性良好，相较于铝合金轮毂，能够承受更为强烈的冲击载荷。从材料特性来看，在弹性极限范围内，单位载荷下镁合金可瞬间恢复弹性变形，其阻尼减振性能更是达到铝合金的 30 倍以上。这使得车辆在行驶过程中，能够有效过滤路面颠簸，极大地提升了汽车的平稳性，为驾驶员和乘客营造了更为舒适的驾乘体验。

4.4.4　铝合金副车架（强度与轻量化平衡）

副车架是前后车桥的骨架，是前后车桥的组成部分。副车架并非完整的车架，只是支撑前后车桥、悬架的支架，使车桥、悬架通过它与“正车架”相连，所以习惯上称为“副车架”。副车架是车身与悬架连接的一个中间缓冲体，通过调节副车架的刚度，可以起到调控车辆舒适性与操纵性关系的作用。铝合金液压胀型副车架具有质量小、产品一体化成型、刚性强、可塑性强，以及较高的集成度和尺寸精度等特点。

杨曼对 AlSi7Mg0.3 牌号铝合金进行了材料及热处理技术的开发，合金成分中的镁（Mg）含量控制在 0.3%～0.4%，钛（Ti）含量控制在 0.1%～0.2%，锶（Sr）含量控制在 0.01%～0.02%，并采用 535℃保温 8 小时的固溶处理以及 165℃保温 6 小时的时效处理工艺。铸件采用低压铸造工艺成型，经检测，铸件本体的抗拉强度高达 322MPa，屈服强度达到 244MPa，延伸率为 8.92%，满足铝合金副车架对于轻量化以及安全可靠使用的严格要求（后副车架的技术要求为抗拉强度≥280MPa，屈服强度≥220MPa，延伸率≥7%）[14]。低压铸铝后副车架的结构图与实物图如图 4-9。

图 4-9　低压铸铝后副车架的结构图与实物图

4.4.4.1　铝合金前副车架的结构轻量化设计（作者团队的开发案例）

作者团队致力于开发一款较原有铝合金前副车架更为轻量化的零件结构。借助 Optisruct、SFE、Isight 等专业工具软件，对副车架的模态、刚度、强度、耐久性等关键性能展开全方位分析与优化，确保新铝合金副车架各项性能契合预期目标值。在开发进程中，充分运用拓扑优化、尺寸优化、多目标优化、形状优化等先进技术，经反复分析与调整，成功践行“以优化驱动设计”的创新开发路径。

(1) 项目目标

① 质量目标：前副车架的研发旨在替代原有的 11.68kg 铝制副车架，新副车架的开发质量目标设定为 11.50kg，力求在不降低性能的基础上实现成本降低。竞品车的钢制副车架质量是 12.51kg。

② NVH 目标：

a. 模态目标：依据 NVH 子系统目标的细化分解以及对竞品车型的模态分析

结果，设定在白车身加副车架状态下，一阶模态频率不得低于160Hz；副车架处于自由状态时，模态频率不低于200Hz；在刚性约束状态下，模态频率则不低于300Hz。

b. 刚度目标：以副车架各安装点的动静刚度为考量指标，参考竞品车相应数值，并严格满足NVH子系统分解所提出的要求。

③ 强度目标：副车架在实际使用过程中，需要承受发动机运转产生的激励以及路面冲击带来的载荷，因此必须满足特定的强度要求。选取4种较为恶劣的工况进行分析，评价标准为：在这些工况下副车架所受应力不超过材料的屈服强度。

④ 耐久目标：在试验场通过专业设备采集实车道路谱载荷，随后借助虚拟迭代技术，对采集到的载荷进行分解，从而获得精准的载荷谱。本节以损伤值作为衡量指标来校核副车架的耐久性能，具体目标为：钣金损伤值不得超过0.25，焊缝损伤值需小于1。

（2）设计空间包络　设计部门布置校核后提供一个设计空间，前副车架设计空间包络如图4-10所示。

（3）拓扑优化　划分设计空间包络的表面网格，再填充材料。经优化得出材料密度分布，据此转化为加强板概念设计方案。

优化变量：内部填充材料密度。优化目标：让优化变量的体积分数最小。约束条件：刚性约束下，一阶模态频率不低于300Hz；同时，在设计变量里加最小尺寸约束参数，优化控制卡片中加棋盘格控制参数。

（4）形状优化　在形状优化环节，以实现中间支架质量最小为目的，在保证性能的基础上降低质量。选取中间支架开孔变形时的节点扰动作为关键变量，通过对这些节点的调整，改变开孔形状。

经过优化设计，完成样件制作后进行称重，结果显示样件质量为11.48kg，详见图4-11。

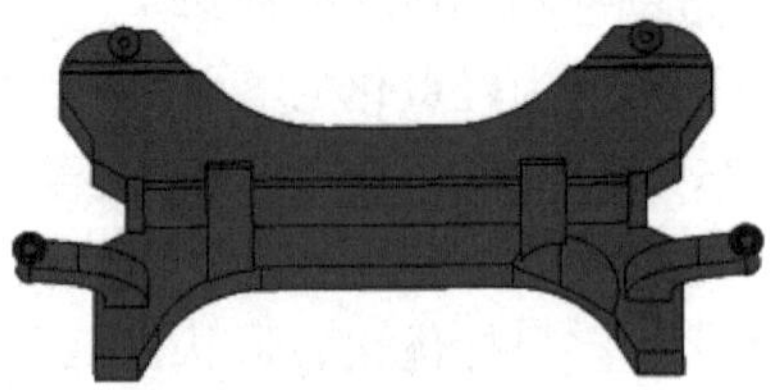

图4-10　前副车架设计空间包络

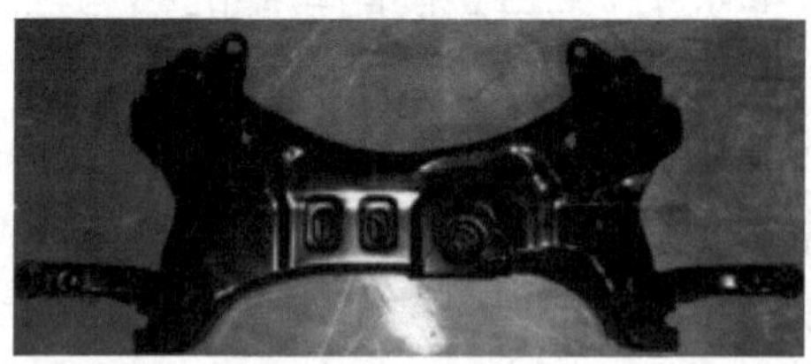

图4-11　优化后的铝合金前副车架实物

经对比，该样件比钢制副车架轻1.03kg，比原有的铝制副车架轻0.2kg。样件在试验场历经3万公里综合路况及6000km强化道路的严苛测试，全程未出现开裂问题，达到了设计要求。

新设计目标是在原有铝制副车架（11.68kg）基础上进一步减重至11.50kg，同时相较于钢制副车架（12.51kg）具有显著的轻量化优势（减重约1kg）。

4.4.4.2　低压铸造铝合金后副车架（作者团队的开发案例）

后副车架作为汽车底盘结构的核心部件，承担着支撑前后车桥与悬架的关键作用，对显著提升驾驶操控性、保障乘坐安全性以及增强舒适性至关重要。与此同时，减小后副车架自身质量能够有效增强整车的承载性能，可提升汽车的操纵稳定性。传统的后副车架大多采用钢板材质，仅有少数车型选用铝合金副车架。铸造铝合金的力学性能，很大程度上取决于第二相的特性、分布状态，以及缺陷的性质、数量和尺寸等因素。微观缺陷作为铝合金断裂的裂纹源头，对其力学性能影响显著[15]。

（1）低压铸造后副车架　后副车架的结构如图 4-12 所示，其材质选用铝合金。通过合理的结构设计，并执行系统的工艺流程，采用低压铸造成型工艺，成功打造出满足强度及疲劳寿命要求的后副车架，有效提升了整车的轻量化水平。其外形尺寸为 1165mm × 798mm × 396mm，平均壁厚为 5mm，质量为 30.5kg。它属于大型复杂薄壁零件，具备高强度、高韧性以及耐腐蚀的特性。与钢制件相比，此铝合金后副车架实现减重 10.1kg，减重比例约达 33%。

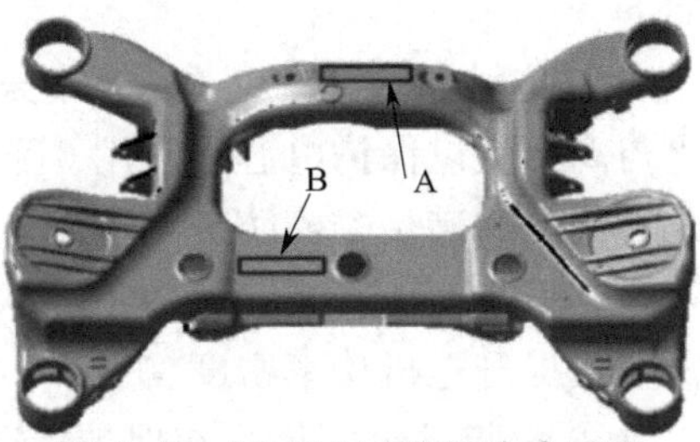

图 4-12　ZL101A-T6 铝合金后副车架三维模型图

（2）力学性能分析　在铝合金后副车架本体上进行取样操作，取样位置选定为零件的高应力风险区域，具体为图 4-12 中的 A、B 两处。随后，依据 GB/T 228.1—2021 标准，将所取样本加工为拉伸试样。

在室温环境下，针对 T6 态 ZL101A 铝合金开展拉伸试验。本次试验共选取 4 组试样，材料力学性能的检测结果表现出较高的稳定性。

结论：① 该铝合金材料的平均抗拉强度达到 304MPa，平均屈服强度为 245MPa，平均伸长率为 8.2%，平均硬度为 99HV。各项力学性能指标均符合设计要求。

② 经低压铸造而成的 ZL101A 铝合金后副车架，外观完好，无明显瑕疵，内部组织紧密坚实。在其微观结构中，共晶 Si 呈现为灰色椭圆状，均匀分布于 α-Al 基体之上，而少量亮白色的铁基化合物则以骨架形态分布于晶界位置。

③ 低压铸造的铝合金后副车架，先后历经耐久性台架试验以及整车道路耐久试验的严苛考验，各项性能均达到设计预期，满足实际使用需求。

4.5　铝合金、镁合金在新能源三电系统的应用（案例见第 6 章）

4.5.1　铝合金在三电系统的应用

新能源汽车的核心竞争力集中体现在“三电系统”——电池系统、电机系统和电控系统。铝合金凭借其独特的材料特性，成为支撑三电系统实现高性能、高安全性和高续航里程的关键材料，尤其在轻量化、高效散热和结构稳定性方面展现出不可替代的优势。例如特斯拉 Model 3 电池包采用铝压铸壳体集成液冷，比亚迪通过铝制模组支架提升空间利用率，均体现了铝合金在三电系统中减重、散热与安全性的综合价值。

4.5.1.1 核心优势一：轻量化效应提升能量利用效率

材料特性基础：铝合金密度仅为传统钢材的三分之一左右，且具有高比强度（强度与质量比）和高比刚度（刚度与质量比），可提升续航里程。其关键应用场景如下。

① 电池包壳体（包边、下托盘）：作为铝合金最广泛的应用领域，需兼顾轻量化与高强度以保护电芯。常用 6 系、5 系、7 系铝合金，通过挤压或压铸成型，在减重的同时满足碰撞防护需求。

② 电机壳体、端盖：采用 ADC12 等压铸或高压铸造铝合金，相比铸铁件大幅减重，提升电机功率密度。

③ 电控系统壳体：在保护精密电子元器件的同时，通过铝合金材质显著降低整体重量。

④ 冷却系统部件：液冷板、管路及支架等使用铝合金，进一步优化整车重量。

实际效益：直接提升整车能量利用效率，延长续航里程；降低动力系统负载，提升动力响应速度；减少对电池能量的需求压力。

4.5.1.2 核心优势二：优异的热管理能力保障系统稳定运行

材料特性基础：铝合金的热导率远高于钢材、不锈钢等常用结构材料，能快速传导热量，是三电系统高效热管理的核心支撑。其关键应用场景如下。

（1）电池热管理系统

① 液冷板：作为液冷式热管理的核心部件，采用 6063、6061 等挤压成型铝合金或 3×××系轧制板，利用高导热性和大比表面积实现电芯热量快速传导，保证电池均温。

② 导热结构件：通过铝合金部件引导电池包内热量合理分布，避免局部过热。

（2）电机冷却

① 集成水套：压铸铝合金电机壳体内部的水套直接利用铝的高导热性，将绕组和铁芯热量传递给冷却液。

② 端盖、外壳：作为散热路径的一部分，将内部热量导向外部冷却系统或空气。

（3）电控系统散热　散热器与底板：功率半导体［IGBT（绝缘栅双极型晶体管）、SiC 等］的散热器和支撑底板多采用 6 系压铸件或钎焊散热器，部分通过嵌件压铸（嵌入铜片增强局部导热）快速导出热量，确保芯片工作在安全温度区间。

实际效益：提升系统热管理效率，保障电芯、电机线圈、功率芯片等核心部件在最佳温度区间运行；降低热失控、电机退磁、芯片损坏风险，显著提升系统可靠性和使用寿命。

4.5.1.3　核心优势三：优秀的结构稳定性增强安全与耐久性

材料特性基础：铝合金弹性模量（约 70GPa）虽低于钢（约 210GPa），但高比刚度使其在轻量化设计中仍能提供优异的结构刚度。结合优化设计（如截面形状、加强筋），挤压成型、真空压铸或高压铸造的铝合金结构可具备高抗冲击性，尤其 5 系 H 状态、7 系等高强度铝合金表现突出。其关键应用场景如下。

① 电池包整体结构：铝合金箱体（下托盘、框架、上盖）为内部电池模组、液冷板等提供刚性支撑；同时通过吸收和分散路面颠簸、碰撞冲击能量，避免电芯受挤压变形或短路，提升安全性。

② 电机安装支架：兼顾轻量化与刚度，利用铝合金的阻尼特性减少振动向车身的传递，优化车辆 NVH（噪声、振动与声振粗糙度）表现。

③ 电控系统安装结构：通过牢固固定避免振动影响电子元器件的寿命和性能。

实际效益：增强三电系统在复杂工况（振动、冲击）下的坚固性与可靠性，提升电池碰撞防护能力和系统耐久性，改善车辆乘坐舒适性。

4.5.2　三电用铝合金技术的发展

铝合金新材料技术的突破，为新能源汽车三电（电池、电机、电控）系统的持续升级提供了核心支撑。新能源汽车三电系统用铝合金新材料技术的发展关键点如下。

4.5.2.1　加工适应性的全方位提升（多工艺兼容技术）

核心发展目标：新一代铝合金材料的研发，以适配铸造、挤压等多元加工工艺为核心目标，旨在通过材料性能优化，打破单一工艺对零部件设计的限制。

① 合金成分精准调控：通过调整硅（Si）、镁（Mg）、铜（Cu）等关键元素的含量及比例，优化合金的流动性（提升铸造适应性）、变形能力（增强挤压、锻造可行性），同时抑制热裂纹产生，确保复杂成型过程的稳定性。

② 新型热处理工艺开发：针对性开发时效处理、固溶处理等工艺，平衡合金的强度与加工性。例如，通过低温时效减弱合金脆性，提升其冷变形能力；通过分段式固溶处理改善铸造件的内部组织均匀性。

③ 设计自由度提升：工程师可根据三电系统零部件的功能需求（如电池包壳体的加强筋结构、电机壳体的集成冷却流道）、性能指标（强度、导热性）及成本预算，灵活选择最优成型工艺。

4.5.2.2　耐腐蚀性的强化技术（表面与基材协同防护）

三电系统的服役环境严苛：电池包面临电解液泄漏（内部腐蚀）、道路盐雾/化雪剂侵蚀（外部腐蚀）；电机与电控系统则需应对高温高湿环境下的腐蚀风险。因此，耐腐蚀性提升需兼顾基材固有性能与表面防护技术。关键技术突破如下：

（1）基材耐蚀性优化 通过提高铝基体纯度（降低铁、铜等杂质含量），添加锰（Mn）、铬（Cr）等元素，形成保护性弥散相，提升合金的固有耐蚀性，减少腐蚀源的产生。例如，5 系铝合金（如 5083）因含锰元素，在盐雾环境中的腐蚀速率较传统合金降低 40%以上。

（2）表面处理技术升级

① 环保型化学转化处理：开发无铬钝化、锆/钛系钝化技术，形成致密均匀的转化膜，为基材提供基础防护，同时满足欧盟 RoHS 等环保标准。

② 高性能阳极氧化技术：推广硬质阳极氧化与微弧氧化（MAO），在铝合金表面生成厚度达 50～100μm 的氧化铝陶瓷层，其硬度可达 300HV 以上，耐盐雾性能超过 1000h，适用于电机壳体内部、电池包结构件等关键部位。

③ 复合涂层技术：结合电泳涂装与粉末喷涂，形成“无机转化膜+有机涂层”的双层防护结构，既保证耐蚀性，又提升表面装饰性，适用于电池包外壳体等暴露部件。

实际应用价值：显著延长三电系统零部件的服役寿命，降低因腐蚀导致的结构失效（如壳体穿孔）、功能故障（如漏电）风险，使电池包的质保周期提升。

4.5.2.3 场景适配性与经济性的平衡技术

复杂场景的精准匹配：通过“材料牌号、加工工艺、表面处理”的组合优化，实现对三电系统不同场景的精准适配：

① 电池包壳体：开发高压压铸铝合金表面的微弧氧化处理技术，兼顾轻量化（比钢减重 50%）、抗冲击性（满足 GB 38031—2020 碰撞标准）和耐电解液腐蚀需求。

② 电机壳体：开发挤压铝合金表面的硬质阳极氧化技术，平衡导热性、电磁屏蔽性和耐湿热腐蚀能力。

③ 电控系统散热器：开发钎焊铝合金表面无铬钝化技术，确保高效散热与抗冷却液腐蚀性能。

新能源汽车三电系统用铝合金新材料技术的发展，以“加工适应性”和“耐腐蚀性”为核心突破口，通过材料成分优化、工艺创新与表面处理升级，实现“复杂结构高效制造”“严苛环境可靠服役”“全生命周期经济可行”的多重目标，成为推动三电系统性能升级与成本优化的关键支撑。

4.5.2.4 电池外壳用 3 系铝合金材料开发

研究发现，电池外壳采用 3 系铝合金材料，具有良好的冲压性能和导热性能，通过高压压铸工艺可制造出形状复杂、壁厚均匀的外壳结构[16]。杯突值与制耳率是衡量材料成型性能的关键指标：杯突值用于表征材料的深冲拉伸性能，其数值越大，说明材料的深冲拉伸能力越优异；制耳率则反映材料的各向异性特征，制耳率越小，意味着材料的各向异性越弱，在加工使用过程中的材料利用率也就越高。

采用退火工艺制备的3003铝合金材料，其杯突值达到14.82mm，制耳率低至1.65%，两项指标均优于相关标准要求，充分表明该工艺下的材料具备优良的成型性能，能够满足电池外壳复杂形状零件的冲压加工需求。

研究表明，铝合金电池外壳热导率达到237W/(m·K)，较传统材料提升40%，可有效改善电池散热性能。电池托盘系统采用6系铝合金型材与板材复合结构设计，在保证承载能力的同时实现重量优化。在电池模组连接结构设计中，采用铝合金紧固件和支架，可进一步降低电池包重量，提升系统集成度。

4.5.2.5　电池托盘用6061铝合金型材热处理技术

蒋秋姝等研发了电池托盘用6061铝合金型材（图4-13），其研究的核心内容如下[17]。

(a) 型材外观　　(b) 型材流道

图4-13　汽车电池托盘用6061 T6铝合金型材

(1) 对6061铝合金型材点蚀行为的系统分析

① 针对电池托盘服役环境（如电解液泄漏、盐雾侵蚀），通过电化学测试（动电位极化、电化学阻抗谱）与腐蚀形貌观察[SEM（扫描电子显微镜）、EDS（能量色散X射线光谱）]，研究6061铝合金型材的点蚀萌生与扩展机制；

② 分析第二相（如Mg_2Si、Fe-rich相）分布、晶界特征及表面状态对点蚀敏感性的影响，明确点蚀诱因及关键影响因素。

(2) 热处理工艺优化设计

① 以提升耐蚀性为目标，调整6061铝合金的固溶-时效工艺参数，包括固溶温度（500～550℃）、保温时间（1～3h）、时效温度（120～180℃）及时效时间（4～12h）；

② 结合力学性能测试（强度、硬度），平衡耐蚀性与力学性能，确定最优工艺窗口。

(3) 点蚀机理层面的研究结果

① 6061铝合金的点蚀主要起源于富Fe（Fe-rich）相（如AlFeSi）与基体的电位差形成的微电偶腐蚀，富Fe相作为阴极加速周边基体溶解，形成点蚀核；

② 未优化的热处理工艺会导致Mg_2Si相粗化并沿晶界析出，加剧晶间腐蚀与

点蚀的协同扩展。

(4) 工艺优化效果层面的研究结果

① 采用“530℃×2h 固溶＋160℃×8h 时效”的优化工艺，可使 Mg_2Si 相均匀弥散析出，减少富 Fe 相的阴极活性，点蚀电位提升约 120mV，腐蚀速率降低 40%以上；

② 优化后材料的抗拉强度保持在 300MPa 以上，屈服强度≥270MPa，满足电池托盘的结构强度要求，实现耐蚀性与力学性能的协同提升。

4.5.3 镁合金赋能三电革命：轻量化撬动能量效率的杠杆

在新能源驱动的科技革新中，材料科学的突破扮演着基石角色。而镁合金，这一金属界的“轻量级王者”，以其他合金难以企及的质轻优势，正以前所未有的力度参与这场变革。

(1) 能量效率的杠杆：镁合金推动三电性能提升 作为密度最小的实用金属结构材料，镁合金将凭借其不可替代的极致轻量特质，在未来成为新能源汽车三电系统的关键“减能增程”钥匙。相较于主流的铝合金托盘或钢铝混合方案，镁合金结构可实现 35%～45%的质量削减，带来的以下直接且显著的效果：

① 续航提升：电池组质量降低，同等电量下续航里程通常可额外提升 3%～8%。

② 能量密度：结构质量占比减少后，整车系统能量密度有效提升，整体效能优化。

③ 安全与效率：镁合金优良的阻尼特性有助于抑制电池包振动，提升精密电芯的使用安全与寿命。

(2) 电控系统：精妙热管理下的轻量化 电控单元承担“神经中枢”指令与能量分配任务，其散热器是温度控制的核心。

① 轻质、高效、导热：镁合金热导率为 84W/(m·K)，虽低于铝合金[120～210W/(m·K)]，但镁合金的导热性足以满足零部件的散热需求，其核心优势在于极低的密度，从而实现轻量化，而非在散热能力上与铝合金竞争。

② 减重效果：采用镁合金替代铝或铜铝方案制成的散热器、壳体支架等结构件，质量可降低 25%～50%，同时满足复杂集成化布局下的散热需求。

③ 功耗降低：散热器与外壳质量降低后，整车电力负荷下降，驱动效率提升。

4.5.4 三电用镁合金技术发展关键技术

新能源汽车“三电”系统向高集成、高功率、长续航持续进化，对核心结构材料的轻量化、功能化和可靠性要求愈发严苛。镁合金新材料技术的系列突破，为“三电”系统的升级提供了不可或缺的支撑，其发展关键点集中体现在材料体系创新、防护工艺优化和制造能力跃升等。

4.5.4.1　材料体系突破：性能的持续提升

镁合金技术发展的核心在于成分设计、显微组织调控与性能优化，近年来在高强韧耐热合金、耐蚀合金与防护等领域取得关键进展。

（1）稀土元素赋能　Mg-Gd-Y-Zr（如 VW-62、GW103K）、Mg-Y-Nd-Zr（如 WE54）等稀土镁合金体系，通过时效强化和高温相稳定性设计，兼具优异高温强度（200～250℃下仍保有较高强度）和抗蠕变性能，彻底攻克了传统镁合金（如 AZ、AM 系列）高温软化的难题，成功应用于电机壳体（尤其是靠近绕组的高温区端盖）、集成电控模组支架等关键热端部位。

（2）低成本高强韧路线　针对稀土成本因素，高锡（Mg-Sn）、高铝（Mg-Al-Ca、Mg-Al-Sn）等新型非稀土合金体系发展迅猛。通过 Ca、Sn、Sr 等元素的微合金化及复合强化机制（如含锶 AZX、含钙 AXJ 系列），其室温强度、韧性及高温性能显著优于传统 AZ91D 等，且成本优势明显，成功应用于电池包结构梁、箱体盖板、电控壳体。

（3）“纯净度”革命　通过严格控制 Fe、Cu、Ni 等重金属杂质降至百万分之一级，高纯镁合金（如 AP65）的本征耐蚀性成倍提升，从源头上补强了镁合金耐蚀性差的“软肋”。

（4）先进防护“铠甲”

① 微弧氧化：电解原位生长的陶瓷膜层结合力强、绝缘性佳、耐磨耐蚀，适用于电池包内部结构件、高压接插件外壳，确保电气安全；

② 复合多层防护：“化学镍加封闭剂”或“微弧氧化加高性能聚合物面涂层”等复合技术，赋予构件在严苛盐雾环境下的长寿命保障，为底盘区域电池托盘等提供可靠方案。

4.5.4.2　结构功能一体化：镁基复合材料的前沿探索

镁合金正从单一轻量化向“承载-导热-电磁兼容”多功能集成演进，核心突破在于增强体赋能与应用场景延伸：

（1）通过增强体赋能　将陶瓷颗粒（如 SiC、Al_2O_3）、碳纤维［CNTs（碳纳米管）、短切纤维］引入镁基体，形成镁基复合材料（MMCs），可针对性提升材料的强度、模量、耐磨性、稳定性乃至热导率。

（2）应用场景延伸

① 碳纤维增强镁（Mg-CFRP）：具有超高比强度和优异阻尼性能，用于电池包防撞梁、电机高刚度支架；

② 高导热 SiCp/Mg 复合材料［热导率＞100W/（m·K）］：为电控功率模块散热底板提供兼顾轻量与高效导热的前沿解决方案。

4.5.4.3　镁合金在汽车领域的应用

未来镁合金在三电系统的应用将聚焦：降低稀土依赖，满足严苛环境需求；结构与功能集成方面，推动导热增强型复合材料用于功率模块散热，优化电磁屏蔽镁合金集成于电机端盖与电池包；从零件替换向系统级设计升级，如一体压铸电池托盘整合冷却流道与加强筋，减重 40%且提升刚度。这些突破将推动镁合金从轻量化备选升级为性能赋能核心材料，为三电系统效能、安全与成本优化提供关键支撑。

在镁合金电池箱产品开发及真空压铸工艺优化的相关研究中[18]，对镁合金在电池箱领域的应用进行了探索。为实现镁合金在电池箱上高性能、低成本的规模应用，研究人员对电池箱进行镁合金材料替代及结构再设计，并对“颠簸、急刹车、急转弯”等极限工况下电池箱的静强度和静刚度特性进行仿真分析。结果显示，优化后的镁合金电池箱在静力学性能上能够满足要求，在静强度方面，“颠簸+急刹车”“颠簸+急转弯”两种工况下的最大等效应力分别为 124.83MPa 和 114.69MPa；静刚度方面，两种工况下的最大变形量为 2.32mm 和 1.87mm，且镁合金电池箱质量仅为 14.06kg，相较于 38.23kg 的钢制电池箱，减重 63.2%，轻量化效果显著。

4.6 一体化铝合金压铸技术与集成计算材料工程

4.6.1 一体化铝合金压铸技术

汽车轻量化作为新能源汽车发展的核心战略，显著推动了铝镁合金材料及精密压铸工艺的迭代升级。特斯拉率先提出一体化铝合金压铸技术，并在 2020 年 Model Y 车型上实现规模化应用。该技术通过将原本 70 余个分散的电池包零部件整合为单个大型压铸件，不仅车身重量降低 10%、生产成本降低 40%，而且减少了 1600 个焊接节点（见图 4-14），彻底革新传统制造流程。

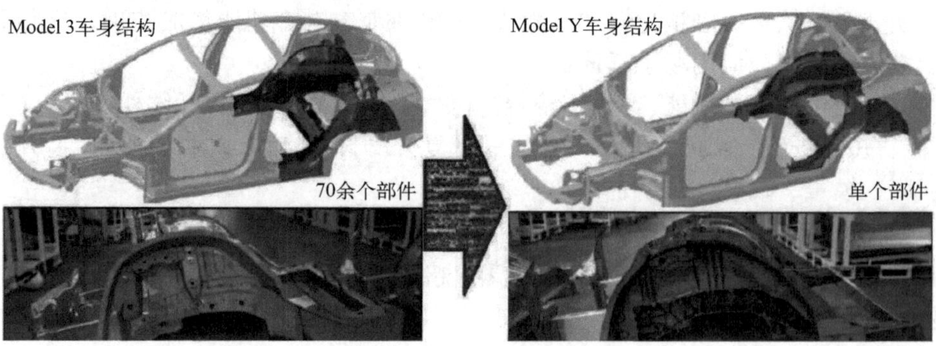

图 4-14 特斯拉一体化压铸件

主流的一体化压铸铝合金聚焦于 Al-Si（如 ADC12）和 Al-Mg（如 ADC10）两大系列。以 ADC12 为例，其硅含量达 10%～12%，兼具高强度（抗拉强度≥270MPa）与流动性优异的特点，且无需热处理即可满足汽车工况需求，完美契合一体化压铸对材料成型性能的严苛要求。此类材料已形成标准化体系，如 ADC12 对应国标 LY113 及美标 383，而 ADC7、ADC10 等牌号则因成本优势广泛用于中低端车型。值得注意的是，铝镁合金的轻量化优势（密度仅为钢的 1/3）与耐腐蚀特性，使其成为三电系统中电池包、电机壳体、电控散热件的核心材料选择。

该技术已引发汽车行业的连锁反应，如蔚来 ET5、小鹏 G9、极氪 001 等新势力车型均采用一体化压铸工艺，并逐步向传统汽车企业渗透。丰田 bZ4X、大众 ID. 系列及奥迪 e-tron 等车型亦跟进布局，标志着铝合金一体化压铸技术进入全面普及阶段。

4.6.2　压铸铝合金的 ICME

ICME 是 integrated computational materials engineering（集成计算材料工程）的缩写。在压铸铝合金领域，ICME 是一种先进的材料研发和工程应用理念，如图 4-15 所示。它将材料的设计、制备、加工、性能预测以及服役行为等多个环节通过计算工具和模型集成在一起。该技术可提高产品质量，缩短设计周期，降低开发和生产的成本。

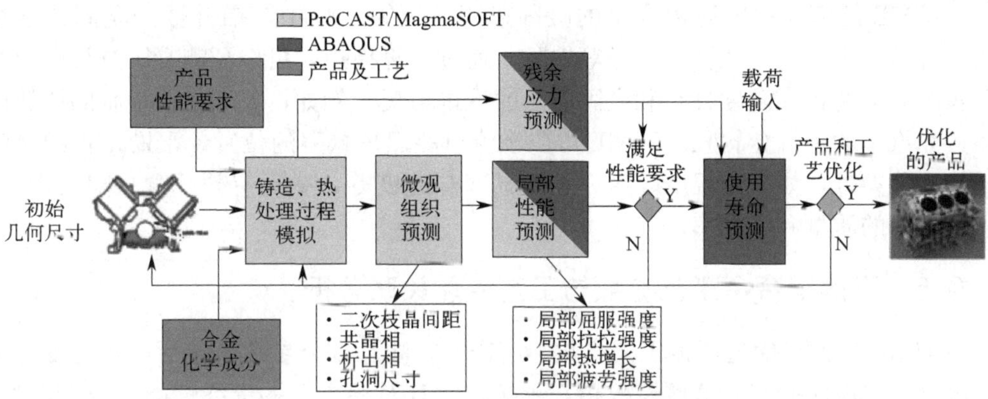

图 4-15　压铸铝合金 ICME 工程示意图

4.6.3　模拟预测不同合金元素添加对铝合金微观结构的影响

通过计算，能够预测不同合金元素添加对铝合金微观结构的影响，如图 4-16 所示。例如，在铝合金中添加硅（Si）、镁（Mg）等元素时，可以模拟这些元素在凝固过程中的分布情况。

根据模拟结果，可以设计出具有特定微观结构（如细化晶粒、形成特定相）的压铸铝合金，以满足所需的力学性能和物理性能。

因此，通过 ICME 可以对压铸铝合金的成分进行精准设计，并利用计算机模拟来预测不同合金元素及其含量对铝合金性能的影响。例如，在设计一种用于汽车发动机缸体压铸的铝合金时，ICME 可以模拟铝与硅、铜、镁等合金元素在不同比

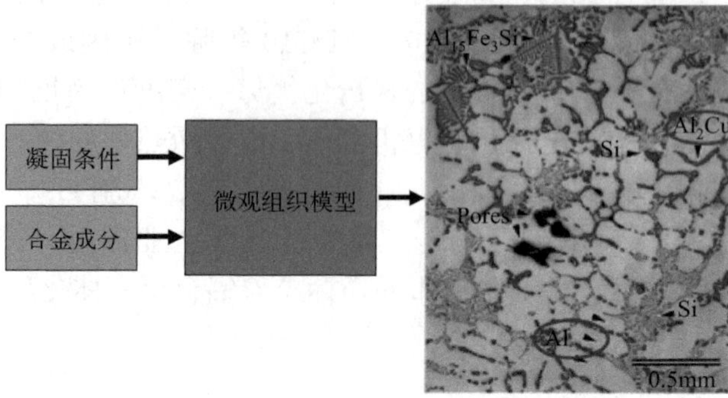

图 4-16　不同合金元素添加对铝合金微观结构的预测

例下的相形成、凝固行为和力学性能。这样能够快速筛选出最优化的合金成分组合，以获得理想的强度、硬度、韧性和耐热性等性能，同时还能考虑成本和可加工性等因素。

4.6.4　压铸铝合金凝固过程模拟与缺陷预测

ICME 能够模拟压铸铝合金的凝固过程。压铸过程中，铝合金的凝固速度很快，容易产生缩孔、气孔和热裂等缺陷。通过计算模拟，可以预测凝固过程中液态金属的流动路径、温度分布和凝固前沿的推进情况。例如，对于复杂形状的压铸产品，如汽车的铝合金轮毂，ICME 可以预测可能出现缺陷的位置，帮助工程师调整压铸工艺参数，如压铸温度、压力和模具冷却速度等，从而有效减少缺陷的产生，提高产品的质量和成品率。

4.6.5　压铸铝合金工艺参数与工艺性能关联分析

ICME 有助于优化压铸工艺参数。压铸工艺涉及多个参数，包括压铸速度、模具温度、保压时间等。这些参数相互影响，并且对铝合金的最终性能有很大影响。通过计算模拟，可以分析不同工艺参数组合下铝合金的填充情况、凝固行为和内部应力分布等。例如，在生产大型压铸铝合金结构件时，ICME 可以确定最佳的压铸工艺参数，使铝合金能够均匀填充模具型腔，减少内部应力集中，从而提高产品的尺寸精度和性能稳定性，并且能够建立工艺参数与产品性能之间的关联，为工艺的持续改进提供支持。

4.7　铝合金、镁合金的环保与回收技术

铝合金和镁合金作为轻量化核心材料，在汽车领域的应用逐渐增加，但其生产与回收过程中的环保与技术要求较高。以下从环保生产技术和回收技术两方面展开分析。

(1) 铝合金环保生产技术

① 低碳冶炼技术：采用惰性阳极电解替代传统碳阳极，消除 CO_2 排放（如美铝与苹果合作开发零碳铝技术）。

② 再生铝绿电熔炼：使用水电、风电等可再生能源熔炼废铝，较原生铝减排 95%。

③ 绿色合金设计：减少铁、铜等难去除元素，提升再生铝纯度，如诺贝丽斯（Novelis）Advanz™ 系列。

④ 免热处理合金：开发铸造后无需热处理的铝合金（如一体压铸底盘用 Al-Si-Mg 合金），降低能耗。

(2) 镁合金环保生产技术

① 绿色原镁提取：采用硅热法，利用绿电加热还原炉（如加拿大 EcoMag 项目），较传统皮江（Pidgeon）法能耗降低 30%。

② 盐湖提镁：从盐湖卤水提取镁（如死海镁厂），避免矿石开采的环境破坏。

③ 无污染表面处理：采用无铬钝化技术，替代含铬镀层，消除重金属污染。

④ 等离子电解氧化：形成耐磨陶瓷涂层，替代电镀工艺。

(3) 铝合金回收技术

① 分选技术升级回收铝合金：采用 AI＋高光谱成像，识别不同牌号铝合金（如区分 6061 与 7075），德国 SORT 项目分选精度＞95%。

② 激光诱导击穿光谱（LIBS)：实时检测废铝成分（如美国 TSI 公司 LIBS 系统)。

③ 超声波除杂，利用空化效应去除熔体中的铁、硅颗粒（剑桥大学研究）。

④ 闭环应用案例：a. 诺贝丽斯闭环系统：与捷豹路虎合作，将废铝直接回用于新车板；b. 特斯拉压铸废料再生：工厂内回收一体压铸废铝，重熔后用于新铸件。

(4) 镁合金回收技术

① 高值化应用：宝马 i 系列车门骨架使用 30%再生镁合金。

② 表面处理：回收的镁合金废料表面往往存在氧化膜等物质，需要先进行表面处理。采用化学腐蚀或机械打磨的方法去除表面氧化膜，将经过表面处理的镁合金废料放入熔炉中进行熔炼，通过调整熔炼工艺参数，去除杂质，回收得到纯度较高的镁合金。

综上所述，根据国际铝协数据，生产每吨再生铝相较于原生铝可减少 9.5t 二氧化碳排放。车企采购再生铝有助于降低产品全生命周期的碳排放，奔驰的 Ambition 2039 计划便是很好的例证。汽车用铝合金和镁合金的回收工作涵盖多个环节，涉及汽车制造商、废料收集企业以及回收处理企业等多方主体。目前，汽车制造商、材料供应商与回收处理企业正携手合作，积极开展回收技术的研发工作。其中，汽车制造商向回收处理企业提供汽车零部件的材料信息，助力回收处理企业更高效地进行废料分类与回收处理。

展望未来，新技术的开发将致力于实现汽车结构的可拆解性。例如，采用机械连接方式取代焊接工艺。特斯拉 Cybertruck 采用高强螺栓连接铝制底盘，使得拆解时间大幅缩短 60%。模块化设计同样有利于回收工作，比如将车身划分为多个可拆卸的铝模块，能够快速分离复合材料。

4.8 本章小结、创新点与思考题

(1) 小结 系统阐述了铝合金与镁合金在汽车轻量化中的核心地位与技术突破，重点解析了两类材料的性能特点、分类体系及其在车身、内外饰、底盘、三电系统的创新应用场景。铝合金凭借低密度、高比强度和优良的导热性，通过轧制、挤压、铸造及一体化压铸技术，在覆盖件、结构件、电池包等关键部件实现 30%～50%的减重效果；镁合金则以轻量化、卓越的阻尼性能和电磁屏蔽特性，在仪表板横梁、座椅骨架等部件展现独特优势。同时，集成计算材料工程（ICME）与一体化压铸技术的融合，通过微观结构模拟、缺陷预测和工艺优化，显著提升了材料性能与制造效率，但镁合金的耐蚀性瓶颈与成本波动仍需通过材料改性及规模化生产突破。本章通过多维度技术解析与典型应用案例，构建了轻量化材料从基础理论到工程实践的完整技术图谱。

(2) 创新点 本章在汽车铝合金与镁合金的轻量化应用领域呈现以下创新点：

① 材料体系。新型铝合金材料开发：研制出 6063-0.5Si-Cu-Mg 系机盖专用铝合金，通过硅、铜、镁协同强化实现抗拉强度 259MPa，同时满足行人保护与高速冲击要求。镁合金复合应用技术：提出 AM60B 镁合金压铸-挤压复合工艺，实现座椅骨架减重与模具成本节约。

② 铝合金副车架结构轻量化。在铝合金副车架轻量化设计中，通过融合 Optisruct、SFE、Isight 等工具软件，以及拓扑、尺寸、多目标、形状优化等技术，构建"优化驱动设计"路径，打破传统单一技术应用局限；精准设定涵盖重量、NVH 模态与刚度、强度、耐久性的多元量化目标，基于子系统细化和竞品分析，从独特的设计空间包络规划，到拓扑优化中以内部填充材料密度为变量追求体积分数最小、确保关键模态频率并控制不合理结构，再到形状优化聚焦中间支架节点扰动精准减重，形成一套紧密配合的优化策略。

(3) 思考题

思考题 1：依据铝合金的分类方式，阐述汽车领域应用的 5 系、6 系、7 系的主要合金元素、性能特点以及典型应用场景。

思考题 2：镁合金在汽车轻量化进程中具备哪些核心优势？结合具体案例，阐明其应用场景以及当前面临的主要挑战。

思考题 3：一体化铝合金压铸技术对汽车制造具有怎样的革命性意义？结合具体车型说明其技术优势以及材料选择依据。

答案

思考题 4：6061 和 6063 铝合金的不同热处理状态的强度有什么不同？

参考文献

[1] 白有俊．浅析电动汽车轻量化技术途径［J］．时代汽车，2019（05）：75-76.

[2] 路洪洲，马鸣图，游江海，等．铝合金汽车覆盖件的生产和相关技术研发进展［J］．世界有色金属，2008（05）：66-70.

[3] 吴华杰，谷芳，李建华．新型轻质汽车车身覆盖件研究进展［J］．小型内燃机与车辆技术，2016，45（06）：92-96.

[4] 刘贞山，李英东，赵经纬，等．汽车轻量化用铝合金材料及应用技术的研究［J］．中国材料进展，2022，41（10）：786-795，807.

[5] 王义林，刘勇，耿会程，等．高强铝合金热冲压成形技术研究进展［J］．航空制造技术，2019，62（16）：22-35.

[6] LIN J G，DEAD T，FOSTER A，et al. Process for Forming Metal Alloy Sheet Components：WO2008059242［P］. 2008-05-22.

[7] 金泉军，陈伟，张然然，等．汽车铝质防撞梁的轻量化设计及分析［J］．汽车实用技术，2018（07）：151-156.

[8] 周新星，李杨，杜梦．轻量化仪表板横梁应用趋势分析［J］．汽车工艺与材料，2025（01）：68-72.

[9] 雷稳．面向全生命周期的某汽车零部件生态评价研究［D］．福州：福建农林大学，2023.

[10] 高云凯，林典，余海燕，等．镁合金在座椅骨架轻量化设计中的应用［J］．同济大学学报（自然科学版），2009，37（07）：938-942.

[11] 韩洁丽．压铸镁合金在汽车座椅骨架上的应用开发［C］//2009 中国汽车工程学会年会论文集．北京：机械工业出版社，2009.

[12] 孙文龙．轻质材料应用于汽车轮毂的轻量化技术研究［D］．北京：北京理工大学，2016.

[13] 蒋燕超．镁合金轮毂反挤压工艺的数值模拟［D］．沈阳：东北大学，2020.

[14] 杨曼．关于提高铝合金副车架力学性能的研究［J］．铸造工程，2023，47（06）：11-15.

[15] 张明珠，程云，胡光山，等．低压铸造铝合金后副车架的组织与性能［J］．特种铸造及有色合金，2019，39（03）：283-286.

[16] 李水欣．新能源汽车锂电池用 3003 铝合金退火工艺研究［J］．汽车工艺与材料，2024（11）：22-26.

[17] 蒋秋妹，周伟，吴信康，等．电池托盘用 6061 铝合金型材的点蚀分析与热处理工艺优化［J］．特种铸造及有色合金，2025，45（07）：1050-1056.

[18] 刘云皓．镁合金电池箱产品开发及真空压铸工艺优化［D］．重庆：重庆大学，2019.

第5章 非金属材料及轻量化

5.1 非金属材料及轻量化应用

汽车工业领域所应用的非金属材料体系主要包含塑料、橡胶、玻璃、陶瓷、纤维织物、皮革及纤维复合材料等。相较于传统金属材料，这类非金属材料具有显著的轻量化优势，其低密度特性及优异的可设计性，可通过模块化集成设计减少零部件数量，或借助材料替代实现单体部件减重，从而有效达成整车轻量化目标。

5.1.1 汽车用非金属材料种类

汽车用非金属材料的种类很多，可根据功能需求进行针对性选择。以现代汽车制造业为例，先进工程塑料因其耐候性、耐腐蚀性和易成型等特点，广泛应用于内外饰件、功能结构件；纤维复合材料则凭借高比强度、抗疲劳性能等优势，逐步应用于车身覆盖件及承力构件。

(1) 塑料 塑料是以合成或天然高分子化合物（树脂）为主要成分的材料。除树脂外，常含增塑剂、稳定剂等添加剂，用于改善性能。

① 通用塑料：聚氯乙烯（PVC）、聚乙烯（PE）以及聚丙烯（PP）等，它们具备良好的耐化学腐蚀性、阻燃性和电绝缘性。然而，这类塑料对温度变化较为敏感。在汽车中，常被用于制造仪表板、地板隔热垫等部件。

② 工程塑料：聚碳酸酯（PC）、聚酰胺（PA）、丙烯腈-丁二烯-苯乙烯共聚物（ABS）、聚氨酯（PU）泡沫、聚对苯二甲酸丁二酯（PBT）、改性聚丙烯（PP）等。这些材料拥有相对出色的力学性能与热性能，常用于车身内饰件的制作。

(2) 纤维复合材料 纤维复合材料由树脂基体与增强纤维复合而成。在汽车领域，纤维复合材料主要分为短纤维增强复合材料和连续纤维增强复合材料。

① 短纤维增强复合材料：通常采用长度小于 20mm 的短切纤维作为增强体，这些纤维在树脂基体内呈无规则分布状态。此类材料主要应用于汽车的内饰件以及部分非承重部件。比如片状模塑料（SMC），它作为一种短纤维增强复合材料，成

型效率高，产品表面光洁度良好，外形尺寸稳定，适合大规模批量生产，尤其适用于制造截面变化不大的薄壁制品，在新能源汽车中已得到广泛应用。

② 连续纤维增强复合材料：由长度超过 20mm 的长纤维、丝束、非织造布、二维编织物等构成，这些纤维在树脂基体内按照设计，呈现出均匀且有规律的排列。在满足等刚度或等强度设计原则的前提下，连续碳纤维增强复合材料结构相较于低碳钢结构，减重幅度可达 50%以上；相较于铝合金结构，减重幅度也能达到 30%。从材料结构层面分析，连续碳纤维增强复合材料零部件具有各向异性的特性，其横向纤维强度低于轴向。这主要是由于纤维与基体之间的界面结合不够牢固，以及碳纤维本身就具有各向异性的特点。

(3) 其他非金属材料　橡胶、织物皮革、胶黏密封剂等非金属材料在汽车轻量化中同样发挥着重要作用。这些材料在减轻车辆重量、提升驾乘舒适性以及控制成本等方面具备显著优势。

5.1.2　汽车用塑料及复合材料主要类型

汽车用塑料及复合材料是在汽车制造领域具有关键作用的高性能材料，凭借独特性能优势，广泛应用于汽车多个部件制造，显著提升汽车综合性能。

(1) 聚碳酸酯 (PC) 材料　聚碳酸酯（PC）密度在 1.18～1.22g/cm^3，PC 可塑性与设计灵活性好，用于仪表板、门板、座椅靠背，提升美观度与舒适度。在电池和电控系统中，PC 材料凭借卓越的绝缘性能，有效阻隔电流异常传导，极大程度降低短路风险。PC 材料的轻质特点有助于优化电池结构设计，打造更高效紧凑的电池组，从而增强电池整体性能，为新能源汽车带来更强劲的动力输出与更出色的续航能力。

(2) 聚酰胺 (PA) 材料　聚酰胺（PA），俗称为尼龙，其密度通常处于 1.01～1.16g/cm^3 的区间。

在电池模组方面，电池模组的包壳常采用无卤、阻燃且经玻璃纤维增强的 PA6 材料。该材料性能卓越，能够耐受高达 800V 的电压，具备极强的阻燃性能，为电池模组的安全稳定运行筑牢防线。

PA6、PA66 等聚酰胺材料绝缘、阻燃以及耐热性能优良，广泛应用于汽车连接器。它们确保了汽车电路连接的稳定性与安全性。

(3) 丙烯腈-丁二烯-苯乙烯共聚物 (ABS) 材料　ABS 是丙烯腈-丁二烯-苯乙烯共聚物（acrylonitrile-butadiene-styrene）的英文缩写。在汽车领域的应用中，主要采用纤维或聚合物共混的方式对 ABS 进行改性，从而衍生出了诸如 ABS/PC、ABS/PA、ABS/PVC 等塑料合金材料，满足汽车零部件对于材料性能的严苛要求。例如耐热 ABS 材料的热变形温度处于 90～105℃之间，在内饰方面，常用于制造门板、副仪表板以及仪表板等装饰部件。

(4) 聚氨酯 (PU) 泡沫材料　PU 泡沫，全称为聚氨酯泡沫，是以异氰酸酯与多元醇作为主要原料，在催化剂、发泡剂、稳定剂等各类助剂协同作用下，历经发泡反应制作而成。

PU 泡沫密度变化范围较广。用于隔声的低密度 PU 泡沫密度低至 0.03～0.5g/cm^3。低密度 PU 泡沫凭借其轻量化、吸声降噪、能量吸收、环保可持续以及多功能性等优点，在汽车行业中得到了广泛应用。

(5) 聚对苯二甲酸丁二酯（PBT）材料 PBT 材料全称为聚对苯二甲酸丁二酯（polybutylene terephthalate）。PBT 材料拥有良好的综合性能，常见于汽车反射镜外壳、保险杠、门把手以及顶棚等部件，通常采用添加玻璃纤维和无机填料（如滑石粉、云母、玻璃微珠等）的方式，改善耐久性能。

(6) 改性聚丙烯（PP）材料 PP 是由丙烯聚合而制得的一种热塑性树脂，密度通常在 0.89～0.91g/cm^3 之间。填充改性 PP 通过在 PP 中加入无机填料，如滑石粉、碳酸钙、纳米碳酸硅等，显著提高材料的刚性和强度。填充改性 PP 用于汽车内饰件，如仪表板、门内板、车门护板等，这些部件需要较高的刚性和尺寸稳定性。

① PP＋EPDM-T 材料。PP＋EPDM-T 是一种改性聚丙烯材料，由聚丙烯（PP）、三元乙丙橡胶（EPDM）和滑石粉（T）共混而成。PP＋EPDM-T20 表示该材料中滑石粉的含量为 20%。PP＋EPDM-T30 则表示滑石粉含量为 30%。PP＋EPDM-T20 可用于汽车车门密封条和仪表板等；PP＋EPDM-T30 可用于汽车尾门的外板材料等。

② PP-LGF 材料。PP-LGF 是指长玻璃纤维增强聚丙烯。它是通过将长玻璃纤维（一般玻璃纤维长度大于 10mm）与聚丙烯树脂进行复合而得到的一种高性能热塑性复合材料。在这种材料中，玻璃纤维作为增强相，均匀地分散在聚丙烯基体中。

(7) 片状模塑料（SMC） SMC 是片状模塑料（sheet molding compound）的缩写，它是一种由树脂、增强纤维、填料、引发剂、增稠剂、脱模剂和颜料等多种成分组成的预浸料片材。SMC 材料的成型工艺相对简单，可以通过模压成型的方式制造出高质量的产品。这种工艺不仅提高了生产效率，还能确保产品的尺寸稳定性和表面光滑度。

(8) 聚苯醚（PPO）/聚酰胺（PA）合金材料 PPO/PA 合金是指将聚苯醚和聚酰胺两种材料进行共混改性而得到的一种新型材料。这种共混材料结合了 PPO 和 PA 的优点，能够在一定程度上弥补彼此的缺点。通过共混，PPO/PA 合金材料可以具有更好的综合性能，如兼具良好的力学性能（包括强度、韧性和刚性）、耐热性、耐化学腐蚀性和尺寸稳定性等，同时在加工性能方面也能有所优化。

(9) 玻璃纤维毡增强热塑性复合材料（GMT） GMT 是玻璃纤维毡增强热塑性复合材料（glass mat reinforced thermoplastics）的英文缩写。它是一种纤维增强的热塑性复合材料，具有良好的力学性能、成型性和可回收性。GMT 可用于制造车身底部防护板、座椅骨架、仪表板骨架等。

(10) 聚苯硫醚 (PPS) 材料　聚苯硫醚（PPS）是一种高性能热塑性树脂，具有耐高温、耐腐蚀、力学性能优异等特点。PPS 密度约为 1.34g/cm^3，并且在薄壁状态下仍能保持良好的刚性和强度。PPS 的长期使用温度可以达到 200～240℃。在短时间内，它甚至能够承受高达 260℃的高温。在新能源领域的应用中，PPS 在应对诸如电池组件在充放电过程中产生的热量积聚，以及电机在高速运转时的高温环境等场景时，展现出极大的优势。

(11) 碳纤维增强复合材料 (CFRP)　碳纤维增强复合材料（carbon fiber reinforced polymer，CFRP）是一种由碳纤维和聚合物基体构成的复合材料。碳纤维作为增强材料，赋予 CFRP 高强度和高模量，而聚合物基体则负责黏接碳纤维并传递载荷，保护碳纤维免受环境损害。

5.2 非金属材料在车身系统的应用

5.2.1 塑料后尾门（轻量化与成本优势）

(1) 塑料后尾门简介　后尾门主要是指 SUV 或两厢轿车尾部后背上的车门，一般由尾门本体、尾门附件及尾门内外饰件三大部分组成。尾门本体是各种附件、内外饰件的载体，是后尾门最主要的部分，本节主要介绍尾门本体的轻量化。塑料后尾门主要是指后尾门的内板、外板（包括扰流板）采用塑料，如图 5-1 所示。

图 5-1　塑料后尾门示意图

(2) 塑料后尾门的轻量化与成本效益分析

① 轻量化优势。塑料密度仅为钢材的 1/6～1/5。以典型轿车后尾门（质量约 8～12kg）计算，采用塑料可减重 50%～70%，整车减重效果显著。塑料可通过一体化注塑成型实现复杂几何结构（如集成储物格、导流槽），减少额外加强件，进一步降低重量。

② 成本优势。塑料后尾门采用整体注塑工艺，可替代传统钢制多部件拼焊结构（如 20 多个钣金件＋焊接点）。例如采用钢制方案，材料成本占比约 45%，焊接工艺费用占 30%，模具开发成本高（单套模具超 50 万元）。而采用塑料方案，材料成本虽高于钢（约 1.5 倍），但模具寿命长（百万次以上），工艺简化使总成本降低 20%～30%，规模化生产后成本差距进一步缩小。

③ 典型应用案例。特斯拉 Cybertruck 可选配碳纤维增强塑料（CFRP）后尾门，减重 50%的同时提升抗穿刺能力。蔚来 ET5 的后尾门采用一体化 PP 注塑＋玻纤增强结构，质量降低 40%，成本较钢制方案低 18%。

塑料后尾门通过材料创新与集成设计，在轻量化（减重 50%～70%）、成本控制（规模化生产下接近钢制方案）及性能优化（安全性、耐候性、功能集成）三方面形成综合优势。其推广将加速汽车制造业向轻量化、模块化方向转型，尤其适用于电动车续航提升与燃油车节能需求。

(3) 塑料后尾门的发展及开发 回顾塑料后尾门的发展历程，其演进大体可划分为三个阶段：最初的全热固性塑料后尾门，到中期的热固性塑料内板搭配热塑性塑料外板，再到全热塑性塑料后尾门。在第三代全热塑性塑料后尾门中，内板主要选用长纤增强 PP 材料，常见类型为 PP-LGF30 和 PP-LGF40，此类材料凭借长玻璃纤维增强，赋予内板优异的强度与刚性。外板则主要采用改性 PP 材料，即 PP+EPDM-T20 和 PP+EPDM-T30，它们结合了三元乙丙橡胶与滑石粉的特性，提升了外板的耐候性、柔韧性及外观质感。

塑料后尾门可集成尾门锁、线束、玻璃、上下装饰板等十几个零件于一体，简化了零件之间连接的复杂结构，提高了装配效率。

例如，武卫星等开发了一种后尾门总成，见图 5-2[1]。

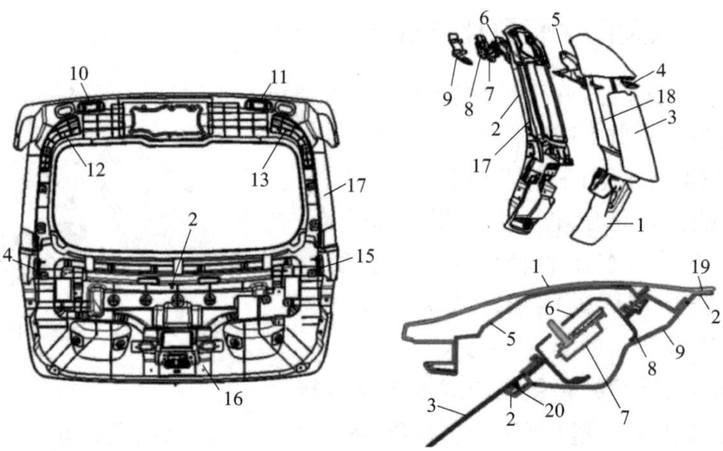

图 5-2 新型塑料后尾门总成

1—外板；2—内板；3—挡风玻璃；4—高位制动灯；5—外板防水板；6—雨刮电机防水板；7—雨刮系统；8—电机安装板；9—电机装饰板；10—左铰链加强板；11—右铰链加强板；12—左上加强板；13—右上加强板；14—左气弹簧加强板；15—右气弹簧加强板；16—背门锁加强板；17—第二玻璃安装面；18—第一玻璃安装面；19—内外板胶；20—玻璃胶

传统钢板后尾门的构造极为繁复，由外板、内板、中间加强板、电气件、铰链、后尾门锁、缓冲块、限位块、电撑杆，以及上、下、左、右内护板等众多部件共同构成。在生产组装环节，大多零部件需要在黏合线上进行拼接，而其余部件则需在总装线上逐个装配。这种金属材质的后尾门，不可避免地存在重量偏大的问题。

针对上述问题，图 5-2 所示的新型后尾门总成，创新地将雨刮器以隐藏式的方式集成安装于后尾门总成内部。这款全塑后尾门总成主要由外板（1）、内板（2）和挡风玻璃（3）组成。雨刮系统（7）包含雨刮器及其驱动机构，通过特定的紧固安装结构，连接在内板背离外板（1）的一侧。内板（2）与外板（1）的外边沿，运用内外板胶（19）进行黏接。此连接方式不仅操作简便易行，还能可靠地确保内、外板之间形成封闭的空腔，从结构稳固性和功能完整性两方面，切实有效地满足了后尾门总成的设计要求。

5.2.2 塑料前端框架（轻量化与集成化）

(1) 前端框架简介　前端模块（图 5-3）是指以前端框架作为载体，集成前保、前格栅、前大灯、防撞梁、发罩锁、散热器、冷凝器、电子扇等全部或者部分零件，形成的一个相对独立的模块化总成，如图 5-4 所示。

前端框架是指汽车前部，用于装配或者集成汽车前部零件的框架结构。前端框架是汽车前端模块的核心部件，用于承载散热器系统，承受机盖锁拉力，保证各安装部件刚度等要求。相对于传统钣金前端框架，塑料前端框架减重超过 30%[2]。

图 5-3　前端模块总成示意图

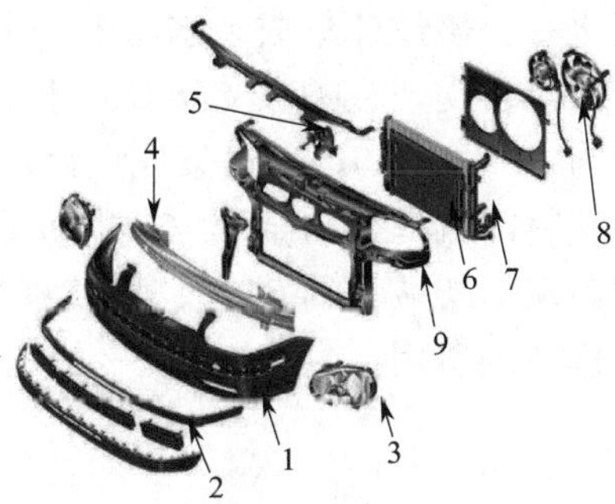

图 5-4　前端模块爆炸图

1—前保；2—前格栅；3—前大灯；4—防撞梁；5—发罩锁；6—冷凝器；7—散热器；8—电子扇；9—前端框架

(2) 前端框架的材料应用　常见的汽车前端框架主要包含四种类型（图 5-5），分别为钣金结构前端框架、镁/铝合金结构前端框架、复合材料与钣金的混合结构前端框架，以及全塑结构前端框架。钣金结构前端框架属于汽车钣金件，汽车钣金件是指汽车的金属薄板件，一般是由钢板制成。

全塑的前端框架大幅削减了钣金件的使用，既无需进行任何嵌件的生产，也不存在相关装配操作，直接通过注塑成型即可。这种方式极大地提高了生产效率，逐渐成为行业主流选择。

前端框架对材料的性能要求比较高，材料的本身性能对产品性能影响较大，如比强度、比刚度、热胀系数、耐环境性能、可加工性等。另外，选材时还要考虑生

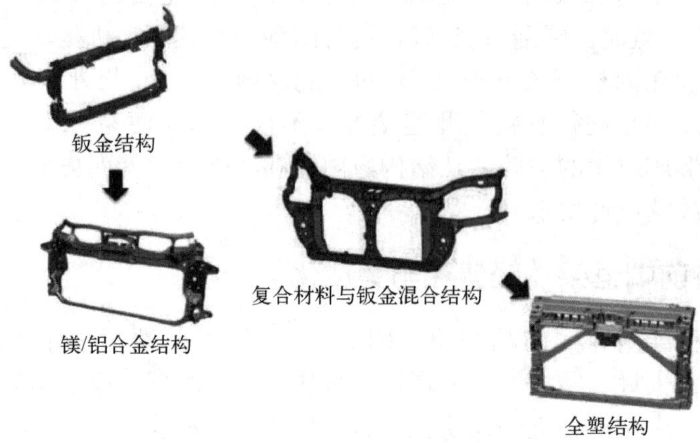

图 5-5　前端框架的类型与发展过程

产费用等，如材料价格、用料量、加工成本、设备投入等。

塑料前端框架集成模块，是通过结构优化和材料替代实现零件轻量化的最典型案例之一。该设计集成了水箱上、下横梁，以及水箱横梁立柱、散热器支架、大灯臂、保险杠支架、喇叭支架等几十个零部件总成。以某款车型全塑前端框架为例，材料为 PP-LFT40，通过集成设计，将原来的 28 个金属零件集成为一个零部件。

塑料前端框架与金属（钢材）前端框架对比结果如图 5-6。相比于金属方案，塑料前端框架减重约 54%。另外零件的集成减少了工序，提高了工艺效率，还能降低模具的费用。

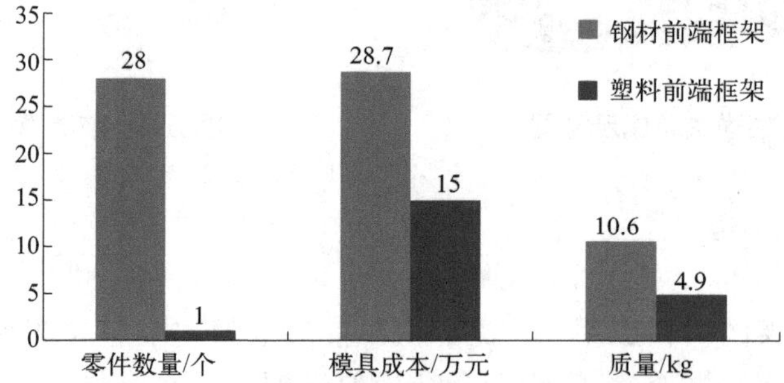

图 5-6　金属前端框架与塑料前端框架对比

（3）PP-LGF 材料汽车前端框架　材料在汽车前端框架应用中，正朝着性能更优（高强度、高耐热、抗冲击）、成型工艺多元高效智能化、应用拓展至新能源汽车及多材料复合方向发展。

需要注意的是，PP-LGF 材料在注塑成型过程中，复合材料会发生沿玻纤取向或垂直玻纤取向，成型后制品的力学性能呈现各向异性。例如，PP-LGF30 沿玻纤取向时，材料弹性模量高、屈服强度大，经历弹性、屈服、强化到断裂阶段，各阶段性能表现良好。垂直玻纤取向，材料弹性模量与屈服强度较低，断裂伸长率较大，在不同阶段展现出与沿玻纤取向不同的特性。因此，需要进行材料设计。

周琴平等[3] 采用30%长玻纤增强聚丙烯材料设计前端框架，对长玻纤材料性能影响因素（玻纤含量、纤维取向）进行了研究（得到如图5-7所示的曲线），并基于塑料前端框架应用，为达到产品所定义要求的性能，如刚度、强度、模态等，同时满足产品设计边界，运用OptiStruct模型中的多工况拓扑优化、尺寸优化，达到了最优轻量化设计。

研究发现，随着玻纤含量逐步上升，LFT-PP材料的密度随之增大，其力学性能也得以全面提升，涵盖拉伸性能、弯曲性能以及韧性等多个方面。具体而言，当玻纤质量分数从30%攀升至50%时，LFT-PP材料的拉伸强度由118MPa跃升至140MPa，提升幅度达18.6%；弯曲强度从160MPa提升至200MPa，涨幅为25%。这清晰地表明，在玻纤含量处于30%～50%这一区间时，材料的力学性能呈现出极为显著的增强态势。

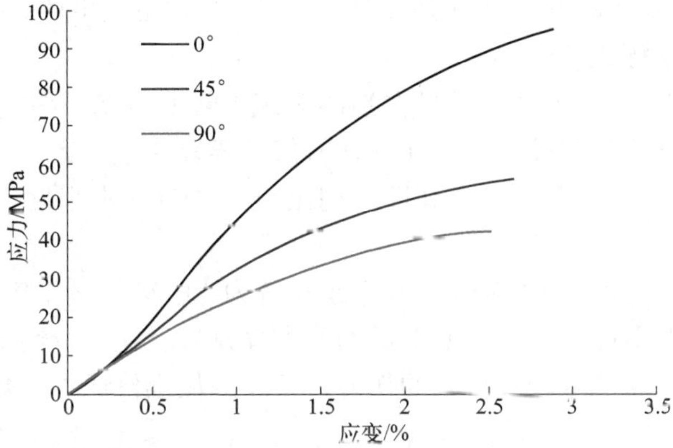

图5-7　PP-LGF30材料常温下不同取向的应力-应变曲线[3]

5.2.3　塑料翼子板（轻量化与在线涂装）

5.2.3.1　塑料翼子板的轻量化

塑料翼子板（图5-8）不仅能够显著减轻车身重量，还在行人保护方面表现更为出色。塑料翼子板依据成型工艺的差异，主要分为注塑和模压这两种类型。在注塑工艺中，所采用的材料主要包括PPO与PA合金、PP＋EPDM-T30；而模压工艺所使用的材料则主要是SMC[4]。

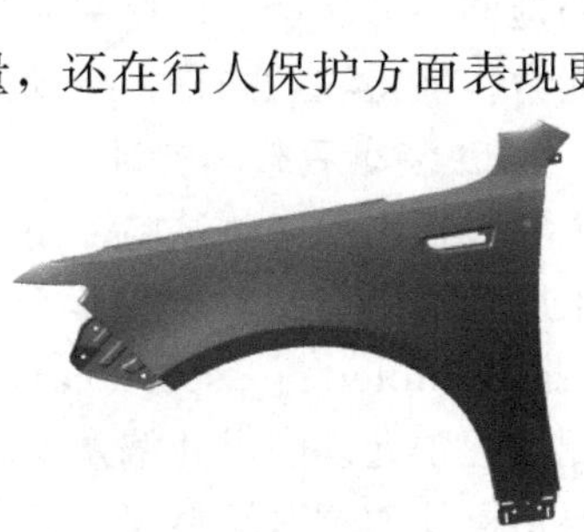

图5-8　塑料翼子板

以刘阳等人的研究成果为例，他们通过匠心独运的设计以及严密审慎的仿真分析与验证流程，成功实现了将钢质翼子板向塑料翼子板的优化转型。

原有的钢制翼子板系统由 7 个零件组合而成，整体质量达到 3.354kg。而经过优化设计后的塑料翼子板，巧妙地集成为单一构件，质量仅为 1.727kg。由此可见，塑料翼子板不仅极大程度地减少了零件数量，在质量方面，相较于钢质翼子板更是实现了 48.5%的显著降低。

5.2.3.2 塑料翼子板的在线涂装

(1) 塑料翼子板材料 塑料翼子板常用材料主要有三类：

① PP-M30 聚丙烯材料：专为离线喷涂工艺设计，通过添加 30%玻纤改性提升刚性，广泛应用于经济型车型的批量生产。

② PPO 与 PA 合金材料：采用尼龙 6 与聚苯醚（PPO）共混技术，具有优异的尺寸稳定性，特别适配机器人在线喷涂工艺，多用于主流品牌的中端车型生产线。

③ SMC（片状模塑料）：作为复合材料代表，兼具离线喷涂和在线涂装的工艺兼容性。其高强度、耐候性优势显著，但受限于 180℃高温模压成型工艺和 15 万～20 万元/t 的材料成本，主要应用于豪华车型的个性化定制生产。

(2) 塑料翼子板性能

① 密度：PPO 与 PA 合金材料在性能表现上极具优势。它的密度较低，使用该材料制成的部件重量相较于 PP-M30 材料部件要轻 6%。

② 韧性：PPO 与 PA 合金的韧性表现出色，缺口冲击强度达到了 PP-M30 的 1.9～2.3 倍。

③ 弯曲模量：PPO 与 PA 合金的弯曲模量为 PP-M30 的 70%，这意味着它具备较强的抗弯曲变形能力，碰撞变形后的回弹性良好。这种特性不仅有利于行人保护，即在发生碰撞时能减轻对行人的伤害；还能降低维修成本，减少因碰撞变形带来的高额维修费用[5]。

④ 在线烘烤前、后性能对比：PPO 与 PA 合金塑料翼子板在烘烤前、后的性能对比情况如图 5-9 所示。试验段烘烤条件分别为 190℃/30min、160℃/30min 和 150℃/25min，这三种条件分别模拟了电泳、中涂和面漆这三个层次的烘烤温度。从试验结果可看出，经烘烤后，塑料翼子板的应力相较于烘烤前有所降低，但材料的延伸率显著增加。这一变化使得翼子板的塑性得到优化，拥有了更为出色的变形能力。值得注意的是，冷却前后的变形差异并不明显，整体性能表现较为稳定。

⑤ 装车后整车验证：用于验证塑料翼子板的整车级别试验涵盖多个重要项目，主要包括高温暴晒试验、耐久循环测试以及四立柱环境舱动态验证。在各项试验结束后，需要对安装在实车上的翼子板进行 DTS 匹配测量。这里的 DTS 通常是指"design tolerance specification"，即设计公差规范，它规定了汽车零部件之间在装配过程中允许的尺寸偏差范围等要求，是确保汽车整体外观、装配质量和性能的重要指标。通过对塑料翼子板进行 DTS 匹配测量，来确认 DTS 的符合率。经实际验证，塑料翼子板的 DTS 测试结果符合要求，这充分说明该产品满足了设计要求。

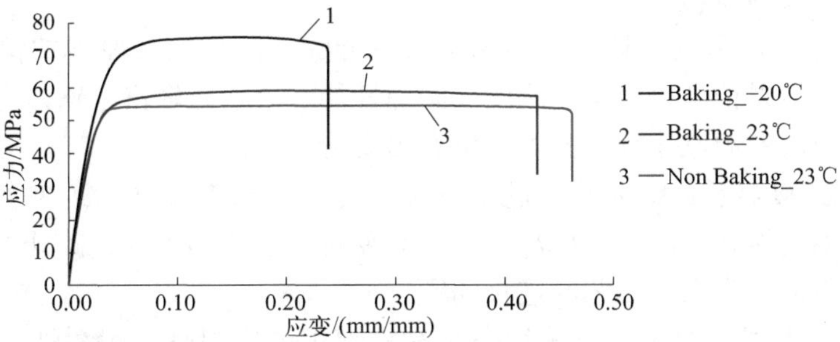

图 5-9　塑料翼子板（PPO 与 PA 合金）烘烤前后的力学性能变化曲线

5.2.4　结构胶的轻量化应用（提升刚度和模态）

（1）结构胶的应用　采用结构胶可以改善零件结构设计和减薄零件，但零件减薄势必会影响车身的安全性能，这就需要对车身的刚度和模态进行局部提升。结构胶不仅可以起到密封、异种材料的连接作用，还可以有效提升车身刚度和模态。

结构胶在汽车的多种部位应用广泛。在车身结构上，汽车结构胶用于车门、引擎盖、行李厢等部件的黏接，增强结构强度和整体刚性，减少了传统连接方式中螺栓、铆钉等的使用，从而减轻了车身重量。在底盘组件中，结构胶用于悬挂系统、制动系统等部位的黏接，提升了整体结构的安全性和稳定性，同时也有助于实现底盘的轻量化。在电动汽车的电池组件黏接中，环氧结构胶保证了电池系统的安全性和稳定性，并且其轻质的特点也为电动汽车的续航里程作出了贡献。

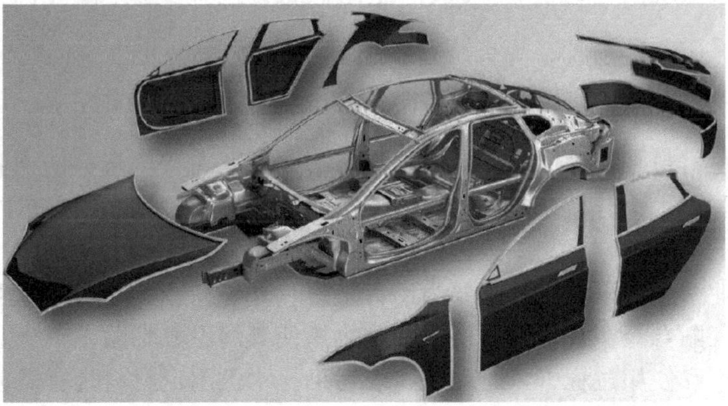

图 5-10　车身可用结构胶的区域示意图

所有车身板件的连接，都可以通过结构胶的辅助连接，提高其强度和刚性，图 5-10 为车身可用结构胶的区域示意图。具体哪些部位可以通过增加、降低钢板厚度来实现轻量化，需要 CAE 分析、试验分析等一系列的验证，从而确保最终的刚度和强度满足要求。

（2）结构胶的作用

① 助力车身轻量化：通过使用结构胶，能够在降低钢板厚度的情况下，依然确保车身具备与以往同等水平的刚度和防撞性能，有效减轻汽车整体重量，为提升燃油经济性与新能源汽车续航能力提供有力支持。

② 攻克连接难题：极大地推进了汽车车身混合材料设计，解决了钢、铝、非金属材料等不同材料之间的连接难题，同时妥善处理了铝车身、碳纤维板以及边角内部位置等不适用于点焊工艺的连接问题。

③ 提升车身综合性能：显著增强了黏接部位的密封性、耐久性，以及对化学腐蚀和电腐蚀的抵抗能力。还有效提升了车身的 NVH 性能，为车内营造更为安静、舒适的驾乘环境。

④ 优化制造工艺与成本：能够简化车身焊接工艺，减少焊点数量。这不仅降低了焊接过程中的人力、物力投入，还减少了因焊接缺陷导致的返工成本，全方位降低汽车制造的综合成本。

（3）结构胶材料与工艺的发展　研发具备更高黏合强度、更低密度，以及更出色耐腐蚀性与耐热性的结构胶，已然成为行业热点。例如，陶氏公司面向新能源汽车市场发布新一代弹性导热结构胶，该系列结构胶兼具高黏合强度与低存储模量。低存储模量不仅有助于长期吸收振动能量，应对电池包日常低幅高频振动，保护电芯行驶安全，还能在严苛环境下保持良好的黏合强度。该系列弹性导热结构胶已成功应用于上汽 MG MULAN（MG 4）所搭载的“魔方”电池中[6]。

在生产工艺层面，借助自动化生产设备、在线监测系统和大数据分析等智能制造技术，能够实现汽车结构胶从原料配比、混合搅拌到成品产出的全流程精确把控。

5.2.5 水性阻尼材料轻量化技术（轻量化与汽车舒适性）

水性阻尼材料是一种以高分子树脂聚合物（主要有聚丙烯酸、橡胶、PVC 等）为主要成分，以水为分散介质，辅以阻燃剂、填料、助剂等，用于车内地板、门板等位置的阻尼材料。

汽车行业常用的阻尼产品主要为沥青阻尼和环氧树脂。在实际应用中，这类产品需依靠人工贴合至车身，随后通过涂装烘烤使其熔融并粘贴在车身上。然而，这种产品在生产和使用过程中，对环境造成污染。水性阻尼材料具有显著优势：它绿色环保，减少了对环境的污染和对人体健康的潜在危害；密度小，有助于实现汽车轻量化，提升车辆的动力性能和燃油经济性。

水性阻尼材料无论从性能、环保，还是从生产工艺方面比较，都优于沥青阻尼材料，但也存在一些劣势，如设备投入较大、材料成本较高等问题，而且施工工艺和设备对水性阻尼材料的应用有着重要的影响。产品应用时需提前对施工现场进行确认和设备安装调试，根据产品定义和车身数据，完成机器人喷涂路径和速度（厚度）的轨迹编程。因为属于水性产品，水性阻尼材料对施工设备防腐、保温、喷枪等要求较高。

使用沥青阻尼材料，单车质量 5.75kg；使用水性阻尼材料单车质量仅有 3.0kg，单车质量减小 2.75kg。

与其他阻尼材料不同，水性阻尼材料主要通过将振动机械能转化为热能进行消散，从根源上实现阻尼降噪的作用。相对于传统的沥青阻尼材料，水性阻尼材料不含有机溶剂，可降低工艺车间 VOC（挥发性有机物）和颗粒排放；水性阻尼材料的阻尼因子提升近 50%。

陈超福等通过对比不同方案阻尼材料的整车 NVH 性能，发现水性阻尼材料损耗因子更高，可提高汽车舒适性。水性阻尼材料具备优异的减振降噪性能，同时拥有良好的耐热性、抗寒性、防老性以及极强的黏接性。使用该材料能够有效提高整车的减振降噪性能和舒适性能，为用户带来卓越的驾乘体验，增强产品的市场竞争力。此外，使用水性阻尼材料还有助于提高生产线自动化程度，实现少人化生产，降低公司运营成本[7]。

水性阻尼材料的应用区域及局部喷涂效果如图 5-11 所示。

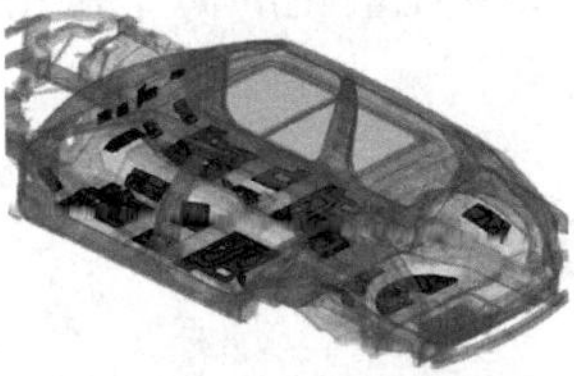

(a) 水性阻尼材料应用区域

(b) 水性阻尼材料局部喷涂效果图

图 5-11　水性阻尼材料应用区域及局部喷涂示意图

5.2.6　薄壁低密度 PP 材料的开发与应用（作者团队的开发案例）

作者团队开发了车身关键件内饰板，分析了多种不同轻量化方案的优势。经过严谨论证，设计了具备更优轻量化效果的门内饰板方案，即薄壁低密度 PP 材料替代传统 PP＋EPDM-T20，应用在薄壁门内饰板上，在不增加零部件综合成本的情况下，最大程度地实现减重[8]。

（1）材料开发　普通低密度改性 PP 材料的模量不高，可通过产品结构设计增强刚性，降低对材料刚性的依赖。壁厚过薄会大幅提高产品设计与生产工艺的难度，带来诸多潜在风险。经综合分析，针对薄壁化＋低密度方案，将门内饰板的壁厚设计为 2.3mm，相较于传统的 2.5mm，壁厚减薄了 0.2mm。采用弯曲模量超 1700MPa 的高模量 PP＋EPDM-T10 材料，取代传统的 PP＋EPDM-T20 材料。

（2）量产应用验证　在完成材料性能测试以及零部件性能验证后，薄壁低密度门内饰板应用于在量产车型中实现推广应用，市场反响颇为良好。图 5-12 所示即为已实现量产的某车型门内饰板。

图 5-12 量产的薄壁低密度门内饰板

以量产门内饰板为实例展开分析，产品壁厚从 2.5mm 减薄至 2.3mm，通过薄壁化设计实现了 8%的减重效果。从材料方面来看，PP+EPDM-T20 材料的密度为 1.05g/cm^3，而 PP+EPDM-T10 材料密度仅为 0.97g/cm^3，材料密度的降低带来了 7.6%的减重成效。经综合计算，零部件整体减重幅度可达 15.6%，在轻量化方面取得了显著成果。

(3) 成本分析 原材料 PP+EPDM-T10 的价格相较 PP+EPDM-T20 仅高出约 10%，经过门内饰板的结构设计，薄壁低密度门内饰板单件用料量减少 10%以上，单件原材料成本处于同一水平。此外，薄壁低密度门内饰板在模具设计、生产工艺以及设备投入等环节，均无需特殊要求，并未增加额外费用。经综合核算，与传统门内饰板相比，新型薄壁低密度门内饰板的成本无增加。

综上所述，作者团队开发了适用于门内饰板轻量化的薄壁低密度 PP 材料，在不增加成本的情况下，实现 15.6%的减重效果。

5.3 非金属材料在内外饰系统的应用

内外饰塑料零部件的轻量化，主要围绕 PP 及长纤增强材料开展，如内饰护板、保险杠、仪表板等的薄壁化、低密度化，主要是以矿粉改性 PP 材料为主；底护板、蓄电池支架、塑料座椅骨架等，均是以玻纤增强 PP 材料为主。另外，TPE 替代软质塑料、传统橡胶，PC 替代钢化玻璃等，也是内外饰重要的轻量化发展方向。

在汽车的内外饰领域，应用最为广泛的高分子材料当属 PP（聚丙烯）、PC+ABS（聚碳酸酯与丙烯腈-丁二烯-苯乙烯共聚物的合金）、PU（聚氨酯）以及 ABS（丙烯腈-丁二烯-苯乙烯共聚物）。这些材料由于具备更高的强度、刚性、耐热性以及耐化学腐蚀性等特性，更多地被用作汽车的结构件或功能件，在保障汽车力学性能、安全性以及功能性方面发挥着关键作用[9]。

5.3.1 塑料仪表板横梁（轻量化与集成化）

与金属仪表板横梁相比，塑料仪表板横梁的轻量化通过全塑横梁结构的零件减少和模块化实现。以某款车型金属仪表板横梁替换为塑料仪表板横梁为例，由原来的 33 个分零件集成到一个零件上，从而实现单一产品多结构模块化安装。

全塑仪表板横梁的设计不仅提高了生产效率，还实现了轻量化与 NVH 目标。

长玻纤增强 PA6 材料被开发用于仪表板横梁，并已在部分车型上成功应用。这种材料具有出色的抗蠕变性能和耐疲劳性能，同时具备良好的高低温抗冲击性能。

金属仪表板横梁与塑料仪表板横梁比较如表 5-1。

表 5-1　金属仪表板横梁与塑料仪表板横梁比较

项目	金属仪表板横梁	塑料仪表板横梁
示意图	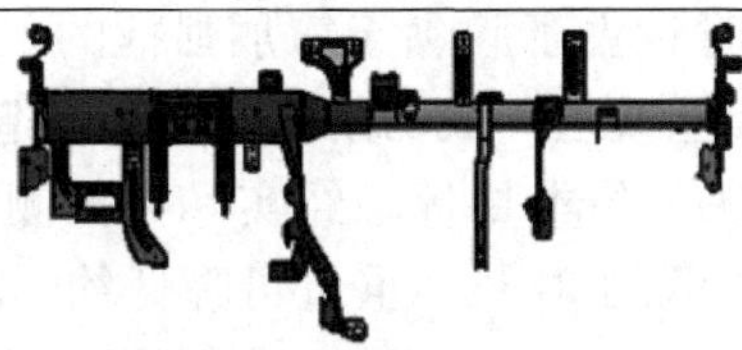	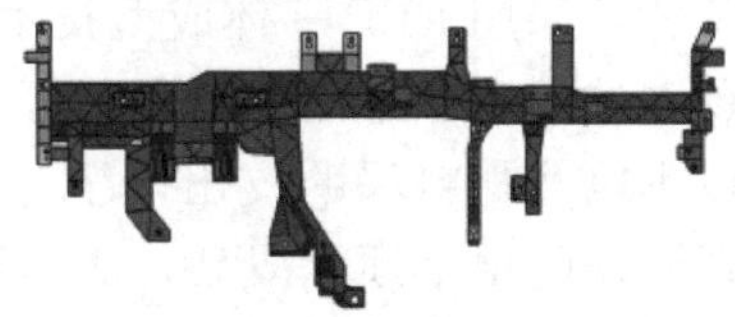
工艺	焊接	注塑成型
零件数	33 个	1 个
材质	①仪表板横梁管：Q345A、10＃ ②其他分零件：SPCC	PPA-LGF60（60％长玻纤增强 PPA）
壁厚	①横梁管：1.2mm；②板材：1.5mm	①主体：3mm；②加强筋：2mm
质量	约 7kg	约 4kg
减重率	43％左右	

5.3.2　复合材料顶棚（轻量化与环保性）

顶棚是整车内饰组成的重要部分，它的主要作用是提高车内的装饰性，同时还具有隔热、绝热效果，能够降低车内噪声、提高吸声效果等，如图 5-13。

汽车内饰顶棚零件由面料层、基材层和背面无纺布复合而成，传统汽车顶棚的基材层有不可回收的 PP 玻纤、PU 玻纤板；复合时使用的胶层，对顶棚产品及整车非金属零部件气味性等级、VOC 挥发量都有着不利的影响。

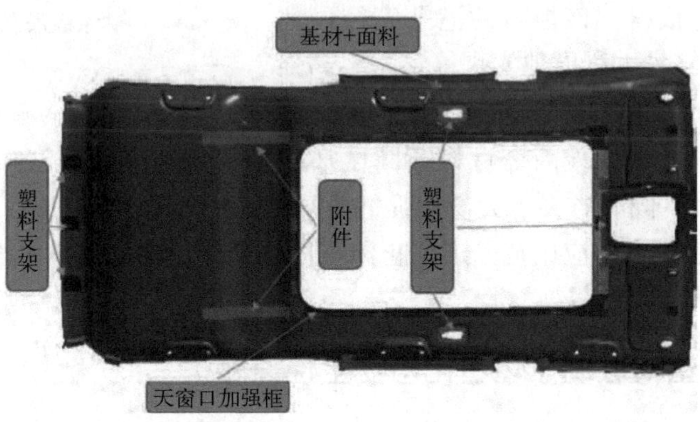

图 5-13　乘用车顶棚典型结构

汽车工程师针对顶棚产品开展了深入探究，聚焦于轻量化、低成本以及更加环保的材料应用领域。

(1) 轻量化优势 在顶棚材料中，EPP（发泡聚丙烯）材料是轻量化的典范，EPP 材料发泡倍率处于 10～15 倍的范围，与传统顶棚材料相比，其密度更低，重量更轻，这为顶棚的轻量化提供了切实可行的解决方案。

(2) 成本控制成效斐然 EPP 材料具备独特的一体成型天窗加强框的能力，这一特性使其在成本控制与性能展现方面优势尽显。它摒弃了传统的 PU 玻纤板模压工艺，采用 EPP 一体成型技术，同时省去了胶黏天窗加强框的工序，直接取消了单独的天窗加强框。赵会芳等通过工艺改进，成功削减了模具制造费用、人工操作成本以及材料采购支出，全方位实现了降本目标。经实际数据测算，使用 EPP 材料制作的单个顶棚成品，成本能够降低约 37%，重量可降低约 45%，降本减重效果十分突出[10]。

(3) 环保特性突出 从环保角度来看，EPP 材料的主要成分是聚丙烯，自身气味散发程度较低。其采用二氧化碳物理发泡方式，在发泡过程中无需添加化学物质，不会产生任何挥发性物质，有效减轻了对环境的污染，符合当下绿色环保的发展理念。

(4) 制造工艺先进 聚丙烯物理发泡淋涂板（图 5-14）的聚丙烯原料，其线性分子链结构独特，且构建气泡结构所需的构面难以形成，工艺难点是该原料易结晶，很难连续生产高倍率的挤出发泡聚丙烯。

图 5-14 聚丙烯物理发泡淋涂板顶棚产品

为解决工艺问题，赵会芳等[11]通过采用下吹式工艺，并搭配特制的模头与螺杆，实现了挤出发泡聚丙烯的商业化生产，能够产出单层厚度在 0.5～6mm、密度处于 60～450kg/m^3 的 PP 物理发泡板材。该板材的泡孔直径可达到 0.2mm，能够最大程度地实现高倍率、高强度以及轻量化的性能要求。

应用该工艺，发泡聚丙烯材料顶棚在基材和天窗加强框上可降本 37%，减重 2kg，占比 45%，同时省去了天窗加强框模具费 80 万元，经济效益十分显著。

聚丙烯发泡材料的应用范围远不止汽车内饰顶棚，它还可拓展至内饰地毯、行李舱系统零部件等领域。

5.3.3 新型塑料玻璃（轻量化与安全性兼顾）

(1) 新型塑料玻璃的应用 GB 7258《机动车运行安全技术条件》规定，机动车辆门窗必须使用安全玻璃，前风挡玻璃应采用夹层玻璃或部分区域钢化玻璃，只有后三角窗、后四角窗、后风挡、天窗可用塑料玻璃。车窗用新型塑料玻璃主要有聚碳酸酯（PC）玻璃和聚甲基丙烯酸甲酯（PMMA）玻璃。

汽车玻璃为整车质量中占比较大的零部件，通常每辆汽车的玻璃用量可达40kg。普通玻璃的密度为 2.5g/cm^3，塑料玻璃 PC 及 PMMA 密度均在 1.2kg/m^{3}左右。正常情况下，采用塑料玻璃可以减重 50%左右，但是应考虑零件结构和其他情况，对比普通玻璃，采用塑料玻璃至少可以减重 20%。当质量为 13kg、直径为 20mm 的落锤从高度 6m 处落下，以 5m/s 的撞击速率对不同材质进行冲击时，根据图 5-15 可以直观看出塑料 PC 玻璃的破坏性最小，耐冲击性能最好，PMMA 玻璃次之，传统的夹层玻璃最差。

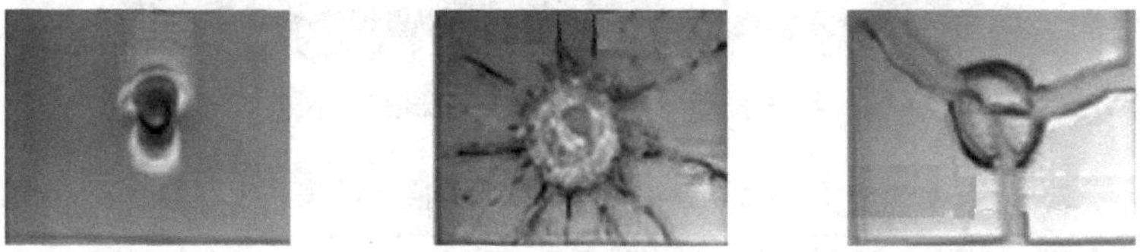

(a) PC玻璃　(b) 夹层玻璃　(c) PMMA玻璃

图 5-15　不同的玻璃冲击破坏示意图

(2) PC 玻璃　PC 玻璃包括三层结构，除 PC 基材外，还有一层底漆和面漆，如图 5-16。其中，PC 基材提供良好的力学性能，面漆需优异的耐磨性，底漆需优异的耐候性。

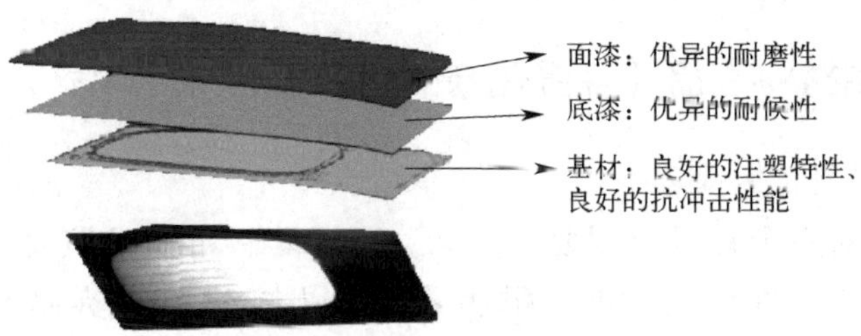

图 5-16　PC 玻璃结构示意图

(3) PMMA 玻璃　PMMA 玻璃俗称有机玻璃，具有极好的透光性能，机械强度较高、耐腐蚀、易于成型且尺寸稳定，是使用最多的传统玻璃替代材料。

PMMA 玻璃的密度约为 1.15g/m^3，具备极为突出的耐老化性能，能面对各种复杂的自然环境因素，如紫外线照射、温度变化、湿度影响等。PMMA 的加工灵活性极高，不仅能够运用注塑、热压、吹塑和挤出等常见的塑料成型加工工艺，制造出各种复杂形状的产品，还可以在成型后进行切削、钻孔、黏接等后续加工操作。这种特性使其特别适合设计制造具有较大曲率的车窗，满足汽车等行业对于特殊形状玻璃制品的需求[12]。PMMA 玻璃在汽车中的应用如图 5-17 所示。

相对 PC 材料而言，PMMA 材料在冲击韧性、耐热性上稍微逊色，但在光学性能、耐候性能等方面更优，二者的比较如表 5-2 所示[13]。

图 5-17　后三角窗采用 PMMA 玻璃的“长安奔奔”

表 5-2　PMMA 与 PC 性能比对表

材料	密度/(g/cm³)	抗拉强度/MPa	缺口冲击强度/(J/m²)	透光率/%	热变形温度/℃	耐磨性	耐化学腐蚀
PC	1.2	66	1900	88	137	差	良
PMMA	1.15	75	1200	92	95	中	优

5.4　非金属材料在底盘系统的应用

5.4.1　非金属材料底盘（轻量化与耐腐蚀）

5.4.1.1　背景与优势

新能源汽车对底盘轻量化的要求迫切。工程塑料可满足该要求，其具有密度小、耐腐蚀的特点，能够耐酸碱、耐盐雾（如尼龙 66 在盐雾测试中耐受时间超 2000 小时），尤其适用于沿海或高湿地区车辆，延长底盘寿命。这对于在复杂工况下运行的新能源汽车底盘来说是非常重要的优势，特别是在应对道路积水、融雪剂腐蚀等情况时。

5.4.1.2　应用部位

(1) 悬挂系统

① 下摆臂：在新能源汽车悬挂系统中，下摆臂是关键部件。工程塑料制成的下摆臂，例如采用玻璃纤维增强尼龙材料，相比传统钢制下摆臂可减重 40%～60%。这种轻量化的下摆臂能够降低簧下质量，使车辆在行驶过程中对路面颠簸的反应更加灵敏，提升了车辆的操控性和舒适性。而且，尼龙材料具有良好的耐磨性和抗疲劳性，能够保证下摆臂在长期的振动和受力情况下依然保持良好的性能。

② 横向稳定杆衬套：横向稳定杆衬套采用工程塑料，如聚氨酯材料，可以有效减轻稳定杆与车身之间的摩擦和振动。聚氨酯材料具有优异的弹性和阻尼特性，能够在车辆转弯或行驶在不平路面时，更好地吸收和缓冲横向稳定杆传递的力，从

而提高车辆的行驶稳定性，同时降低车内噪声。

（2）制动系统

① 制动踏板总成：制动踏板总成包括踏板臂和踏板支架。新能源汽车中，踏板臂采用工程塑料或纤维增强塑料，可以在保证强度的前提下减轻重量。踏板支架使用工程塑料，如聚酰胺（PA）材料，可设计出复杂的形状，以满足不同车型的人体工程学需求。

② 电子真空泵支架：电子真空泵在新能源汽车制动系统中起着关键作用。其支架采用工程塑料替代金属，例如用聚苯硫醚（PPS）材料，重量可大幅降低。

（3）转向系统

① 转向节：转向节是转向系统中的重要部件，它承受着来自车轮和转向机构的复杂力。在新能源汽车中，采用镁合金或铝合金与工程塑料复合的方式制造转向节，可以在保证强度的同时，减轻重量。例如，在转向节的某些非关键部位使用聚碳酸酯（PC）材料，利用其良好的韧性和抗冲击性，配合金属部分，能够更好地应对碰撞等突发情况，同时降低整体重量，提升车辆的转向性能。

② 转向管柱护罩：转向管柱护罩使用工程塑料，如丙烯腈-丁二烯-苯乙烯共聚物（ABS），具有良好的外观质量。ABS 材料具有良好的抗冲击性和隔声性能，能够保护转向管柱免受外界碰撞和减少车内噪声，为驾驶员提供一个安静舒适的驾驶环境。

（4）底盘防护系统

① 电池托盘底部护板：新能源汽车的电池托盘底部护板采用工程塑料，如超高分子量聚乙烯（UHMWPE）。UHMWPE 具有极高的耐磨性、抗冲击性和化学稳定性。在车辆行驶过程中，能够有效防止电池托盘底部受到石子撞击、路面凸起物刮擦等情况，保护电池的安全。同时，其低密度特性也有助于减轻底盘整体重量，提高车辆的续航里程。

② 电池舱隔离板：电池舱隔离板使用工程塑料，例如聚对苯二甲酸丁二酯（PBT），可以将电池舱内不同的电池模块隔离开来。PBT 材料具有良好的绝缘性和阻燃性，能够防止电池模块之间发生短路和火灾等安全事故，同时也有助于优化电池舱内的温度分布，提高电池的使用寿命。

5.4.2　新能源汽车底盘车架轻量化（轻量化与高性能）

与传统汽车相比，纯电动车底盘车架结构的集成设计对汽车的核心结构产生较大的影响。新能源汽车底盘车架轻量化通过采用高强度钢、铝合金及碳纤维复合材料等轻质材料，结合拓扑优化、一体化集成和空心截面设计等结构创新，辅以热成型、激光焊接等先进制造工艺实现。

科研人员王爽提出了基于改进多目标粒子群优化算法的底盘车架结构-工艺-性能一体化轻量化多目标优化设计方法，确定了底盘车架轻量化优化设计方案。优化后的底盘车架符合设计目标要求，与初始结构相比，成功减重 14.04kg，减重率达 12.2%。经优化设计的碳纤维复合材料乘员舱集成装配后质量为 218kg，相较于同尺寸钢制结构白车身的质量 314kg，减重幅度达 30.6%[14]。

5.5 碳纤维复合材料及轻量化应用

5.5.1 碳纤维复合材料的性能与应用

（1）碳纤维增强复合材料（CFRP）简介 或称碳纤维增强塑料，是碳纤维与树脂材料结合形成的材料，简称“碳纤维复合材料”。碳纤维复合材料零部件是指采用碳纤维复合材料制成的用于构成某个完整产品或系统的单个部件。碳纤维是一种含碳量超过 90%，具有高强度、高模量特点的材料。

在汽车轻量化材料中，常用的碳纤维复合材料有单向和编织纤维复合材料[15]，如图 5-18 所示。单向纤维复合材料中的纤维单丝不经过编织过程而直接与树脂融合形成单层板。编织纤维复合材料由相互垂直的经、纬纱经过编织过程，再与树脂基体固结而成。

(a) 单向纤维复合材料　　(b) 编织纤维复合材料

图 5-18 碳纤维复合材料

（2）碳纤维复合材料性能

① 密度与强度。碳纤维复合材料的密度约为 1.5g/cm^3。在强度方面，碳纤维复合材料的抗拉强度是钢材的 5 倍左右，这意味着在相同重量下，碳纤维能够提供更高的结构强度。

② 抗疲劳性。碳纤维复合材料具备优良的抗疲劳性能。相关数据显示，碳纤维复合材料的疲劳强度可达其抗拉强度的 70%～80%，而钢和铝合金的仅为 30%～50%[16]。据统计，超过 90%的汽车零部件损坏源于疲劳损坏。因此，凭借优异的抗疲劳性能，碳纤维复合材料能够有效延长汽车零部件的使用寿命。

③ 耐腐蚀性。碳纤维作为一种惰性无机纤维，在生产过程中历经 2000～3000℃的高温石墨化处理，这赋予了它极高的耐腐蚀性。有研究表明，将碳纤维置于质量分数为 50%的盐酸、硫酸、磷酸中，200 天后，其弹性模量与强度基本不会发生变化。汽车在实际使用时，零部件长期处于复杂多变的环境，像盐雾、潮湿、高温等

恶劣条件都是常态。通过采用碳纤维复合材料制造关键零部件，能够显著增强汽车零部件的耐腐蚀性能，有效延长零部件的使用寿命，降低因腐蚀而产生的维修和更换成本。

④ 抗振性。由于碳纤维阻尼小、抗振性佳，所以具备良好的舒适性。在同等振动条件下，轻质合金停止振动需要9s，而碳纤维复合材料仅需2s就能停止振动。这种特性可以显著改善汽车行驶过程中产生的噪声问题，有效减少车内振动传递，极大地提升驾乘人员的舒适性，让用户在车内能够拥有更加安静、平稳的出行体验。

(3) 低成本碳纤维材料的轻量化应用 碳纤维素有“黑色黄金”之称，然而，由于其技术先进且复杂，将其应用于汽车制造时，不可避免地导致成本偏高。为有效降低汽车的制造成本，研发低成本碳纤维技术成为当务之急，而原丝技术则是这一研发过程中的核心环节。碳纤维零部件的原丝成本占据了总成本的50%以上。

① 低成本原丝技术。为实现降低原丝成本的目标，一种行之有效的方法是在PAN（聚丙烯腈）聚合环节，采用连续反应器。这种反应器能够加速聚合反应进程，同时在聚合过程中巧妙引入价格相对低廉的新单体参与聚合反应。通过这一举措，在保证碳纤维性能的前提下，有效降低了原丝的生产成本，进而显著降低了碳纤维的总成本。

② 大丝束碳纤维。碳纤维依据每束纤维所含的根数，可清晰划分为大丝束碳纤维（单丝数＞48000）和小丝束碳纤维（单丝数＜24000）。经过大量实验与实际应用对比发现，在性能相当的情况下，大丝束碳纤维相较于小丝束碳纤维，价格优势极为明显，其价格通常要低30%～50%。

在汽车轻量化领域，碳纤维的发展战略应高度聚焦于大丝束碳纤维的研发。以吉林化纤集团与精功集团的合作为例，双方携手成立大丝束碳纤维基地，明确将制造高品质大丝束碳纤维作为核心目标。

5.5.2 车用碳纤维复合材料成型方法

(1) 真空袋压成型 因具有成本相对较低、生产周期较短等优势，在汽车零部件的开发过程中，真空袋压成型工艺扮演着重要的角色，在零部件打样、定制化产品打造、个人汽车改装以及小批量生产领域均得到广泛应用。真空袋压成型工艺将预浸料或碳纤维织物铺在模具上，通过抽真空和加压来排除空气，实现固化成型。

① 碳纤维织物的真空袋压成型。在碳纤维织物真空袋压的实际操作中，先将碳纤维织物精心铺覆在模具之上，紧接着通过抽真空操作，有效排除材料内部以及模具间隙中的空气，同时施加一定压力，促使材料紧密贴合模具。在此过程中，在压力与温度的协同作用下，材料实现固化成型，从而制造出符合高精度要求的汽车零部件。

② 碳纤维预浸料的真空袋压成型。碳纤维预浸料真空袋压采用的材料是预先

浸渍树脂的碳纤维材料，因此具有更高的成型精度和强度。在真空袋压成型工艺中，预浸料被放置在模具上，并用真空袋密封。抽真空后，预浸料层之间的空气被排除，然后通过加热固化成型。这种方法能够有效减少气泡的产生，提高产品的整体性能。

（2）碳纤维模压成型 碳纤维模压成型工艺在汽车领域极为关键，使用碳纤维织物或碳纤维预浸料，将其制成特定形状与性能的零部件。

模压时，先按设计裁剪碳纤维织物或预浸料片材，使其适配模具型腔。接着，按特定顺序与方向铺放在模具中，铺层方式会影响零部件力学性能。完成铺层后合模，施加初始压力排出空气，再将模具转移至模压设备，在精准控制的温度和压力下固化成型。

在汽车量产的碳纤维模压技术中，湿法模压（WCM）和预浸料模压（PCM）表现突出。

① 湿法模压（WCM）技术。先在模具中铺放干态碳纤维织物，随后通过树脂注入系统，将液态树脂注入模具，树脂浸润碳纤维。之后快速合模，施压升温，使树脂固化。该技术成本低，无需制备昂贵预浸料；生产效率高，能快速注入树脂与合模；因液态树脂流动性好，还能制造复杂形状的零部件。

② 预浸料模压（PCM）技术。PCM 技术使用已浸渍树脂的预浸料。把裁剪好的预浸料按铺层方案铺在模具中，合模后施压升温，让树脂固化。其优势为成型精度高，得益于预浸料特性与严格工艺控制；产品质量稳定，预浸料制备时经严格检测；生产周期短，无需等待树脂浸润。

（3）缠绕成型工艺 主要用于制造具有回转体形状的零部件，如燃料电池汽车的碳纤维储氢瓶。储氢瓶的轻量化方案是铝合金作为内胆并全向缠绕碳纤维复合材料，这种储氢瓶具有较高的强度和轻量化特点。

纤维缠绕是储氢瓶制备中的重要环节，半干法缠绕结合了湿法和干法的优点，通过烘干设备去除溶剂后再进行缠绕，提高了产品的质量稳定性。这一缠绕过程并非随意为之，而是根据零部件的受力特点与性能需求，精确规划缠绕角度、层数以及间距等参数，以确保碳纤维在最终成型的零件中实现最优化分布。

在纤维缠绕完成后，通过浸渍工艺将树脂材料填充到碳纤维之间的空隙中，形成复合材料结构，经过固化后脱模得到成品。这种工艺可以使碳纤维在零件中的分布更加合理，充分发挥碳纤维的强度优势。

（4）RTM（树脂传递模塑）成型 RTM 是一种闭模成型工艺。首先，将预先设计好的增强材料（通常是碳纤维织物或预制体）放置在模具型腔中，然后闭合模具。接着，通过压力将树脂注入模具型腔，使树脂充分浸润碳纤维增强材料。在树脂固化后，打开模具，取出成型的碳纤维零部件。例如，在制造汽车碳纤维座椅骨架时，可以将碳纤维织物按照座椅骨架的形状裁剪并铺放在模具中，然后注入树脂，固化后得到高强度的座椅骨架。

适合汽车量产的碳纤维复合材料 RTM 技术是快速树脂传递模塑技术，即 HP-RTM。将碳纤维预成型织物放置于模具内，并在其中加入树脂液，加温固化使树脂液处于凝固状态，脱模后得到碳纤维复合材料制件。该成型工艺具有流程简单易操作、能量消耗低且生产周期较短等优势，可实现自动化生产。

(5) 热压罐成型　热压罐成型零部件的成型过程：将碳纤维预浸料按照设计要求铺放在模具上，然后用真空袋密封并放入高压罐中；在高压罐内，通过加热和施加均匀的压力，使预浸料中的树脂流动、浸润碳纤维并固化。例如，在制造汽车碳纤维车身外壳时，先将碳纤维预浸料铺放在车身外壳模具上，密封后放入高压罐中进行固化成型。

热压罐成型一般用于体积较大的零件的生产，零件质量高、一致性高，缺点是设备昂贵、能耗大、周期长。

5.5.3　车用碳纤维复合材料成本分析

(1) 碳纤维复合材料零部件成本　CFRP 制品原材料成本高、工艺复杂、人工成本高，且消耗大量的动能，导致综合成本高，达到原有金属件的 10 倍以上[17]。

蔚来和德国西格里碳素公司合作，研发碳纤维增强塑料（CFRP）电池外壳，该电池外壳比传统铝或钢制电池外壳轻了 40%。不仅具有高刚性，而且热导率仅为铝的 1/200。车辆减轻一定重量的同时，也给换电带来便利。但碳纤维的成本高（120～200 元/kg），使其在汽车轻量化的进程中进展较慢。

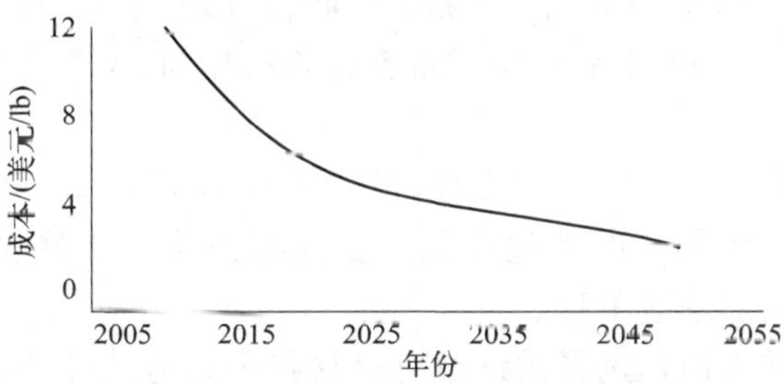

图 5-19　碳纤维复合材料成本预测图

注：1lb=453.59237g。

根据美国能源部对碳纤维复合材料成本的预测结果（图 5-19）[18]，随着制备技术不断发展、工艺技术逐步成熟，碳纤维复合材料成本将会降低，这将会进一步推进其在量产车型上的应用。

(2) 碳纤维复合材料的综合成本　碳纤维复合材料与传统钢板件成本的对比及应用分析如下：

① 模具投资成本对比：

模具数量：传统钢板件生产需经过冲裁、折弯、拉伸等多道工序，需要 4～5 套模具。而碳纤维复合材料（CFRP）成型工艺不同，仅需预成型和最终成型两套模具。

质量要求：钢模为保证冲压件精度和表面质量，需达到 IT6 级表面粗糙度，并且往往还需配套热处理线，这使得投资额增加 30%。CFRP 模具精度要求相对没那么高，允许达到 IT7 级即可。

② 生产成本平衡点分析：

加工时间：钢板件单件加工时间在 25～35s，这是因为要经过多次冲压工序。CFRP 件单件加工时间为 90～150s，主要是由于其包含树脂灌注、固化等工艺。

设备折旧与维护：钢板产线每年折旧 18 万元，CFRP 产线每年折旧 25 万元。每年的维护费用，两种产线都差不多，年均 30 万元，主要用于模具保养和设备维修。

经济平衡计算：

钢制总成本=(钢材重量×单价)+(模具投资/5)+
(单件加工时间×日产量×能源单价)+年维护费

CFRP 总成本=(碳纤维重量×单价)+(模具投资/5)+
(单件加工时间×日产量×能源单价)+年维护费

经计算推导，当年产规模约超过 6800 件时，钢材的全生命周期成本超过 CFRP。具体来看，年产 5000 件时，CFRP 综合成本比钢材低 28%；而当年产 10000 件时，钢材成本反而会超出 15%。

③ 量产的成本分析：

小批量生产（<8000 件）：优先采用树脂传递模塑（RTM）工艺，这样模具开发成本能降低 40%。建议和模具厂商签订阶梯定价协议，比如采购量达到 500 件时返点 15%。

新能源车型战略：建立跨平台复合材料零件共享模具库，实践证明复用率可达 40%。重点将 CFRP 应用于电池包支架、底盘防护等对减重需求高的部件，减重 25%～40%就可以增加续航里程。

对于超豪华品牌来说，选择碳纤维复合材料不只是考虑成本，它更是实现个性化设计，比如一体式车身覆盖件的关键，能实现 20%以上的轻量化性能提升，也是获取高端市场溢价的重要技术途径。

5.5.4 汽车用纤维吸声材料研究（轻量化与吸声性能兼顾）

5.5.4.1 汽车声学包装内饰材料与 NVH 性能

汽车声学包装主要用于处理空气传播路径产生的噪声问题，通过在密封性、隔/吸声性能等方面采取措施来实现噪声控制。刘宏玉等结合某乘用车车型开发，以前壁板隔声垫与车门吸声材料的轻量化设计验证为例，提出一种内饰材料轻量化的 NVH 性能开发方法。通过 SEA（统计能量分析）仿真和道路测试，全面评估和验证了其优化效果。在质量减小高于 50%情况下，显著提升了行驶工况中的车内声品质[19]。

吸声指的是空气中的声波在穿过或入射到介质界面时，声能出现损失的过程。吸声材料一般采用多孔性介质，其隔声性能欠佳，衡量吸声材料性能的关键指标是吸声系数。均质材料的隔声性能遵循质量原理，即材料密度越高，隔声性能越优，当材料面密度翻倍时，隔声量大约会增加 6dB。汽车上常用的声学包装材料，多采用隔/吸声型组合结构，由不同的隔声层和吸声层组合而成。汽车声学包装内饰材料的分布情况如图 5-20 所示。

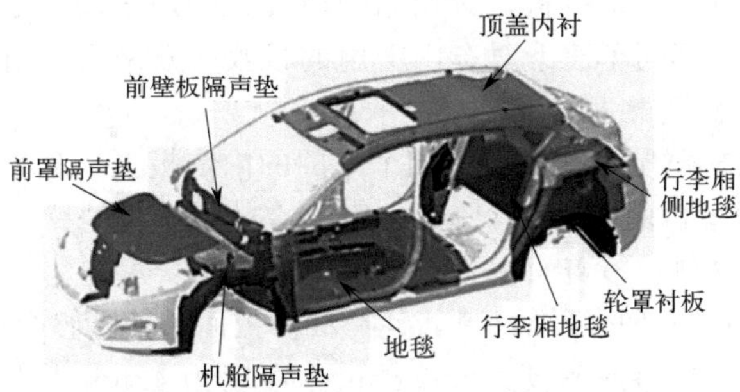

图 5-20　典型的汽车声学包装内饰材料

5.5.4.2　汽车用纤维吸声材料的应用

应用吸声材料对整车进行声学封装，是提升汽车 NVH 性能的主要手段之一。岳洋等研究了聚酯（PET）＋聚丙烯（PP）双组分纤维材料的隔热性能、耐久性、压缩恢复性，与其他常用吸声材料进行了对比，并研究了不同规格 PET＋PP 材料的吸声特性，以及按不同的材料方案对某车型进行声学处理后，对车内怠速噪声和匀速噪声的改进效果[20]。

（1）保温性能　将 PET＋PP 纤维（面密度 200g/m^2，厚度 10mm）与再生纤维（面密度 400g/m^2，厚度 10mm）对比，发现 PET＋PP 纤维的热阻系数高达 1.51，是再生纤维热阻系数的两倍。这一特性意味着，当将 PET＋PP 纤维应用于车辆时，相较于普通纤维类材料，它在抵御车外环境热量传入方面表现更为出色，从而能为车内带来更优的保温效果。

（2）轻量化效果

① PET＋PP 纤维材料具备轻量化优势：PET＋PP 纤维在面密度仅为 200g/m^2 时，就能在 200～6300Hz 频率范围内，展现出比面密度为 350g/m^2 的 PET 纤维、面密度为 400g/m^2 的再生纤维更高的吸声系数。这意味着在达到相同甚至更好吸声性能的情况下，PET＋PP 纤维材料所需的面密度更低，重量更轻，所以使用 PET＋PP 纤维材料有助于实现整车声学内饰的轻量化目标。

② 对比 PET 纤维和再生纤维：面密度为 350g/m^2 的 PET 纤维和面密度为 400g/m^2 的再生纤维，二者吸声曲线大致相似，但 PET 纤维吸声性能略好。从面

密度对比来看，PET 纤维相对再生纤维在达到相似吸声效果时面密度更低，在一定程度上也体现了 PET 纤维相对再生纤维在轻量化方面可能更具优势，不过这种优势不如 PET＋PP 纤维材料在与它们对比时明显。

总体来说，PET＋PP 纤维材料在实现整车声学内饰轻量化方面优势较为突出，PET 纤维相对再生纤维在轻量化方面也有一定优势（基于面密度和吸声性能综合考量）。

(3) 吸声性能 在车辆匀速行驶过程中，应用于车门部位、轮罩部位和立柱装饰板部位的 PET＋PP 纤维材料，对轮胎噪声和风噪声表现出了极佳的吸收效果。从 PET＋PP 材料在不同车速下对车内噪声的吸收成效来看，当车速达到 80km/h 时，车内噪声下降幅度最为显著。

具体而言，实施材料方案为：在四个车门的内饰板上，全面粘贴 PET＋PP 纤维材料，确保材料覆盖面积与整个车门一致；在轮罩部位的翼子板衬板上，同样粘贴 PET＋PP 纤维材料，覆盖面积等同于整个轮罩；于 A 柱、B 柱和 C 柱的上下装饰板内侧，粘贴 PET＋PP 纤维材料，且材料覆盖面积达到整个内饰板大小。所使用的 PET＋PP 纤维材料面密度为 600g/m^2，厚度为 42mm。在实施材料方案后，车内噪声降低了 4.05dB（A），表明该材料对样车在匀速 80km/h 时的车内噪声频率段具有十分优异的吸收性能。

5.5.4.3 汽车用纤维吸声材料的发展

帝人等企业积极推动高功能 PET 纤维在汽车吸声材料领域的应用[21]。一般情况下，非织造布的纤维呈横向并列状态，帝人公司开发的湿法非织造布结构体使用的短切 PET 纤维呈纵向排列。这种独特结构使得材料不仅重量轻，而且吸声性能十分出色。目前，该材料已应用于汽车顶棚等部位，在汽车底部的应用也即将实现。与现阶段的吸声材料相比，该材料在达到同等吸声效果时，重量减轻了一半，轻量化效果明显。

在对吸声与隔声有更高要求的高档汽车中，针刺毡是一种理想的吸声材料选择，它由对位芳纶短纤维制成，并且能够依据不同的使用部位，加工成各种复杂形状。而对于追求高性价比、高性能吸声材料的部位，玄武岩纤维材料则是不错的选择。

5.5.5 碳纤维复合材料在电池包壳体的应用（轻量化与高强度）

采用碳纤维复合材料，利用刚度等效设计法对电池包壳体进行轻量化设计，相比于钢结构质量减小 64%～67.6%。针对电池包壳体，对 1.5mm 厚铝上盖、1.5mm 厚碳纤维上盖、0.5mm 厚碳纤维＋3mm 厚蜂板＋0.5mm 厚碳纤维复合上盖三种方案进行对比研究，发现 0.5mm 厚碳纤维＋3mm 厚蜂板＋0.5mm 厚碳纤维复合上盖最优，相对于铝合金可减小质量 31%，充分体现了碳纤维复合材料在电池包壳体轻量化方面的巨大潜力[22]。

碳纤维复合材料在电池包壳体的应用主要集中在高端新能源汽车领域[23]：

① 蔚来汽车：蔚来与德国 SGL Carbon 合作开发了 84kWh 碳纤维电池包壳体，比铝结构轻 40%，能量密度大于 180Wh/kg。

② 天津中科先进技术研究院：与力神合作开发的碳纤维复合材料电池包壳体总质量约为 24kg，比铝合金结构减重 50%，能量密度高达 210Wh/kg。

③ 苏州挪恩复合材料公司：为某知名汽车厂商定制的碳纤维动力电池箱部件质量仅为 3kg，比传统钢结构材料减重约 60%。

5.5.6　碳纤维复合材料汽车件设计与验证（作者团队的开发案例）

作者团队设计了碳纤维复合材料 B 柱中部支撑板，与 B 柱加强板通过结构胶黏接而成，如图 5-21 所示。这种复合结构充分发挥了碳纤维材料的轻质高强特性与钢材的良好韧性，实现了性能上的优势互补。在制造工艺方面，创新性地开发了在线涂装技术。这一技术突破使得碳纤维车身结构件能够与白车身同步顺利完成在线涂装及烘干工序，不仅提高了生产效率，还优化了产品的表面质量[24]。

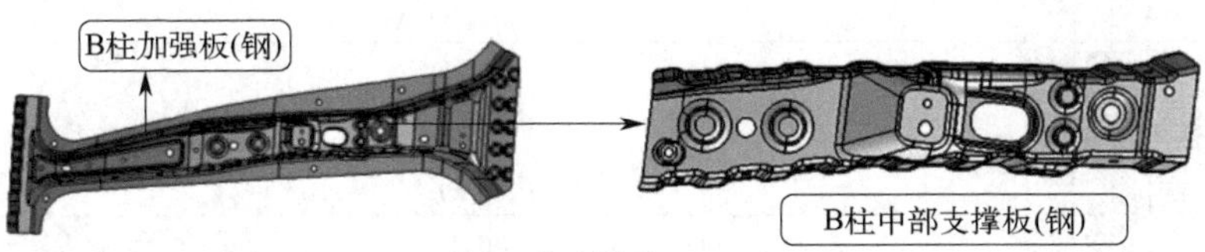

(a) 钢制结构

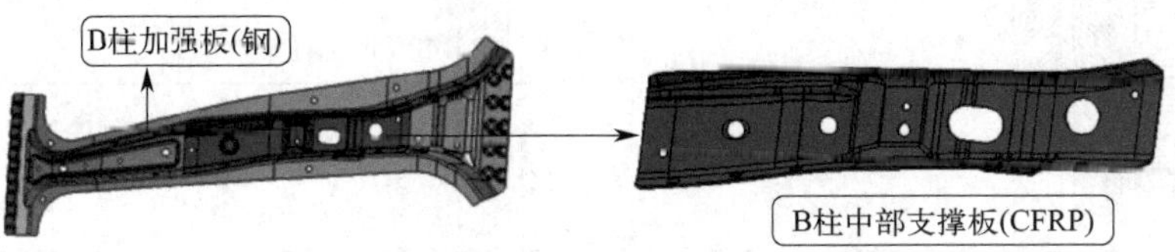

(b) “碳纤维/钢”复合结构

图 5-21　B 柱分总成模型图

5.5.6.1　碳纤维材料与成型工艺

(1) 主要材料　碳纤维预浸料：T300，UD1500，12k，中复神鹰碳纤维有限责任公司；层合板：层合板是由两层或多层同种或不同种材料黏合而成的整体板材，采用国产中复神鹰 T300 预浸料单向铺层制成单向层合板。

(2) CFRP 成型工艺　CFRP 层合板及 B 柱中部支撑板采用两种成型工艺：一种是真空袋压成型工艺，另一种是热压罐成型工艺。

真空袋压成型工艺：模具处理→CFRP 预浸料剪裁→铺层→抽真空→升温固化成型→脱模→后处理。成型压力为 0.1MPa，在室温下固化。

热压罐成型工艺：模具处理→CFRP 预浸料裁剪→铺层→封装→热压罐固化成型（在真空的同时加压）→脱模→后处理。成型压力为 0.4MPa，固化条件为 120℃，时长 2 小时。

5.5.6.2 碳纤维复合材料成型方式对力学性能的影响

B柱中部支撑板及分总成弯曲强度试验参照 YB/T 5349—2014 和 GB/T 1449—2005 进行。其中约束点间距为 550mm，保持时间为 10s，加载速度为 1.0mm/s，加载方式为位控加载，最大位移为 130mm。

将采用两种方式成型的 CFRP 层合板和白车身一起在线涂装，涂装生产线的烘烤工艺为：电泳涂装烘烤（180℃，30min），中涂预烘烤（160℃，15min），中涂烘烤（140℃，30min），面漆烘烤（160℃，30min）。

在采用两种工艺成型的 CFRP 样板上取样，进行拉伸强度、压缩强度和剪切强度测试，每种取六个试样测试，取其平均值作为试验结果，并对 CFRP 经过在线涂装后的性能进行测试。

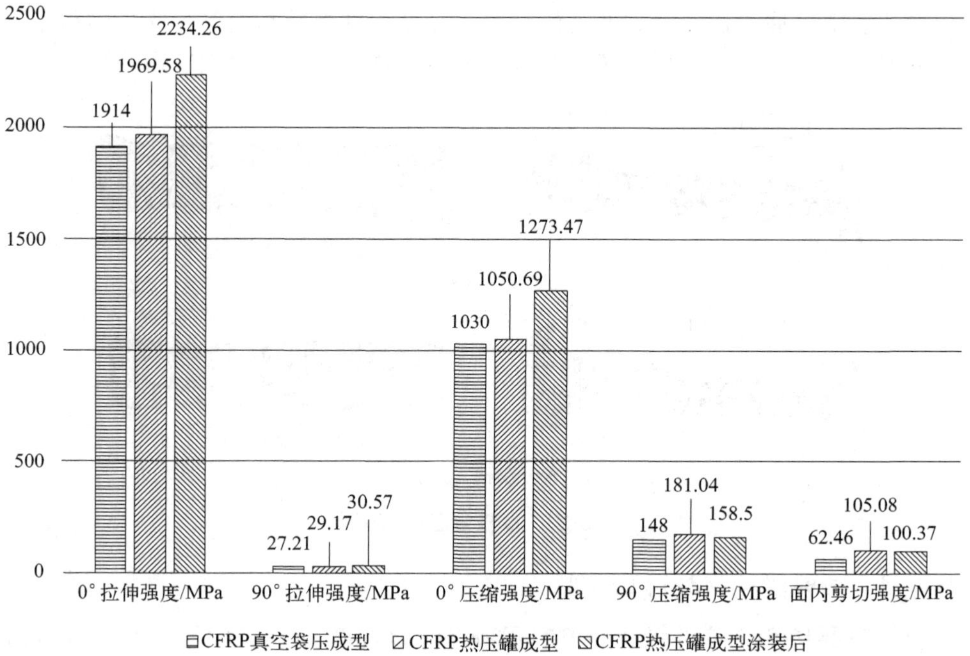

图 5-22 抗拉强度

对于汽车 B 柱而言，影响其安全性能工况的主要受力方向为 Y 向，仅考虑 90° 拉伸强度及压缩强度无法保证 B 柱的性能，因此 CFRP 层合板的关键指标是 0°拉伸强度及压缩强度。

由图 5-22 可以看出，热压罐成型的 CFRP 层合板的 0°拉伸强度高于真空袋压成型层合板；热压罐成型的 CFRP 层合板的 0°压缩强度比真空袋压成型层合板高 2%；热压罐成型层合板的面内剪切强度相比真空袋压成型层合板高出 68%。根据试验结果可知，热压罐成型的层合板在 0°方向的强度性能最优。

热压罐成型的层合板在涂装后的 0°拉伸、压缩强度比涂装前提高了 10%以上；

面内剪切强度虽然有所降低，但降幅极小，经实验分析发现其对零件性能的影响可忽略不计。因此，热压罐成型的 CFRP 层合板经过涂装烘烤后，主要力学性能能够满足零件的性能要求。

5.5.6.3　在线涂装对碳纤维复合材料外观质量的影响

板厚为 1.5～5.0mm 的 CFRP 层合板经过涂装烘烤后，外观质量见表 5-3。

表 5-3　碳纤维复合材料层合板涂装后外观质量

试验项目	层合板厚度/mm	试验结果	
		真空袋压	热压罐
CFRP 层合板涂装后外观	1.5	无缺陷	无缺陷
	2.0	无缺陷	无缺陷
	2.5	无缺陷	无缺陷
	3.0	出现起泡	无缺陷
	4.0	严重起泡	无缺陷
	5.0	严重起泡分层	无缺陷

由表可知，对于采用真空袋压成型工艺的 CFRP 层合板，当厚度小于等于 2.5mm 时，未出现任何缺陷；但当厚度达到 3.0mm 及以上时，则会出现起泡现象。由此可知，若 CFRP 零件的厚度超过 2.5mm，在涂装后将面临出现外观缺陷的风险。采用热压罐工艺成型的层合板在小于等于 5.0mm 的板厚范围内都没有缺陷。

5.5.6.4　在线涂装对碳纤维复合材料变形量的影响

采用性能最优的热压罐成型工艺，使用三坐标扫描，对涂装前后的变形量进行测试，结果见表 5-4。

表 5-4　CFRP 层合板涂装后变形量　　单位：mm

试验状态	A001	A004	A005	A018	A020	平均值
涂装前	0.1123	0.0239	0.0394	0.1397	0.0475	0.0726
涂装后	0.3873	0.1992	0.1013	0.3182	0.1603	0.2733

从测试结果来看，采用热压罐成型工艺制造的 CFRP 层合板，其涂装前的变形量平均值为 0.0726mm，涂装后的变形量平均值则为 0.2733mm。并且，在所有试样中，最大变形量达到了 0.3873mm，而这一变形量满足一般型面尺寸配合公差 ±0.5mm 的要求。

5.5.6.5　“碳纤维/钢”复合件在线涂装对黏接质量的影响

(1) 结构胶性能的影响　将两种结构胶（即 LORD850 结构胶和 MA830 结构胶）的施工性能和耐环境性能进行对比，如图 5-23 所示，结果表明，在施工性能和力学性能方面，LORD850 结构胶的表现普遍优于 MA830 结构胶，仅在黏度变化率这一项上稍显逊色，但该结构胶的黏度变化率仍能满足施工要求。此外，LORD850 结构胶的可施工时间相较于 MA830 结构胶延长了 2 倍以上。综合上述因素可以看出，

LORD850 结构胶在施工性能和耐环境性能方面展现出更优的特性。

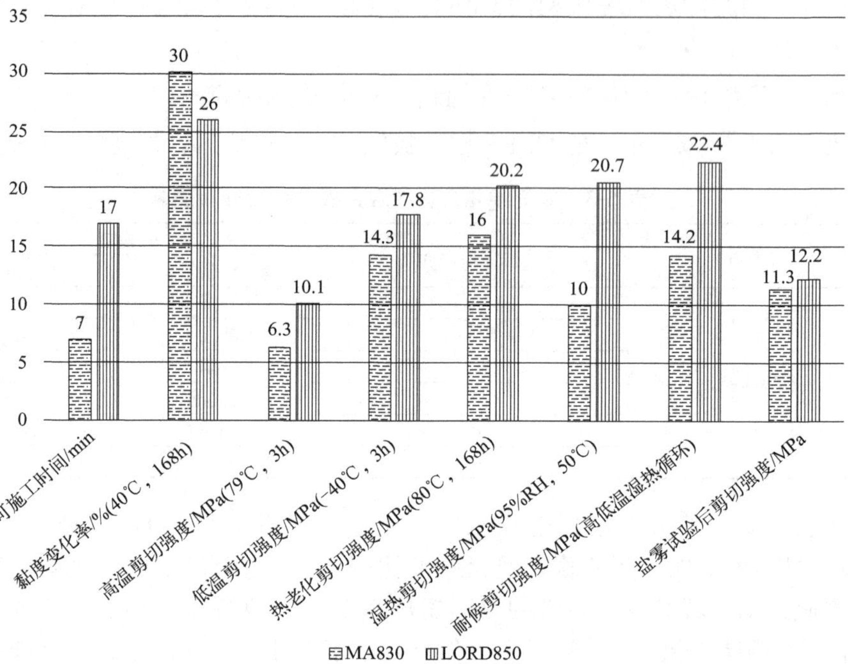

图 5-23　MA830 与 LORD850 结构胶性能及耐环境性能

（2）“碳纤维/钢”复合结构试样在线涂装前后性能的研究　采用两种结构胶黏接碳纤维复合材料与型号为 WHT1500HF 的钢板，并将黏接后的“碳纤维/钢”复合结构试样与白车身一起在线涂装，研究其黏接性能。

从图 5-24 中可以清晰地看到，在涂装之前，使用 LORD850 结构胶黏接的试样的拉伸强度为 18.16MPa，此强度比 MA830 结构胶所黏接试样的 15.5MPa 拉伸强度高 17%。而当完成涂装后，LORD850 结构胶黏接的试样的拉伸强度达到了 20.4MPa，虽然该数值低于 MA830 结构胶涂装后所达到的 27.13MPa 拉伸强度，但却比自身涂装前的 18.16MPa 拉伸强度提升了 12%。

试验还得出了结构胶对复合结构试样剪切强度的影响。在涂装之前，采用 LORD850 结构胶黏接的试样的剪切强度是 12.83MPa，此数值比 MA830 结构胶的 12.03MPa 剪切强度高 7%；在涂装之后，LORD850 结构胶黏接的试样的剪切强度为 15.6MPa，相比涂装前的 12.83MPa 提高了 22%，并且比 MA830 结构胶涂装后的剪切强度（12.67MPa）高出 23%。

由试验结果可知，LORD850 结构胶的性能更为优异。值得一提的是，使用 LORD850 结构胶时，其涂装后的拉伸强度和剪切强度相比涂装前的相应强度提高幅度均在 10%以上，这意味着采用 LORD850 结构胶黏接的复合结构能够很好地满足在线涂装的要求。

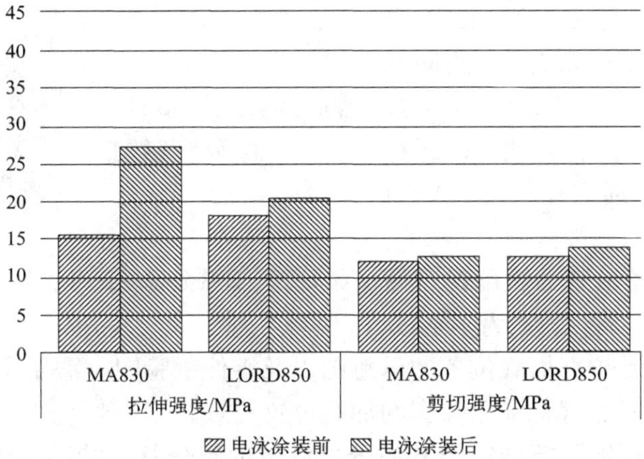

图 5-24　涂装前后碳纤维件与钢件的黏合强度

5.5.6.6　碳纤维复合材料 B 柱中部支撑板的设计方案

（1）铺层设计方案及减重效果　经过大量试验及仿真分析，确定了碳纤维复合材料（CFRP）B 柱中部支撑板的优化铺层设计方案：$(45, 0, -45, 0, -45, 0, 90, 0, 45, 90)_s$[❶]，共 20 层，单层厚度 0.133mm，总厚度 2.66mm。

表 5-5　碳纤维复合材料与钢制 B 柱中部支撑板质量对比

类型	厚度/mm	密度/(kg/m^3)	单件重/kg	单件减重/kg	减重百分比/%
钢制 B 柱中部支撑板	1.50	7850	1.341	0.858	64
CFRP B 柱中部支撑板	2.32	1600	0.483		

该铺层设计的零件质量与钢板零件质量的对比信息可在表 5-5 中查看。其中，CFRP B 柱中部支撑板的单件质量为 0.483kg。考虑到每辆车的双侧均会装配该零件，因此，在单车应用场景下，采用碳纤维复合材料方案相比金属材料方案可实现总减重 1.72kg，减重比例高达 64%，展现出了出色的减重效果。

（2）B 柱中部支撑板的模态及力学性能的研究　针对碳纤维复合材料 B 柱中部支撑板和钢制 B 柱中部支撑板的模态和性能进行有限元分析，分析结果见表 5-6。

表 5-6　钢与碳纤维复合材料 B 柱中部支撑板有限元分析结果

试验项目	试验内容	钢件分析结果	复材件分析结果
自由模态	第一阶频率/Hz	68.7	101.7
轴向压缩	Z 向刚度值/(N/mm)	14446.7	17708.5
后向弯曲	X 向刚度值/(N/mm)	293.1	338.0
侧向弯曲	Y 向刚度值/(N/mm)	30.2	69.5
三点弯	最大接触应力/N	9535.9	27848.3

相比钢制方案结构，碳纤维复合材料 B 柱中部支撑板的自由模态频率提高

❶　s 是指对称铺层。

48%，轴向压缩刚度提高 22.6%，后向弯曲刚度提高 15.3%，侧向弯曲刚度提高 130.1%，三点弯最大接触应力提高 192.0%。因此，碳纤维复合材料 B 柱中部支撑板的性能有较大幅度的提高。

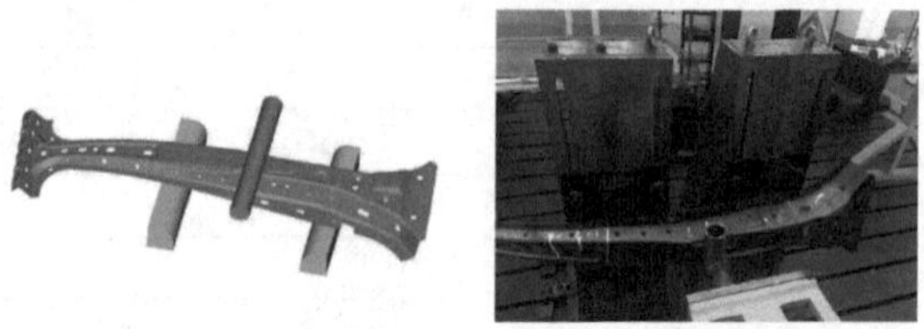

(a)　　(b)

图 5-25　B 柱分总成三点弯有限元仿真与试验图

(3) B 柱分总成弯曲性能的有限元分析及试验图　图 5-25 为 B 柱分总成三点弯有限元仿真加载位置的示意图以及零件试验图，需要说明的是，试验工装的加载位置与三点弯有限元仿真的加载位置一致。

(4) “碳纤维/钢”复合结构 B 柱分总成及钢制分总成的强度试验结果　首先，把通过热压罐成型的碳纤维中部支撑板和钢制加强板进行黏接操作，制成“碳纤维/钢”复合结构 B 柱分总成。接着，在对该复合结构 B 柱分总成进行在线涂装处理之后，开始研究其三点弯曲性能。为了更好地进行对比，使传统的钢制 B 柱分总成和此复合结构 B 柱分总成共同参与试验。图 5-26 展示了两种 B 柱分总成（即“碳纤维/钢”复合结构 B 柱分总成和钢制 B 柱分总成）三点弯强度的仿真结果与试验结果。

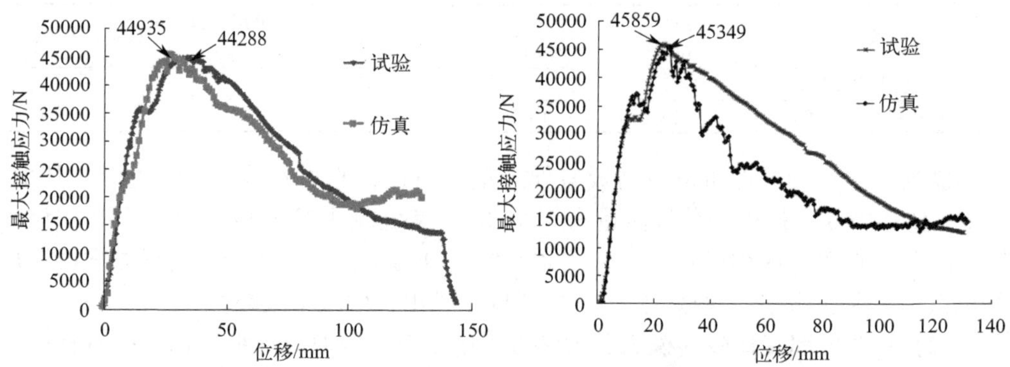

(a) 钢制B柱分总成　　(b)“碳纤维/钢”复合结构B柱分总成

图 5-26　B 柱分总成仿真与试验结果

三点弯仿真结果表明，“碳纤维/钢”复合结构 B 柱分总成比钢制总成高 0.9%；在两种分总成的实际弯曲试验中，复合结构 B 柱分总成比钢制总成高 3.5%。这说明本项目设计的碳纤维复合材料 B 柱中部支撑板性能优于钢制 B 柱中部支撑板。

5.5.7　碳纤维复合材料汽车前车门轻量化设计（作者团队的开发案例）

作者团队研发人员以汽车前车门为研究对象进行碳纤维结构设计及铺层形式研究。经仿真分析，碳纤维前车门的模态、刚度、强度、碰撞侵入量和速度均得到了明显的提升，重量降低了54.94%[25]。

5.5.7.1　碳纤维复合材料力学性能

新材料碳纤维具有优异的力学性能，具有较高比强度和比模量，在满足相同性能下，具有较大的减重空间，同时也可减少装配零件数量。在碳纤维结构分析中，定义任一层压板的力学性能，都能表示成等价的均匀各向异性板元或壳元，运用层压板的中面应变和曲率理论确定各层的应力。

5.5.7.2　碳纤维复合材料汽车前车门设计

碳纤维复合材料在汽车车门中已开始应用，通过结构设计和铺层优化，在满足性能和装配要求的前提下可实现车门大幅减重。技术方案为内外板集成部分零件，简化结构特征，取消工艺孔，实现减重目的。

(1) 碳纤维复合材料前车门外板设计　整合前车门外板总成，外板A面和周边配接的安装孔不变，外层织物单层厚度0.21mm，其余单向带单层厚度0.145mm。遵循铺覆对称，外板铺层±45°，成对出现，单层数不超过总层数60%的原则。主外板铺层为［±45/45/0/－45/90/－45/0/45］；门把手处铺层为［±45/45//－45//－45//45］；周边密封处铺层为［±45/45///90///45］，如图5-27所示。

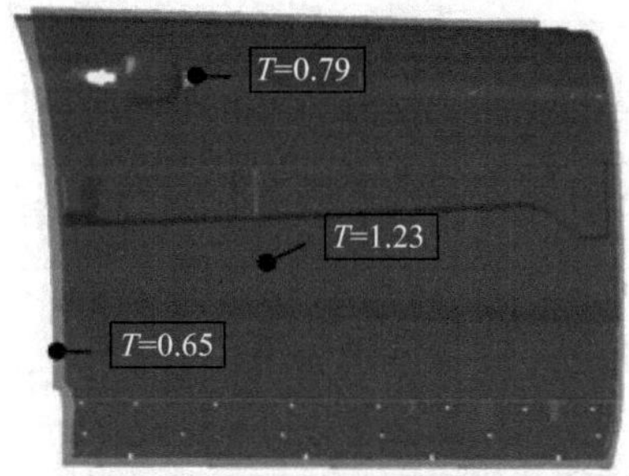

图5-27　复合材料车门外板设计

T—壁厚，mm

(2) 碳纤维复合材料前车门内板设计　碳纤维复合材料车门内板主厚度为2mm，在卡扣接面、门锁安装面等处减薄；保留定位孔、安装孔、过孔、安装面不变；内板与外板胶黏处增厚处理；简化内板结构，优化铺覆性；门锁、铰链和限位器加强板集成到内板一体成型；复材窗框加强板胶黏内板。

如图5-28所示，内板有多种铺层厚度，单层厚度0.145mm，各铺层为：灰色［－45/0/45/90/45/0/－45］$_s$，共14层、2.03mm厚；粉红色［－45/0/45/90/45//－45/－45/0/45/90/45/0/－45］，共13层、1.885mm厚；大红色［－45/0/45/90/45/0/－45］$_s$，共12层、1.74mm厚；深蓝色［－45/0/ / /45/ /－45］$_s$，共8层、1.16mm厚；绿色［－45/0//90/45/////45///0/－45］，共7层、1.015mm厚；橘黄色［－45/// /45/0////45////－45］，共5层、0.725mm厚；黄色［－45////45///］$_s$，共4层、0.58mm厚。车门总成质量8.21kg，减重10.01kg，减重比54.94%，达到轻量化设计目的。

5.5.7.3　碳纤维复合材料汽车前车门性能分析

通过传统前车门各工况的性能结果，确定碳纤维复合材料车门需要达到的力学性能。

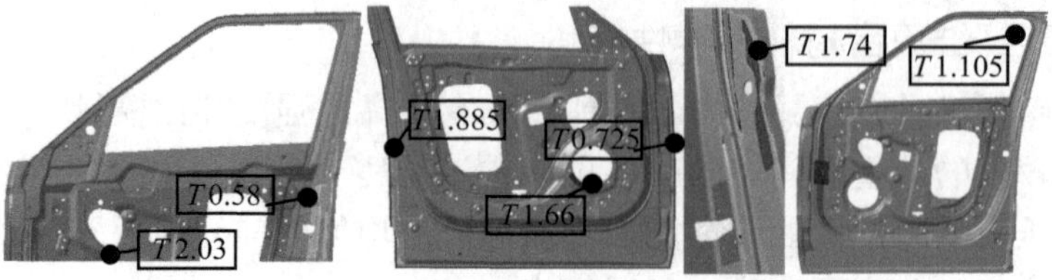

图 5-28　前车门复材内板一体成型及局部变厚度设计

（1）建立碳纤维复合材料汽车前车门有限元模型　通过 hypermesh 软件建立前车门有限元模型，采用分块处理不等厚模型，各区块 Prop 属性输入铺层信息和材料信息。复合材料单向带性能见表 5-7。

表 5-7　复合材料单向带性能表

性能	单向带	织物
密度/(g/cm^3)	1.65	1.65
0°拉伸强度/MPa	1914	755
0°拉伸模量/GPa	131.83	63
主泊松比	0.298	0.023
90°拉伸强度/MPa	27.21	755
90°拉伸模量/GPa	7.55	63
0°压缩强度/MPa	1030	517
0°压缩模量/GPa	126	33
90°压缩强度/MPa	148	517
90°压缩模量/GPa	8.22	33
纵横剪切强度/MPa	62.46	120
纵横剪切模量/GPa	5.85	9

（2）碳纤维复合材料汽车前车门模态分析　汽车前车门的模态分析主要考察一阶弯曲和扭转模态及内外板局部模态，以免发生模态耦合，如图 5-29、图 5-30 所示。

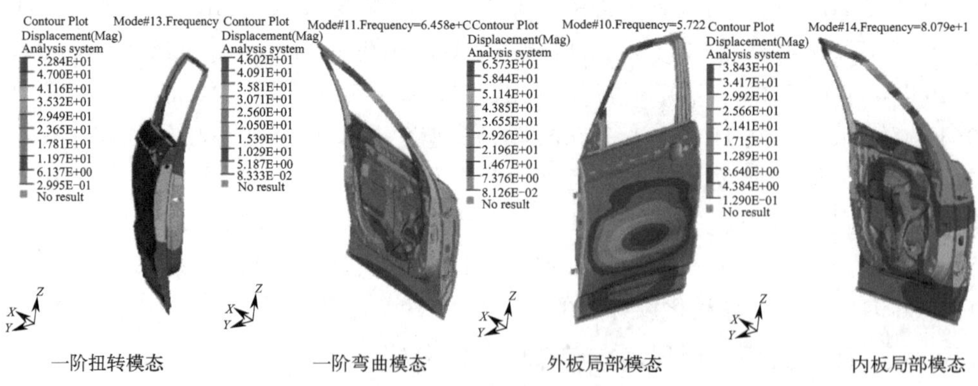

图 5-29　碳纤维复合材料前车门自由模态云图

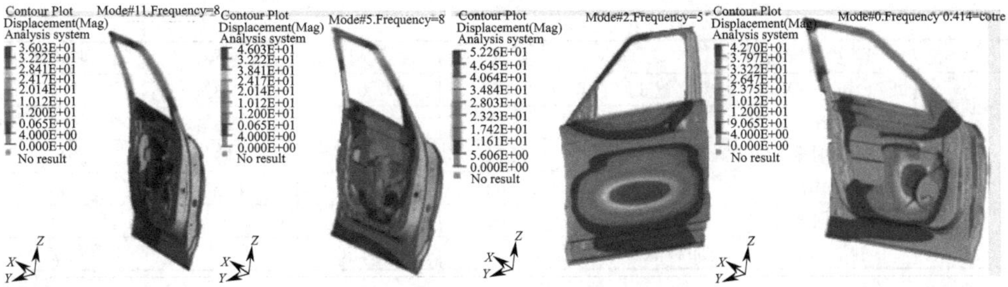

一阶扭转模态　　一阶弯曲模态　　外板局部模态　　内板局部模态

图 5-30 碳纤维复合材料前车门约束模态云图

从分析结果（表 5-8）可知，复材方案结构在自由模态和约束模态下基本满足性能要求。

表 5-8 前车门模态分析结果表

项目	模态	目标值/Hz	金属方案/Hz	复材方案/Hz	差异百分比
自由模态	一阶扭转模态	＞45	47.24	73.78	+56.2%
	一阶弯曲模态	＞45	41.19	64.58	+56.8%
	外板局部模态	＞40	57.42	57.22	−0.35%
	内板局部模态	＞40	41.19	80.79	+96.1%
约束模态	一阶扭转模态	＞45	65.26	89.16	+36.6%
	一阶弯曲模态	＞45	38.48	64.61	+67.9%
	外板局部模态	＞40	62.51	54.25	−13.2%
	内板局部模态	＞40	38.48	84.14	+118.7%

5.5.7.4 碳纤维复合材料汽车前车门刚度分析

汽车前车门应有足够的刚度，避免出现大的变形而影响密封性。前车门刚度分析对象为垂直、扭转、窗框、腰线载荷下的静刚度，分析结果见图 5-31、表 5-9。

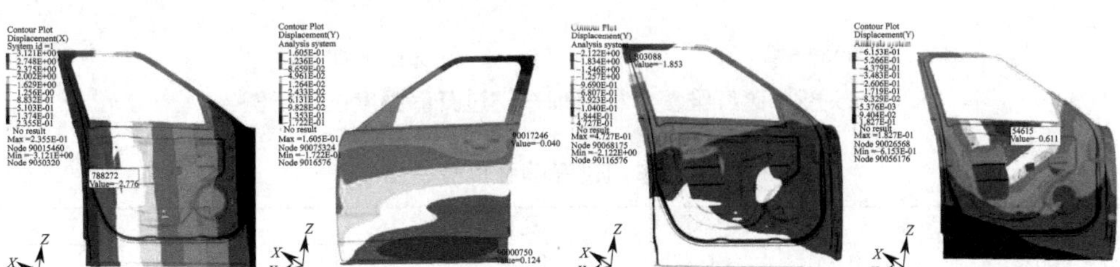

垂直刚度　　扭转刚度　　窗框横向刚度　　腰线横向刚度

图 5-31 碳纤维复合材料前车门各位移刚度云图

表 5-9 前车门刚度分析结果表

刚度工况描述			金属	复材	差异	目标值
垂直	锁处垂直位移/mm		3.87	2.78	−28%	＜6.5
扭转	271Nm(+X)/mm	位置 1	−2.29	−0.04	−98%	＜4
		位置 2	5.91	0.12	−98%	＜4

续表

刚度工况描述			金属	复材	差异	目标值
扭转	271Nm(−X)/mm	位置 1	2.29	0.04	−98%	<4
		位置 2	−5.91	0.12	−98%	<4
窗框	横向刚度/(N/mm)	加载点 1	35.71	54.05	51%	>25
		加载点 2	25.04	28.9	15%	>25
腰线	横向刚度/(N/mm)	加载点 1	68.02	163.93	141%	>65
		加载点 2	95.23	232.56	144%	>85

从分析结果可知，复材方案各项刚度性能均优于金属车门，能够满足性能要求。

5.5.7.5 碳纤维复合材料汽车前车门强度分析

前车门结构的静态强度分析为验证前车门结构的可靠及耐久性能，通常为过开和下垂静强度分析。

(1) 碳纤维复合材料汽车前车门过开静强度分析 截取白车身模型，全开 66°；约束截面和炮塔处 SPC1-6；首先加载车门自重 G，其次保持自重 G，在锁扣处沿外板面垂向加 400N 力，再次保持自重 G，卸载锁扣处力进行分析。分析结果见图 5-32、表 5-10。

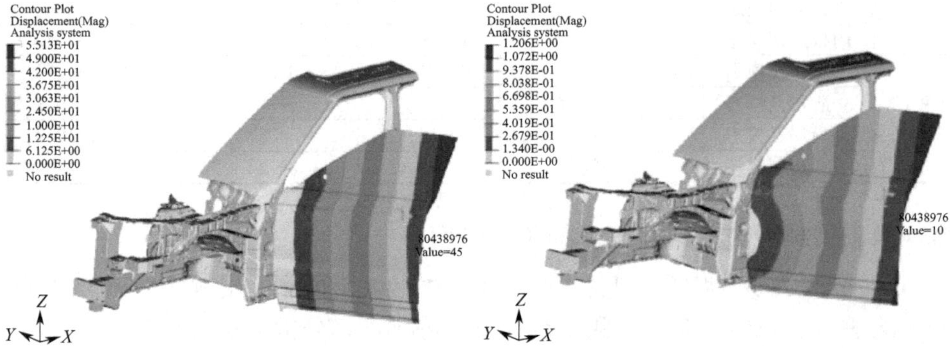

加载400N时位移　　　　卸载400N后位移

图 5-32 碳纤维复合材料前车门过开静强度位移云图

表 5-10 前车门过开静强度分析结果表

加载工况变形		金属	复材	目标值
加载 400N	角变形	3.22°	2.46°	<5.0°
卸载 400N	锁扣垂向变形	0.657mm	0.68mm	<2.5mm
	上下角相对变形	0.077mm	0.04mm	<5.0mm

(2) 碳纤维复合材料汽车前车门下垂静强度分析 截取白车身模型，车门微开 15°和全开 66°工况；约束截面和炮塔处 SPC1-6，锁扣处外板垂向自由度；首先加载车门自重 G，其次保持自重 G，在锁扣处 Z 向加 1000N 力，再次保持自重 G，卸载锁扣处力进行分析。分析结果见图 5-33、图 5-34 和表 5-11。

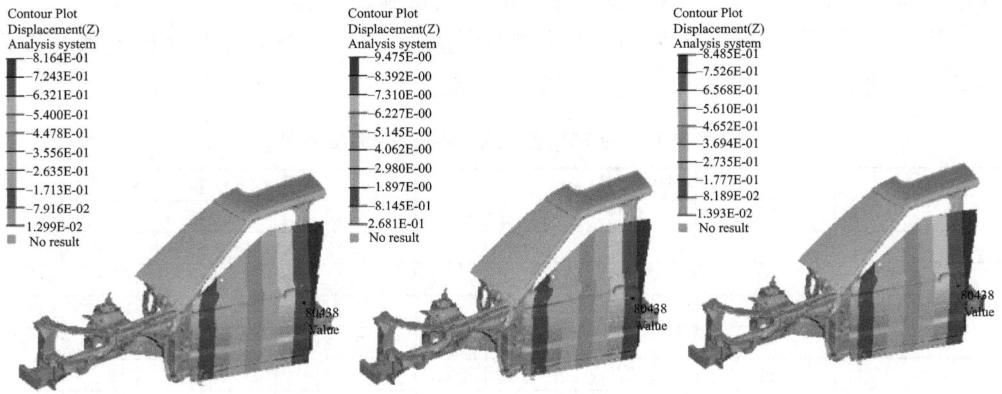

自重下垂　　　　1000N力下垂　　　　卸载1000力下垂

图 5-33　碳纤维复合材料前车门开启 15° 时下垂位移云图

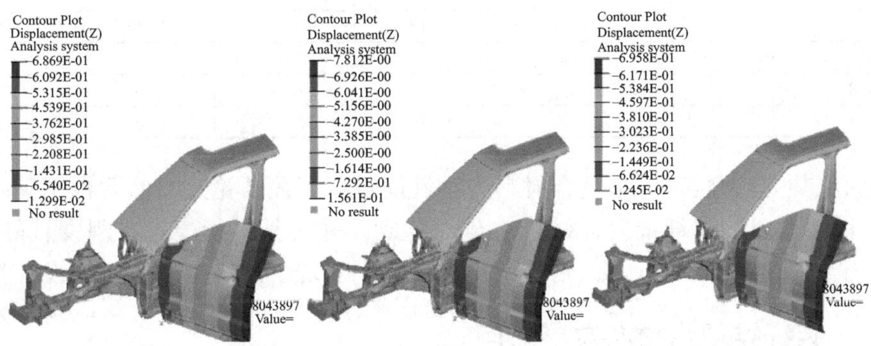

自重下垂　　　　1000N力下垂　　　　卸载1000力下垂

图 5-34　碳纤维复合材料前车门开启 60° 时下垂位移云图

表 5-11　前车门下垂静强度分析结果表

前车门下垂分析		自重变形	1000N 变形	残余变形
复材	微开 15°	0.70mm	7.42mm	0.03mm
	全开 66°	0.61mm	6.36mm	0.01mm
金属	微开 15°	0.89mm	7.90mm	0.56mm
	全开 66°	0.83mm	7.17mm	0.48mm
目标值		<1mm	<10mm	<0.5mm

从分析结果可知，复材方案过开和下垂静强度性能均强于金属车门，能够满足性能要求。

5.5.7.6　碳纤维复合材料汽车前车门侧面碰撞分析

整车侧面碰撞按 C-NCAP 2018 新版碰撞法规进行，使用质量 1400kg 的台车、速度 50km/h 的移动壁障进行侧面碰撞，考察假人肋骨（1～9 点）、腹部（10～13

点）和盆骨（14 点）在车门内板对应点的侵入量和侵入速度。

从表 5-12 可见，碳纤维复合材料侧面碰撞可以达到金属侵入量和侵入速度性能要求，满足 C-NCAP 2018 版侧面碰撞法规要求。

表 5-12 前车门侵入量和侵入速度结果表

测点	最大侵入量/mm			最大侵入速度/(m/s)		
	金属	复材	目标值	金属	复材	目标值
1	91	59	<150	5.39	4.89	<8
2	84	60	<150	5.20	5.05	<8
3	80	63	<150	5.14	4.75	<8
4	103	66	<150	5.72	5.01	<8
5	93	67	<150	5.31	5.07	<8
6	86	69	<150	5.18	4.85	<8
7	108	72	<150	6.24	6.10	<8
8	101	75	<150	5.39	5.50	<8
9	91	75	<150	5.19	5.23	<8
10	103	79	<160	5.46	5.35	<8
11	96	79	<160	5.27	5.16	<8
12	108	83	<160	5.49	5.36	<8
13	99	81	<160	5.41s	5.02	<8
14	112	86	<160	5.72	5.52	<8

综上，本案例对碳纤维复合材料力学性能进行了简要论述，然后根据碳纤维的特点设计不等厚的碳纤维复合材料前车门总成，并对其进行模态、刚度、静强度、侧碰安全方面的性能分析，达到轻量化的目标，实现了碳纤维复合材料设计目的。

5.5.8 碳纤维复合材料发展方向

5.5.8.1 碳纤维复合材料的发展

尽管碳纤维复合材料在汽车领域的实际应用时间相对较短，但其发展势头迅猛。众多汽车制造实例充分展现了碳纤维复合材料的卓越减重效果。例如，由摩里逊公司生产的汽车传动轴使用了碳纤维复合材料，成功将原来由两个部件组成的传动轴合并为一个部件，并且相较于钢材，质量减小了 60%～70%[23]。

21 世纪以来，比亚迪、长安、吉利、长城、奇瑞、北汽、广汽等国内整车厂高度重视新能源汽车的研发。长安汽车在“新能源汽车”专项项目中，开发出一款以铝合金和碳纤维材料为主体的 C385 新能源汽车，目前已面向市场销售。奇瑞汽车研发的混合动力汽车艾瑞泽 7，车身采用碳纤维复合材料，减重幅度达到 40%～60%。长城汽车自主研发的华冠 EVENT，大量运用碳纤维复合材料，显著降低了车身质量。

5.5.8.2 碳纤维复合材料在新能源汽车上的应用

(1) 碳纤维复合材料在汽车车身上的应用 采用碳纤维复合材料替代底盘和车身的金属材料，能让整车质量降低 40%～60%，相比钢结构轻 1/3～1/6。碳纤维复合材料的拉伸强度约是同类钢结构的7～8倍，同时还能保障汽车车身的抗冲击能力和安全性。碳纤维复合材料不仅强度高，还具有超强拉伸弹性。碳纤维复合材料拉伸强度通常大于3500MPa，是钢材料拉伸弹性的7倍。它的抗拉弹性模量可达2300～4300MPa[23]。

碳纤维复合材料易于加工成各种复杂结构，有助于实现一体化新能源汽车车身的制作，在很大程度上简化了工艺制造流程，进一步降低了制造成本。因此，碳纤维复合材料在汽车车身上的应用前景广阔。英国曾进行碳纤维复合材料的减重实验，结果显示，钢制车身质量为368kg，而碳纤维复合材料制作的车身质量仅172kg，整体减重超过50%。如今，部分改装车和赛车大多采用碳纤维复合材料制作车身，不仅实现了减重，还减少了撞击产生的碎片，大幅提升了安全性能。

(2) 碳纤维复合材料在汽车内外饰上的应用 碳纤维复合材料具有耐老化性、耐热性、韧性和高强度等特性，克服了原有塑料制品耐久性差、脆性高的缺点，可应用于汽车内饰。其抗冲击性强、刚性高、强度高，具备吸收能量的特性，可替代金属材料用作汽车外饰构件。而且，碳纤维复合材料吸振效果强，汽车遭受撞击时，能吸收巨大冲击力，起到良好的缓冲减振作用，还能减少撞击产生的碎片，在一定程度上显著提升汽车的安全性能。将碳纤维复合材料应用于汽车内外饰，既能大幅降低用户使用成本和汽车生产成本，满足汽车轻量化需求，又因其易加工成型的特点，进一步简化了汽车零部件制作工艺流程，有效降低了零部件加工、装配和维修期间的生产成本。

(3) 碳纤维复合材料在制动系统中的应用 汽车制动器衬片主要使用石棉材料，但在制动时，石棉材料因摩擦易产生高温，导致性能热退化，且生成的石棉粉尘具有致癌风险。而碳纤维复合材料具有耐热性强、耐磨性高、强度好等优势，可替代石棉材料用于汽车制动器衬片。碳纤维制动盘能在50m内将车速从300km/h减至50km/h，性能稳定且耐高温，可承受2500℃的高温。

(4) 碳纤维复合材料在汽车轮毂中的应用 新能源汽车的轮毂是确保汽车安全行驶的关键部件，它不仅要承载汽车自身重量和负载量，还需传递扭矩和驱动。所以，对汽车轮毂的质量标准要求很高，需要其具备较强的抗冲击性、强度、导热性、安全性、耐热性和耐久性等。碳纤维复合材料恰好具备耐久性、耐热性、耐疲劳性和力学性能等先天优势，可替代金属材料用于轮毂，满足轮毂优良的导热性、耐热性、抗冲击性和高强度的标准要求。此外，将碳纤维复合材料应用于新能源汽车轮毂，能降低车轮转动惯量，使汽车在转向、停止、启动等方面的性能得到显著提升。

(5) 碳纤维复合材料在汽车进气系统上的应用 把碳纤维复合材料应用于汽车进气系统，可充分发挥其良好的加工性能，容易生产出各种复杂的曲面形状，满足实际生产需求。同时，使用碳纤维复合材料生产的汽车，表面光滑度高，能进一步提高新能源汽车的进气效率。此外，碳纤维复合材料可减小进气系统的质量，从而实现整车减重，达到良好的轻量化目的。

5.5.8.3 碳纤维复合材料待解决的问题

车用碳纤维复合材料待解决的问题如下：

① 碳纤维成本问题：我国虽已掌握碳纤维材料的生产技术，在一定程度上改善了部分领域的材料供应状况，但仍存在纤维质量不稳定、生产规模小、价格高等问题，这使得产品质量的一致性较差，让人对其用于量产车型有所顾虑。碳纤维生产过程复杂，能耗较大，小丝束碳纤维的价格明显高于大丝束。航空领域常用的小丝束碳纤维在民用复合材料产业中缺乏成本优势。为控制成本，选用大丝束替代小丝束碳纤维将成为碳纤维在汽车应用中的发展趋势，例如宝马 i3 乘员舱就使用了西格里工厂采用清洁能源生产的 50K 丝束的碳纤维材料。

② 碳纤维复合材料的设计能力需提升：国内碳纤维复合材料企业数量众多，但以生产制作业务为主，对汽车零件的设计开发以及技术要求了解不足，而整车企业同样对碳纤维复合材料的结构设计特点和成型认知不够。在仿真分析方面，缺乏材料关键设计数据、分析建模方法以及试验验证方法等技术标准，分析结果的准确性还有待进一步研究。零件的铺覆性分析以及成型工艺分析更是缺乏相应的分析软件和数据支持，这严重影响了产品与设计的符合性以及成型模具的设计技术。原材料厂家、整车企业以及生产企业之间紧密协作、实现资源共享，将有助于推动该产业加速发展。

③ 开发低成本可量产生产线：目前国内生产企业主要采用手工操作方式进行生产，这导致产品质量不稳定，生产节拍也难以满足量产需求。宝马公司开发的 HP-RTM 工艺虽能满足汽车大批量零件的生产，但设备主要依赖国外技术，资金投入和维护成本较高，致使零件生产成本居高不下。因此，开发高效率、低成本的碳纤维汽车零件生产方法和生产线，是推动碳纤维在汽车上广泛应用的关键问题。目前，国内已开展自动铺覆设备及快速固化模压成型技术的研究，这有望有效解决产品质量一致性和生产节拍的问题。

④ 碳纤维复合材料与金属材料的连接技术问题：碳纤维复合材料与金属零件的连接，以及碳纤维复合材料零件之间的连接，主要有机械连接、胶接和混合连接三种方式。机械连接会影响零件强度，且容易在连接处产生应力集中；仅依靠胶接，很难满足结构件的连接性能要求。所以，根据不同情况选择合适的连接方式，需要借助仿真分析的指导和有效的验证方法。在车身涂装和汽车使用过程中，由于外界温度变化，材料会出现膨胀或收缩现象。由于碳纤维复合材料的热胀系数与钣金及铝合金不同，连接处不可避免地会产生局部应力。若连接方式设计或操作不当，很容易出现连接失效问题。因此，在机械连接中，装配孔径和孔间距应设置合理；胶接时，应选择高断裂延伸率的结构胶，并对结构胶的厚度加以控制，结构胶厚度可通过在结构胶中添加一定直径的玻璃微珠、在零件上设置树脂凸台、在钣金件上设置凸台或借助工装来控制。此外，碳纤维具有一定导电性，容易与金属形成电偶腐蚀，在碳纤维复合材料与金属连接时，需做好防腐工作，可选用耐腐蚀的标准件，并采用湿法装配方式防止标准件被腐蚀，与金属零件连接时，可通过结构胶

层或玻璃纤维层隔绝接触面。

⑤ 回收再利用技术有待突破：目前，国外已有多种碳纤维复合材料的回收利用技术，如粉碎回填法、焚烧能量回收法和纤维分离法等，但我国在这方面仅处于试验室研究阶段，尚未有大规模回收利用的成熟案例。应推动循环再生碳纤维的应用，结合低温固化体系（固化温度小于 120℃）降低能耗，最终形成全生命周期低碳排放的材料解决方案，为新能源汽车提供高性价比的轻量化高性能材料支撑体系。

5.5.8.4　碳纤维复合材料的关键发展领域

汽车碳纤维复合材料（CFRP）的性能发展方向正朝着更高强度、更好韧性、更低成本、更易加工及多功能集成等核心目标演进，具体体现在以下关键领域：

① 材料体系创新：通过开发高强中模量碳纤维（如 T1100 级）、纳米纤维增强树脂及碳/陶瓷混杂复合材料，显著提升抗拉强度（目标突破 5GPa）和耐高温性能（工作温度向 300℃以上拓展），同时引入自修复功能涂层或形状记忆聚合物基体，实现微裂纹自愈合和动态载荷响应调控。

② 制造工艺革新：聚焦于高效成型技术，如热压罐成型工艺的模块化升级（压力均匀性提升 30%）、树脂传递模塑（RTM）的低压快速固化（周期缩短至 5 分钟以内）及 4D 打印增材制造的拓扑优化，结合人工智能算法实现纤维路径实时仿真与缺陷预测，将成型合格率从传统工艺的 70%提升至 95%以上。

③ 结构性能协同优化：强调多场耦合设计，通过数字孪生技术构建复合材料-金属异质结构的应力集中模型，在碰撞能量吸收区采用多轴向编织（±45°纤维占比超 60%）实现冲击载荷梯度分散，而在承载框架部位引入碳纤维-铝合金层压板，兼顾轻量化（密度比钢低 75%）与抗弯刚度提升。

碳纤维复合材料在技术上存在诸多难点，主要表现为离散系数大、碳纤维质量稳定性差以及原产丝杂质含量偏高等缺陷。因此，有必要加强对碳纤维复合材料的深入研究。一方面，要不断提升研发技术；另一方面，还需加大对低成本碳纤维复合材料的探索力度。力求有效突破其他国家的技术垄断，为我国相关产业的发展开辟更广阔的空间。

5.6　汽车塑料和碳纤维复合材料的环保与回收技术

汽车塑料和碳纤维复合材料是实现轻量化与高性能化的关键材料，但其复杂的成分与结构导致回收难度大、经济性低。以下从环保技术与回收路径两方面展开分析，结合案例与数据，探讨其现状、挑战与未来趋势。

（1）汽车塑料的环保技术与回收路径

① 环保技术。采用生物基与可降解塑料，例如聚乳酸（PLA）替代石油基塑料，部分汽车塑料开始采用可再生资源为原料，如以植物纤维、淀粉等为基础的生物塑料。这些生物塑料在使用后可在自然环境中降解，减少对环境的长期污染，具

有良好的环境友好性。

② 回收路径。

a. 分类收集：汽车塑料种类繁多，回收的第一步是进行分类。通常采用人工分拣结合自动化设备的方式，利用近红外光谱分析等技术准确识别不同种类的塑料，将其分离成单一材质的塑料流，以便后续的回收处理。陶朗公司近红外光谱分选仪识别塑料类型，准确率达 98%。

b. 机械回收：分类后的塑料经过清洗、破碎、造粒等机械加工过程，重新制成塑料颗粒，用于生产新的汽车塑料部件或其他塑料制品。这种方法能最大程度地保留塑料的物理性能，实现资源的循环利用。

c. 化学回收：对于一些难以通过机械回收处理的塑料，可采用化学回收方法。通过热解、水解、醇解等化学反应，将塑料分解为原始的单体或低聚物，再用于合成新的塑料。化学回收可以处理混合塑料废料，且能回收一些高价值的化学品，但技术成本相对较高。

（2）碳纤维复合材料（CFRP）的环保技术与回收路径

① 环保技术。开发热塑性 CFRP，例如 PA6/PEEK 基复合材料，实现可熔融重塑（如东丽 Cetex® TC 系列），较热固性 CFRP 回收能耗降低 70%。碳纤维复合材料制成的汽车部件具有良好的耐久性和抗腐蚀性，能够延长汽车的整体使用寿命，减轻因部件过早损坏而需要更换所带来的资源浪费和环境影响。

② 回收路径。

a. 热解回收：将碳纤维复合材料在高温、无氧或低氧环境下进行热解，使树脂基体分解成气体或液体产物，从而分离出碳纤维。回收得到的碳纤维可用于生产对性能要求相对较低的产品，如非结构件等。

b. 物理回收：通过机械破碎、研磨等物理方法将碳纤维复合材料粉碎成短纤维或粉末状，然后将其作为增强材料添加到其他基体材料中，如用于制造塑料、橡胶等复合材料，以提高这些材料的性能。物理回收方法简单易行，但回收得到的碳纤维长度较短，性能有所下降，一般适用于对碳纤维性能要求不高的场合。

汽车塑料与碳纤维复合材料的环保与回收技术正从“降级利用”向“分子级再生”跃迁。短期突破点在于化学回收降本与热塑性 CFRP 普及，应优先布局混合塑料 AI 分选、碳纤维微波热解等技术，抢占绿色材料战略高地。

5.7 本章小结、创新点与思考题

（1）小结 本章系统阐述了非金属材料在汽车轻量化中的关键作用，涵盖塑料、碳纤维复合材料等非金属材料的性能优势与应用场景。通过替代传统金属材料，非金属材料在车身、内外饰、底盘等系统中实现显著减重，并借助集成设计、结构胶优化及在线涂装工艺提升功能性与生产效率。碳纤维复合材料凭借高强度、耐腐蚀等特性，在电池包壳体、高性能车身件中表现突出，但其高成本、工艺复杂性及回收难题仍是规模化应用的瓶颈。未来发展方向聚焦低成本大丝束碳纤维、多材料连接技术及智能化工艺创新，以推动新能源汽车轻量化与可持续发展。

（2）创新点

① 材料体系：开发门内饰板的薄壁低密度聚丙烯（PP＋EPDM-T10），通过壁厚减薄（2.5mm→2.3mm）与密度优化（1.05g/cm^3→0.97g/cm^3），实现零部件15.6%的减重，且综合成本无增加；将 PPO/PA 合金材料用于塑料翼子板，实现轻量化（比 PP-M30 轻 6%）、高韧性（缺口冲击强度提升 1.9～2.3 倍）与在线涂装兼容性突破；应用聚苯硫醚（PPS）提高电池组件的高温耐受性（长期 200～240℃），解决新能源汽车热管理痛点；以水性阻尼材料替代沥青阻尼，VOC 排放降低 50%，单车减重 2.75kg，同时通过机器人喷涂工艺实现自动化生产。

② 工艺技术：塑料翼子板（PPO/PA 合金）与碳纤维复合材料（CFRP）B 柱实现与白车身同步在线涂装，耐受电泳烘烤（180℃/30min）等严苛工艺，解决非金属材料与金属件共线生产的兼容性问题；湿法模压（WCM）与预浸料模压（PCM）技术在汽车量产中的应用，如碳纤维座椅骨架、电池包壳体等，实现复杂形状零部件的高效成型；碳纤维缠绕工艺（半干法）用于储氢瓶制造，结合树脂浸渍技术提升质量稳定性。

③ 结构设计与集成创新：

模块化集成设计：塑料后尾门一体化注塑成型（如蔚来 ET5），集成 20 多个钢制零件为单件，减重 40%，成本降低 18%；全塑前端框架（PP-LGF40）集成 28 个金属零件为单一部件，减重 54%，工艺效率提升 30%。

多材料复合结构优化：CFRP 支撑板与钢加强板通过 LORD850 结构胶黏接，减重 64%，模态频率提升 48%，轴向刚度提高 22.6%；铝合金内胆＋碳纤维缠绕储氢瓶，实现轻量化与高压安全性平衡。

④ 功能与性能协同开发：PET＋PP 双组分纤维吸声材料（面密度 200g/m^2）实现同等性能下重量减半，车内噪声降低 4.05dB（A）；帝人湿法非织造布（纵向纤维排列）吸声性能优化，应用于顶棚与底盘部位。

总之，本章内容集中于材料体系革新（高性能合金、环保替代）、工艺突破（在线涂装、成型技术）及结构集成优化（模块化、多材料复合），推动非金属材料在汽车轻量化中的规模化应用，同时兼顾了性能、成本与可持续性目标。

（3）思考题

思考题 1：列举汽车中常用的三种非金属材料，分别阐述其分类、性能特性以及典型应用场景。

思考题 2：结合具体案例，剖析塑料后尾门在汽车轻量化方面的优势以及成本效益。

思考题 3：碳纤维复合材料（CFRP）在汽车轻量化中具备哪些核心性能优势？

答案

思考题 4：水性阻尼材料相较于传统沥青阻尼材料具有哪些优势？其在汽车应用中的技术难点以及实际效果如何？

参考文献

[1] 武卫星，苏一畅，刘慧君，等．背门总成：CN 207644139 [P]．2018-07-24.

[2] 陈聪．汽车前端模块产品设计与开发 [D]．长沙：湖南大学，2018.

[3] 周琴平，张云青，杨良波，等．长玻纤增强聚丙烯材料特性及其在汽车前端框架应用的设计方法 [J]．汽车实用技术，2021，46 (14)：78-73.

[4] 刘阳，柴凯，王哲，等．汽车塑料翼子板的应用研究 [J]．汽车实用技术，2021，46 (14)：92-94.

[5] 陈杰龙．塑料翼子板的设计开发 [J]．汽车制造业，2020 (16)：21-22.

[6] 高驰．陶氏公司发布新一代新能源汽车电池导热结构胶 [J]．汽车与配件，2022 (21)：59.

[7] 陈超福．基于水性阻尼材料的汽车 NVH 性能研究及其应用 [D]．长沙：湖南大学，2022.

[8] 胡成，杨豪．薄壁低密度 PP 材料的开发与应用研究 [J]．汽车实用技术，2019 (18)：208-210.

[9] 杨振环，李秋魁，贺丽丽，等．非金属材料在汽车轻量化中的应用浅析 [J]．时代汽车，2024 (04)：40-44.

[10] 赵会芳，田磊，徐亚君，等．低成本轻量化 EPP 材料在汽车内饰顶棚设计中的应用研究 [J]．时代汽车，2024 (14)：134-137.

[11] 赵会芳，田磊，徐亚君．低成本轻量化高环保材料在汽车顶棚设计中的应用研究 [J]．时代汽车，2023 (24)：153-155，162.

[12] 吴松，崔厚学．基于注塑成形的轿车玻璃轻量化技术开发及应用 [J]．汽车工艺师，2022 (11)：61-64.

[13] 张琳，陈晓峰．PMMA 有机玻璃在汽车侧三角窗上的应用研究 [J]．上海汽车，2013 (11)：56-59.

[14] 王爽．全新架构电动车底盘车架轻量化设计与性能匹配方法研究 [D]．长春：吉林大学，2021.

[15] 曹培欢．基于结构可靠性的碳纤维典型车身零部件一体化设计研究 [D]．上海：东华大学，2021.

[16] 刘吉宝，任魁山，史天伊．碳纤维复合材料在汽车领域的应用分析 [J]．农业装备与车辆工程，2024，62 (05)：82-86.

[17] 冯帆．汽车轻量化的碳纤维复合材料应用分析 [J]．合成材料老化与应用，2022，51 (01)：123-125.

[18] CAMPBELL F C. Manufacturing Processes for Advanced Composites [M]．Amsterdam：Elsevier Science Ltd，2004.

[19] 刘宏玉，张军，章晓轩，等．基于汽车内饰轻量化的 NVH 性能开发及应用 [J]．汽车工艺与材料，2014 (10)：1-4，9.

[20] 岳洋，赵福全，金建伟，等．汽车用纤维吸音材料性能研究 [J]．振动工程学报，2010，23 (06)：670-675.

[21] 罗益锋．从战略性新兴产业看纤维产业的发展（五）：高科技纤维在汽车领域的应用新进展 [J]．纺织导报，2012 (12)：47-50.

[22] 李志虎，赛影辉，王志超，等．碳纤维复合材料在汽车上的应用概述 [J]．汽车实用技术，2023，48 (03)：136-141.

[23] 李宗家，虎龙，李年华，等．碳纤维复材在氢气储存和电池包壳体的应用现状 [J]．合成纤维，2023，52 (10)：54-57，61.

[24] 苏一畅，王方玉，张然然，等．可在线涂装的“碳纤维/钢”复合结构汽车 B 柱分总成的研发 [J]．汽车工艺与材料，2021 (03)：13-19.

[25] 徐作文，陈伟，赵春．碳纤维复合材料汽车前车门轻量化设计与分析 [J]．科技创新与应用，2018 (36)：79-81.

第6章　新能源汽车三电系统轻量化

6.1　三电系统结构及轻量化发展

6.1.1　三电系统结构

“三电”系统由电池系统、电机（又称电驱动）系统和电控系统构成。其主要作用是将电能转化为车轮的动能，同时还能把车轮的部分动能回收到蓄电池中。在新能源汽车领域，纯电动汽车依靠“三电”系统提供能量来实现驱动。混合动力汽车和燃料电池汽车，则分别需要借助内燃机或燃料电池发动机，再配合“三电”系统，共同为车辆提供驱动能量。燃料电池汽车通过氢氧反应发电，需持续补充氢燃料，与锂电池互补使用。图 6-1 展示的是纯电动汽车的驱动方式。

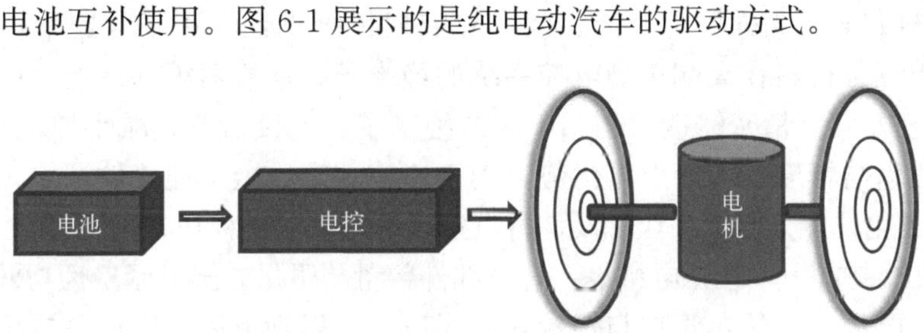

图 6-1　纯电动汽车驱动方式示意图

新能源汽车的巨大心脏——“三电”系统的技术水平对整车的操控、安全、轻量化、续航里程等方面的性能起到决定性的作用。

6.1.2　三电系统的轻量化发展

据统计，2023 年我国实现装车配套的动力电池企业有 52 家，累计装机量 387.7GWh，全球占比超过三分之二[1]。

在“三电”系统里，电池、电控以及电机都具备实施轻量化设计的空间。其中，承担连接电池模组、电池管理系统（BMS）与电机控制器功能的高压线束，在整体重量构成中占据较大比重，因而高压线束的轻量化设计对轻量化有着举足轻重的影响。

在集成度方面，新能源汽车在“三电”布置方面显示出集成化的趋势。驱动电机和电控系统布置在前舱，动力电池布置底盘下方或后排座椅下方，总成的体积和重量更紧凑，在轻量化设计上也更灵活。插电式混合动力汽车因集成电动车、燃油车两套完整的动力系统，整车重量更大，在集成化方面的需求更为强烈。

2020 年，崭露头角的电池车身一体化技术显著降低了车身重量。在当年的电池日上，特斯拉率先提出了 CTC（电芯→底盘）概念，取消传统车身地板，创新性地将电池框架与车身进行集成。不仅如此，特斯拉还运用一体化压铸技术，实现了电池与底盘的一体化设计，在轻量化之路上更进一步。

（1）电池系统轻量化与发展 电池系统的能量密度主要受制于电池的正负极材料。

三元正极材料朝着高镍化与单晶化方向迈进，旨在提升能量密度与稳定性；铁锂正极则聚焦于高压实技术以及锰铁锂的探索，力求在成本与性能间达成更优平衡。

负极材料不断创新，掺硅补锂等前沿技术为提升电池容量与充放电性能开辟了新路径。在封装工艺上，行业发展趋势逐渐向方形、圆柱形以及创新性的刀片电池方向靠拢，不同封装形式各具优势，满足多样化的应用需求。固态电池的研发与量产已成为动力电池领域的重点攻坚方向，其有望凭借更高的能量密度、更好的安全性，重塑新能源汽车的未来格局。

（2）电控系统轻量化及发展

① 材料方面，高强度铝合金、镁合金取代传统钢铁，用于电控系统外壳、支架；碳纤维复合材料在高端车型电控系统的绝缘子、连接器等部件上应用。

② 工艺方面，精密铸造工艺用于制造绝缘子、连接器等，减小加工量与重量；激光焊接凭借高精度、无变形等优势，用于连接固定，减少连接件。

③ 集成化设计方面，模块化设计将电控系统划分功能模块，采用多合一的设计，如集成电机控制器、车载充电机等，减小部件数量与重量，提升紧凑性与效率。

未来，电控系统的热管理与轻量化协同设计将得到重视。优化散热结构，采用高效散热材料，利用轻量化材料，兼顾散热与减重。

（3）电机系统轻量化及发展 工程塑料用于电机绝缘部件，高强度钢、铝镁合金用于电机壳体、支架，碳纤维复合材料开始应用于转子，有效减轻重量。

随着半导体技术发展，电机部件实现小型化与高性能化，更多功能集成于少数模块。

6.2 动力电池系统的轻量化方案

电池系统主要由电芯、模组、电池管理系统、箱体以及辅助的电子元件、线束等构成。电池系统轻量化可以从电芯轻量化、电池箱体轻量化等方面进行展开。

6.2.1 电芯（单体电池）的轻量化

6.2.1.1 电芯（单体电池）的发展

新能源汽车应用的动力电池电芯，即单体电池，按照材料分为三种：铅酸电池、锂离子电池（磷酸铁锂电池、三元锂电池、锰酸锂电池和钛酸锂电池）和燃料电池。

20 世纪初，铅酸电池问世。因安全性高、自放电慢、低温性能佳，在电池行业有一定地位。汽车启动时需大电流，铅酸电池常被选作启动电池，保障发动机顺利启动。铅酸电池的能量密度低，使用寿命短，含铅等重金属，对环境不利。但它的成本低、性能稳，在对续航和速度要求不高的低速电动车、观光游览车等领域，铅酸电池仍被广泛应用。

燃料电池是一种将燃料和氧化剂的化学能通过电极反应直接转化为电能的发电装置。与传统电池不同，它并非储能设备，而是发电装置，需要持续供应燃料和氧化剂以持续产生电能。

锂离子电池的应用占绝对优势，锂离子电池的能量密度高、寿命长。磷酸铁锂电池和三元锂电池是市场上主流的两种锂离子电池类型，分别具有不同的优势。磷酸铁锂电池以其安全性高、循环寿命长和成本较低而受到青睐，而三元锂电池则因其较高的能量密度和较好的性能表现，在各类新能源车型中应用最多。

《锂离子电池行业规范条件（2024 年本）》具有重要意义，引导锂离子电池行业朝着绿色、低碳且高质量的方向迈进。在能量密度方面，该规范条件有着明确要求。采用三元材料的能量型单体电池，其能量密度需大于或等于 230Wh/kg；使用磷酸铁锂等其他材料的能量型单体电池，能量密度也应大于或等于 165Wh/kg。与之形成鲜明对比的是，一般铅酸电池的能量密度仅约为 50Wh/kg，锂离子电池的能量密度达到了铅酸电池的 3.3 倍以上。

6.2.1.2 电芯轻量化方案

(1) 提升正极材料的性能　锂电池正极材料能量密度的提升主要通过以下几种方式实现：

① 三元正极材料的优化。

高镍化：镍含量越高，三元正极材料的克容量就越高。如 NCM811 正极搭配石墨负极，电芯能量密度已超过 270Wh/kg，甚至达到 300Wh/kg，远高于 NCM622/石墨负极的 230Wh/kg 和 NCM523/石墨负极的 200Wh/kg。

单晶化和高压化：单晶结构稳定性更强，循环性能佳、安全性能高，能耐高电压，通过提高电压平台来提升能量密度。中低镍高电压产品也成为主流，在提升能量密度的同时还能改善安全性能。

② 磷酸铁锂的优化。磷酸锰铁锂是在磷酸铁锂中添加锰而获得的，能成功消

除磷酸铁锂能量密度瓶颈，将能量密度提高15%～20%，且其橄榄石型结构在充放电时更具安全性。

将磷酸铁锂制备成纳米级，从而提供额外的容量。通过塑型剂、表面活性剂等制备具有更高压实密度的磷酸铁锂，从而提升磷酸铁锂的体积能量密度。

③ 富锂锰基正极材料的发展。富锂锰基材料包含镍、钴和锰以及锂和氧元素，其晶格氧会发生氧化还原，比容量超过300mAh/g，有望打破三元材料能量密度"天花板"。但该材料存在离子电导率低、首次充放电不完全可逆、循环过程中的相转变以及高温高SOC（荷电状态）下的胀气和析氧等问题。

④ 新型正极材料的研发。厦钨新能采用全新NL层状结构正极材料，使用国际领先"定向迭代"工艺，具有电池能量密度提升、结构稳固、循环寿命长、快充性能好、贵重金属使用量下降等优势。

(2) 提升负极材料的性能

① 负极材料体系创新。改进硅基负极材料，硅是已知具有最高理论容量的负极材料，理论容量可达4200mAh/g，是商用石墨的10倍以上。通过镁热还原和熔融盐还原的方法将氧化硅-碳纳米复合材料还原制备成硅-碳复合材料，在硅-碳复合材料骨架中产生空隙，为硅纳米颗粒在嵌锂时的体积膨胀提供足够的空间，控制硅基电极表面固体电解质界面膜的形成，从而解决硅基电极循环性能差的问题，进而提高材料的振实密度，提高硅基电极的体积能量密度。

研发新型负极材料，如Li_3VO_4一维复合纳米结构，利用低温液相合成技术结合高温煅烧制备其纳米材料，通过尺寸控制、表面包覆和结构掺杂等途径，降低充放电过程中的结构应力，提高电荷输运性能，改善锂离子电池的循环和倍率性能，从而间接提升能量密度。

② 复合材料的应用。将硅与碳材料复合，如硅-碳复合材料、硅-石墨烯复合薄膜材料、自支撑结构的硅-碳纤维等，利用碳材料的良好导电性和结构稳定性，缓冲硅在嵌锂过程中的体积膨胀，提高材料的循环性能和能量密度。中航锂电的专利中，其负极片的活性物质由硅碳和石墨组成，质量比设定在(7～15)∶(85～93)之间，通过二者的结合，显著提高电池的能量密度。

(3) 提升电解质性能：固态电池向产业化发展 从电解质角度出发，控制电解液的注入量是提高电池能量密度的一种方法。在电池中，电解液是非消耗物，其作用是保证锂离子在正负极之间扩散，但电解液易分解。在锂离子正常扩散的前提下，通过对电解液进行改性，提高其稳定性，减少电解液的分解，可降低电解液的用量。

发展半固态、固态电解质的电池技术也可以提高电池能量密度，从而达到轻量化的目的。固态电池是使用固态电极和固态电解质的电池。与液态电池相比，其具有更高的能量密度、更高的安全性、更长的循环特性，以及体积小、耐低温等优势[2]。

固态电池的能量密度相比传统锂电池有显著提升。三元锂离子电池包能量密度在 150～260Wh/kg 之间，而固态电池能量密度通常可达 280～350Wh/kg，如鹏辉能源发布的第一代固态电池能量密度为 280Wh/kg，南都电源的固态电池产品能量密度可达 350Wh/kg。

固态电池的主流技术主要聚焦于氧化物及硫化物电解质这两大领域。在电池电解质的众多研究方向中，氧化物与硫化物电解质因研发成本相对较低，仅为部分新兴电解质研发成本的 30%～50%，有望率先实现规模化生产，从而实现关键技术突破。例如将电池的能量密度提升 20%～30%，达到 500～600Wh/kg，或是显著缩短充电时间至 15 分钟以内，进一步促进电池的轻量化。

6.2.2　电芯结构的轻量化

在电池制造工艺、封装路线方面，对能量密度的提升也有不同的贡献。

(1) 电芯结构技术的提升　商业化电芯结构主要有圆柱、方形和软包三种形式（封装方式不同），如图 6-2 所示。

(a) 圆柱电池　　(b) 方形电池　　(c) 软包电池

图 6-2　不同电芯结构的锂离子电池

软包电池的能量密度最佳，逐渐成为主流选择之一。例如，LG 化学、宁德时代等企业的软包动力电池在电动汽车中的应用越来越广泛。在消费电子领域，如智能手机、平板电脑、可穿戴设备等，软包电池也因其轻薄、能量密度高的特点，满足了这些设备对轻量化和长续航的需求，市场份额逐年提升。软包电池的市场占有率正在快速上升，预计到 2030 年，其在新能源汽车市场的渗透率将达到 45%。软包电池相较于传统的方形和圆柱电池具有多项技术优势。首先，软包电池采用铝塑膜作为包装材料，具有更高的能量密度和安全性。例如，比亚迪在其电池技术中采用了软包技术，以提高安全性和延长使用寿命。此外，软包电池还具备更好的充放电性能和循环稳定性，有效降低了热失控风险。

对于方形电池来说，增大尺寸和使用质量较轻的材料是提升能量密度的有效方法。在保证同样容量的前提下，用铝合金替代钢作为方形电池的外壳可以降低电池的质量，铝壳可以做得更薄。锂电池的铝壳向高硬度和轻量化的技术上演进，这将会为汽车的轻量化提供更优越的产品。

对于圆柱电池来说，主要轻量化方法是做大单体电芯容量。随着电池尺寸的增大，电池不贡献能量密度的结构件等重量或体积占比会减小，从而电池的能量密度可以得到提升。如特斯拉的4680电池较21700电池能量提升了5倍，可让电动车续航提升54%。

市场研究显示，预计到2027年，全球大圆柱电池出货量将有35倍的增长空间，在此期间中国大圆柱电池生产设备的市场规模将有14倍以上的增长空间[3]。

我国动力电池市场以方形电池为主，占比超过90%，大圆柱电池一旦实现规模化量产，将成为方形动力电池的有力竞争对手，从而改变动力电池产业的发展格局。全极耳大圆柱电池的成本优势，是其备受追捧、未来可期的关键。4680电池的生产节拍为50～150件/min，比小圆柱产品生产单线产能大幅提高5倍左右。大型新能源车企的战略是：经济型车型采用方形及刀片磷酸铁锂电池，中高端车型采用三元锂电池及大圆柱电池的布局。

(2) 电池制造工艺技术的提升

① 叠片工艺：与传统卷绕工艺相比，叠片工艺能够充分利用电池内部空间，使得在相同体积下，叠片电芯的能量密度比卷绕电芯高出约5%；叠片电池的极耳数量是卷绕电池的两倍，这有助于提高电池的导电性能，降低电池内阻，减少循环过程中的能量损耗，从而间接提升能量密度。

② 预锂化技术：在锂离子电池工作之前先向电极内部增加锂源，从而补充锂离子，补偿形成SEI（固体电解质界面）膜造成的不可逆锂损耗，可有效提高电池的能量密度。

③ 无极耳技术：无极耳设计通过将电池的正负极集流体直接作为电极与电池壳体或盖板进行连接，增加了电流传导的面积和缩短了传导距离，从而显著降低了电池内阻，提高了充放电峰值功率，并提升了电池的能量密度。

④ 方形叠片电池封装：蜂巢能源在全球范围内率先将高速叠片工艺创新应用于方形铝壳电芯，使得方形叠片电池边角处空间利用率更高，能量密度可提高5%，同时全生命周期更低变形和膨胀，循环寿命提升10%～20%。

6.2.3 电池包热管理系统的轻量化

(1) 电池包热管理系统的轻量化的发展 纯电动电池包热管理系统的轻量化成为关键发展方向。热管理系统包含冷却与加热系统，其中冷却方式有风冷、液冷和相变冷却。

风冷系统材料革新：风道大量使用玻纤增强尼龙等工程塑料，取代传统金属材质，密度大幅降低，兼具耐腐蚀与绝缘性。采用碳纤维复合材料扇叶的高效低功耗风扇，风量、风压不变，重量减轻30%～40%。

液冷系统管路升级：微通道技术让冷却液管路直径和壁厚减小，换热面积增加，重量减轻约20%。液冷板与电池模组外壳一体化，部件和连接减少，重量降低10%～15%。

加热系统方面，采用纳米碳膜加热片等轻薄加热元件，优化控制策略，减少加热设备功率需求，实现轻量化。

集成设计也是实现电池包轻量化的重要途径。将热管理系统与其他车辆部件（如底盘）进行一体化设计，可以减少不必要的结构件，从而减轻电池包的整体重量。这种集成设计不仅提高了系统的整体性能，还增强了车辆的结构强度和安全性。

(2) 液冷板的轻量化 新能源汽车液冷板的轻量化是当前新能源汽车领域的重要发展方向之一。从材料选择来看，传统的铜基材料逐渐被铝基材料、碳纤维复合材料等新型材料取代。这些新型材料具有更高的导热性能和更轻的重量，能够更好地满足新能源汽车对轻量化和高效散热的需求。例如，铝合金材料由于其密度低、重量轻，被广泛应用于电池壳和水冷板中，从而显著减轻整车重量。

温达旸等研发了轻量化方面性能优异的非均匀翅片液冷板结构。用增材制造加工出最优非均匀翅片与基准平行通道液冷板。研究表明，均匀翅片设计中，单纯增减翅片直径，无法同时降低液冷板最高温度、温度标准差、功耗和质量。非均匀翅片设计里，沿 X 方向增减翅片直径，温度均匀性差；沿 Y 方向递增效果好。与平行通道基准设计相比，此方案改善了液冷板对角与边缘温度控制，中央区域温度更低，质量、功耗、温度标准差和最高温度分别降低 30.39%、11.2%、3.24%和 1.33℃，证明该设计可行且潜力大[4]。

6.2.4 电池箱的轻量化

6.2.4.1 电池箱结构

电池箱体（电池箱）作为动力电池的承载体，对动力电池的安全工作和防护起着关键作用，主要用于防止动力电池在受到外界碰撞和挤压时损坏而产生的汽车性能及安全问题。

电池箱体一般由上箱体和下箱体两部分组成，如图 6-3 所示。

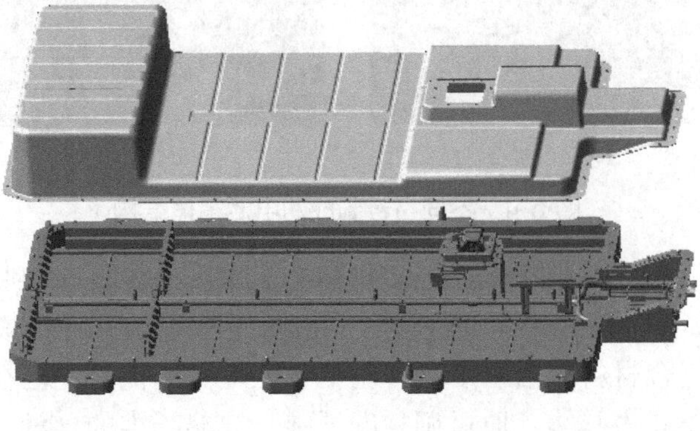

图 6-3 电池箱体结构

上箱体主要是起防护和密封的作用，受力较小，一般采用一体成型，在制造过程中通过工装严格控制该面的平面度。下箱体起固定电池组和承受载荷的作用，所以一般采用框架结构，即底框和边框使用型材焊接，同时在型材外面进行单面或双面焊接蒙皮，从而保证电池箱体的承载能力。

电池箱体因为需要承载电池模块，所以箱体内部需要设计合适的嵌槽和挡板等结构来限制动力电池模块的自由移动，避免其对侧壁和上箱体造成冲击，从而影响电池箱体的寿命。

6.2.4.2 电池箱的轻量化

电池箱体（壳体）是电池包的主要承载部件，唯有箱体的静态、动态（刚度、强度、模态等）稳定，方可保证动力电池安全，保障动力系统平稳运行[5]。

电池箱体材料应具备电绝缘性、高散热性和化学稳定性等特点。电池包质量占整车系统质量的18%～30%，而箱体质量约占电池包总质量的10%～20%。目前普遍使用金属作为电池箱体材料，复合材料由于其优异的比刚度、比强度也逐渐受到重视。不同材料制成的电池箱体结构如图 6-4 所示。

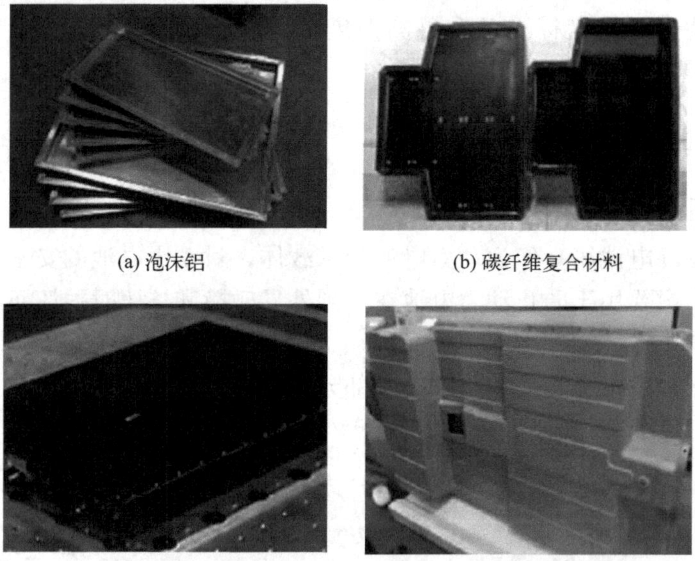

(a) 泡沫铝　(b) 碳纤维复合材料　(c) 玻纤复合材料　(d) SMC复合材料

图 6-4　不同材料制成的电池箱体结构

国内外学者对复合材料箱体亦有针对性研究。如 Baumeister 等利用泡沫铝复合三明治材料，成功制成可装载 20kWh 电池包的下壳体，且使下壳体质量减小 10%～20%[6]。

碳纤维增强复合材料凭借密度低、刚度和强度高等优势，已在电池箱体中得到大量应用。以尼龙 6 为基体，通过调整碳纤维与玻璃纤维的含量，在满足强度、冲击性能等要求的前提下，开发出的增强塑料下壳体较普通钢材质量减轻 31%。一汽轿车研发的碳纤维电池箱体，成功将质量从 110kg 降至 19kg。德国化工技术研究所研制的以聚氨酯为基体的热固性塑料电池箱体，质量仅 35kg，却可承载 340kg 的电池组，较同等规格钢材质量减小 35%以上。邵明顶等人采用连续玻璃纤维编织布为基材、环氧乙烯基树脂为基体的玻璃纤维增强复合材料，经预浸料模压成型工艺制作的电池箱体，同样达成了轻量化效果。

新能源汽车动力电池箱体设计需要综合考虑电池包的内部散热、防水防尘和安全性问题，所以兼顾动力电池包的轻量化和其他各项性能平衡的设计是一项重要的挑战。

综合电池箱体的材料与结构设计，其轻量化路径需在材料性能、工艺可行性及成本效益间寻求最佳平衡。

在材料选择方面，金属与复合材料在制造工艺上呈现不同特点。对于金属箱体，若采用传统的冲压焊接工艺，确实存在连接步骤多、可能导致质量增加的问题；然而，一体化压铸等先进工艺已能实现复杂结构的一次成型，显著减少连接件并提升效率。相比之下，复合材料（如碳纤维、SMC）虽易于成型复杂结构，但需重点平衡其制造成本与刚度、强度、疲劳耐久性等关键性能。

未来，无论采用何种材料，电池箱体设计都需系统考量空间布局、密封防护、热管理及碰撞安全等多重要求，确保箱体与车身连接的可靠性，这是一项重要的系统工程挑战。因此，车身底盘电池包结构一体化与电池箱体轻量化材料的创新应用，共同构成了未来轻量化发展的两大关键路径。

6.2.4.3 镁合金电池箱体研发案例

王双林等人研发了新能源汽车电池托盘（下箱体）用镁合金的挤压工艺技术，核心方向体现在以下三个维度。

（1）新型模具结构与工艺参数组合的开发

① 模具设计优化。针对电池托盘长尺寸、薄壁、多腔室的结构特点，通过改进挤压模具的分流桥结构与焊合腔形状，改善材料流动的均匀性，确保复杂截面型材的充填一致性。

② 工艺参数的精准调控。

a. 挤压温度：控制在 300～400℃范围，在保证材料塑性的同时，有效抑制氧化反应；

b. 挤压速度：通过优化速度参数（如根据截面复杂度动态调整），平衡材料流动均匀性与表面质量，减少表面裂纹、扭拧等缺陷；

c. 挤压比：采用 20∶1 及以上的高挤压比，通过较大变形量细化晶粒，提升材料力学性能。

（2）微观组织与性能演变规律的研究

① 工艺参数对微观组织的影响。系统分析了挤压温度、速度、变形量等参数对 AZ31、AZ80 等镁合金微观组织的作用机制，重点阐明了晶粒尺寸、织构分布及第二相形态的演变规律。

② 工艺-组织-性能关联机制。建立了挤压工艺与材料力学性能（强度、塑性）及耐腐蚀性能的定量关系，明确了挤压过程通过细化晶粒、优化织构来提升材料综合性能的内在机理，为满足电池托盘的结构承载与安全需求提供理论支撑。

(3) 优化工艺方案的开发

① 方案构建方法。通过有限元仿真（预测材料流动与温度场分布）与实验验证相结合，确定了一套完整的挤压工艺窗口及参数控制策略。

② 方案核心目标。

a. 解决薄壁多腔结构的挤压成型难题，提升产品尺寸精度与结构稳定性；

b. 在确保性能的前提下，强化轻量化效果（相比传统材料减重显著）；

c. 兼顾生产效率与成本，为工程化应用提供可落地的技术方案。

③ 核心价值。该方案通过技术改进确保复杂型材均匀充填，通过温控与速度控制避免缺陷并获得理想组织，通过高挤压比应用细化晶粒以提高性能，最终实现了电池托盘的高效、稳定、轻量化生产，为镁合金在新能源汽车关键部件中的应用提供了技术依据[7]。

6.2.4.4 碳纤维复合材料电池箱体（作者团队的开发案例）

团队成员通过有限元方法研究碳纤维复合材料箱体挤压性能，基于动力电池系统碳纤维复合材料箱体挤压工况，开展仿真有限元应用，重点阐述了碳纤维复合材料有限元仿真材料及夹芯面板铺层设置方法，分析了不同铺层角度对电池包挤压性能的影响[8]。

电池箱外形如图 6-5 所示，外轮廓长 1230mm，宽 1100mm，高 120mm，钢板箱体质量为 35kg。用碳纤维复合材料替代钢板材料的电池包箱体采用蜂窝铝夹芯结构承载，其中面板采用 T700 碳纤维环氧树脂，芯层采用正六边形铝蜂窝。该碳纤维环氧树脂复合材料动力电池箱体的质量约为 8.5kg，相对于传统的钢材或者铝合金电池箱体大约能减重 70%。

碳纤维环氧树脂复合材料箱体结构分为底板、侧板及加强筋三部分。其中碳纤维环氧树脂复合材料涉及材料铺层，如图 6-6 所示，在碳纤维铺层设置铺层角度与实际的工艺状态保持一致。

图 6-5　电池箱外形

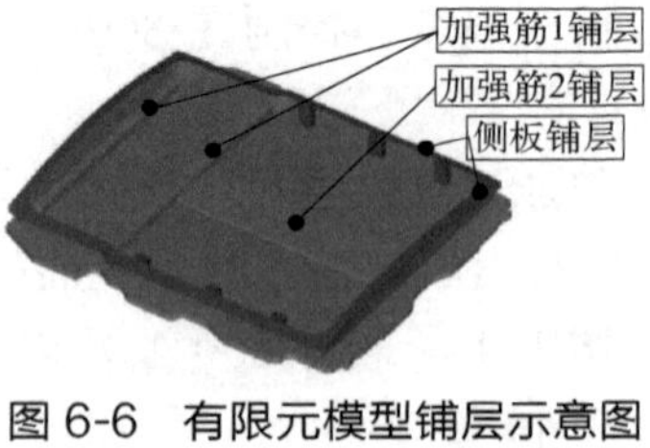

图 6-6　有限元模型铺层示意图

根据 GB 38031—2020《电动汽车用动力蓄电池安全要求》标准要求，用半径 75mm 的半圆柱（半圆柱体的长度大于测试对象的高度，但不超过 1m）沿着汽车行驶方向 x 轴和垂直汽车行驶方向的 y 轴挤压电池包。

采用不同铺层角度的碳纤维复合材料，分析挤压工况下结构性能影响。结果表明，在 x 向动力电池包挤压工况下，虽然[0，－60，0，－60，0，－60]铺层挤压力峰值 F_{max}＝121.59kN 最大，但从平均挤压力 F_{mean}、内能 $E_{internal}$、比吸能 E_s 来看，[0,60,0,60,0,60]铺层角度挤压性能最佳，并且最大挤压力 F_{max}＝121.59kN，满足 GB/T 31467.3—2015 标准中挤压力大于 100kN 的要求。[0,90,0,90,0,90]铺层挤压力波形出现“W”波动，也应避免这种形式。同样需在动力电池 y 向挤压工况下研究碳纤维铺层角度对结构性能的影响，全面评估电池包 x 向和 y 向挤压综合力学性能，确定满足电池包最佳挤压性能的碳纤维铺层角度。

6.3　电机系统的轻量化方案

新能源汽车驱动原理的核心是用电机替代发动机，实现动力驱动。本节主要讲述对象是新能源汽车三大核心部件之一的驱动电机。

驱动电机的性能、效率直接影响电动汽车的性能，而电机的尺寸、质量会影响到汽车的整体效率。选用轻质小型的高效电机，结构上可以减少整车布置空间，增加电池的数量，等于提高了电池的整体容量，对电动汽车的行驶里程的提升显得尤为重要。不同结构形式的电机扭矩质量比区别很大，电机的轻量化主要从电机结构优化、高功率电机、新型集成化电机三个方面来考虑。

6.3.1　结构优化

通过结构布置形式上的变化，如通过对永磁结构的改进，使永磁电机更适合高速运行，以达到提高车用电机扭矩质量比的目的。如将磁钢嵌入转子，省去了加固磁钢的部分，从而使气隙减小，当电机低速运行时，可获得更大的扭矩。另外，对于方波驱动的无刷直流电机来说，多相化可以进一步提高电机出力。

电机轻量化设计主要是结合整车装配结构尺寸，对原电机的结构进行优化，包括前端盖、后端盖、机壳（接线盒）和各类盖板。作者团队人员通过结构优化实现电机轻量化，与原电机比较，电机本体长度减短，动力线出线位置和方式进行了优化，减小了动力线的长度；对电机的转轴做了相应优化减短，转轴重量也随之减轻；增加端盖加强筋的分布，减少材料的用量；接线盒与机壳合并在一起，减少零件数量和材料用量；各位置使用的盖板由钢板材调整为高强度铝合金板材，减轻零件重量，最终实现电机轻量化，如图 6-7。结构强度满足要求的前提下，电机重量整体减轻 3.2kg。

6.3.2　采用高功率电机

一方面，汽车所需求的电机输出和能量回收功率不断提高，以满足不同工况不同车型的需求；另一方面，新型机电一体的传动系统尺寸受到车内空间的限制，高功率密度电机成为电动汽车驱动电机的必然选择。高功率和小尺寸的驱动电机是电机轻量化的发展方向，但要想进一步提高驱动电机功率密度，需要克服一些技术困难：①提高功率密度将导致供电频率增大，电机铁耗将大幅增加；②提高功率密度，电机单位体积的损耗增大，温度升高，对永磁体耐热性和电机散热性能提出了挑战；③提高功率密度将使得电机转子的最高转速增大，转子材料及结构的机械强度需要得到保证，以保证电机转子在承受较大离心力的情况下能够正常运行。

(a)原电机　　(b)优化后电机

图 6-7　电机轻量化前后结构图

6.3.3　集成化电机

通过电机与减速器集成、电机与控制器集成（图 6-8），或者电机、减速器和控制器三者集成的方式，优化结构和工艺，实现动力总成轻量化。电机材料选型上采用高磁能积、高矫顽力的永磁体材料；减速器材料选型上采用高强度的合金或者复合材料；PDU(电源分配单元)、PEU(电力电子单元）壳体采用铝合金类材料，大幅提升电机功率密度和效率。

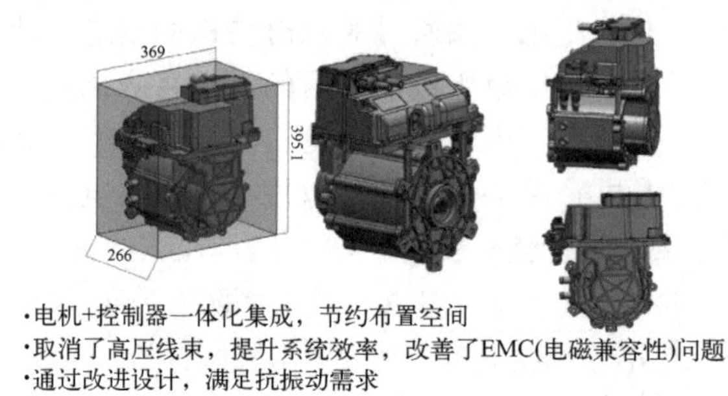

图 6-8　电机与控制器集成方案

如图 6-9 所示，电机机壳与接线盒通过模块化，将两个零件结合在一起，从而减少零件数量和材料用量，通过该方案减重约 1kg。

(a)原电机　　(b)集成后电机

图 6-9　电机机壳与接线盒轻量化方案

6.4　电控系统的轻量化方案

6.4.1　新能源汽车的电控系统简介

狭义上的电控指整车控制器，但是新能源汽车的电控系统包含内容较多，还有电机控制器与电池管理系统等，这些控制器通过 CAN(控制器局域网) 等通信。整车控制器主要是采集油门、制动踏板等各种信号，并做出相应判断与给出指令，在新能源汽车上还要协调各个控制器的通信。电机控制器的作用主要是接收整车控制器的扭矩报文指令，进而控制驱动电机的转速与转动方向。另外，在能量回收过程中，电机控制器还要负责将驱动电机副扭矩产生的交流电进行整流回充给动力电池。电池管理系统主要功能包括：电池物理参数实时监测、在线诊断与预警、充放电与预充控制、均衡管理和热管理等。电控系统结构见图 6-10。

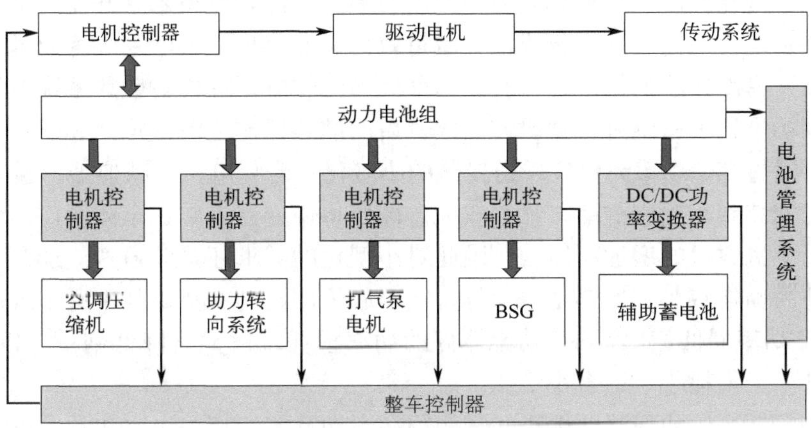

图 6-10　电控系统构成

BSG—带传动启动/发电一体机；DC—直流

电机电控系统作为新能源汽车产业链的重要一环，其技术、制造水平直接影响整车的性能和成本。

6.4.2　新能源汽车的电控系统的轻量化

(1) 通过集成实现轻量化　早期的直流电机一般采用脉宽调制（PWM）斩波控制的方式进行控制，控制手段相对单一，应用也有局限性。随着感应电机和永磁电机的大量使用，电控系统的复杂程度迅速上升，电动乘用车的普及对电机和电控系统的集成度要求也越来越高。

部分“多合一”的电控产品已经在电动汽车中投入应用，它可以同时集成传统汽车分离的空调压缩机、转向助力泵电机、气泵电机控制器，以及混合动力车型中采用的 BSG/ISG(集成启动/发电一体机）等。

随着微芯片在整车及总成控制中的应用逐步广泛，多合一电控产品的成本有望进一步下降，单一控制器将逐步被集成化“车辆中央控制器”所取代。例如，博世、GKN Driveline、三菱电机和舍弗勒生产的电机、减速器、逆变器三位一体的驱动系统，与传统驱动系统相比，体积得到了大幅减小，重量减轻，不仅实现了逆变器与电机之间的连接配线缩短，尺寸更小，还降低了连接部位的电力损耗，提升了驱动系统效率。

吉利汽车将电机、电控、减速器等共计 11 个核心组件精密融合于一体，实现了同级别中最轻量化和最小体积的设计，体积小于行业主流 12% 以上，质量仅为 79.8kg，低于行业主流 14%。

(2) 电控系统散热器轻量化 电机控制器在进行设计时，必须充分考虑结构、散热等方面的问题。变频器中的散热器通常要占整个控制器体积的 1/3～1/2，由此可见实现散热器的轻量化设计对减轻电机控制器的整体质量具有重要意义。丰田的第三代系统在控制器的散热方面采用了很多汽车散热器技术，开发出了一套高性能的散热系统，从而提高了集成性和减重效果。北京理工大学刘婷等通过选取散热效率较高、密度较小的铝合金材料，借助大型流体分析软件对散热系统中复杂的流场与温度场进行了三维可视化研究，改进后的散热器比之前减重 0.3kg。

(3) 通过 SiC 功率元件实现逆变器的小型化 若将电机、减速器、逆变器 3 个部件同时安装到车轮内的话，尺寸较大。即使将逆变器安装在车体侧，逆变器的数量会随着电机数量的增加而增加，因此对小型化的需求还是较强烈。SiC（碳化硅）功率器件因损耗减小、发热量减少等特点引起了广泛的关注。与现有车载逆变器中使用的 Si 功率器件相比，SiC 功率器件的功率损耗可以显著降低到一半以下。SiC 功率器件由于损耗小，适合小型化。

能够发挥 SiC 功率器件优势的逆变器和驱动系统的相关研究和开发正在蓬勃发展。例如，芝浦工业大学电气工程学科的赤津観教授的团队专门研究电机技术与机电一体化技术，他们试做了用于逆变器的小型 SiC 功率模块。上述模块中，半桥电路由 SiC 金属-氧化物-半导体场效应晶体管（MOSFET）与 SiC 肖特基势垒二极管（Schottky barrier diode，SBD）组成。

由于电控系统的核心在于软件，因此其轻量化效果在自身的体现较少，主要的发展集中于三电系统软件技术的提升。

6.5 新能源汽车高压线束的轻量化

三电系统中的线束重量占比较大，对轻量化有重要影响。 新能源汽车线束不属于严格意义上的“三电系统”，但它与三电系统紧密相连并且起着至关重要的支持作用。高压线束是连接电池模组、电池管理系统（BMS）和电机控制器等的关键纽带。它负责将电池产生的高电压电能安全、高效地传输到各个需要用电的部件。例如，在充电过程中，线束将外部充电设备的电能传输到电池中；在放电过程中，又将电池的电能传输到电机等设备。而且，电池系统中的信号线束可以实现 BMS 对电池状态（如电压、温度、电流等）的监测信号传输，对于电池的安全管理和性能发挥着不可或缺的作用。

由于电池的应用以及驱动方式的变化，高压线束的应用数量大幅增加，相比于传统汽车的高压线，电动汽车使用的高压线束从线束材料、生产工艺和设备等方面都发生较大变化。高压线束是高压电气系统的关键零部件，为电动汽车的可靠运行和安全提供了保障。高压线束数量的增加使得对其进行轻量化设计具有重要意义。

电动车高压线束是最重要的线束之一，包括快充高压线束总成、电池-高压分线盒高压线束总成、高压分线盒-电机控制器高压线束总成、高压电流变换线束总成、高压地板线束总成等，如图 6-11 所示。

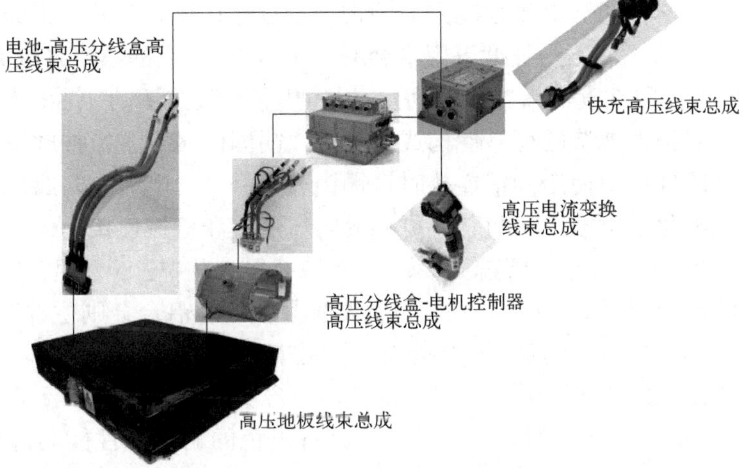

图 6-11　电动车高压线束示意图

由于连接电池、逆变器和电动机，高压电缆需要传输大电流，高电流传输的结果导致高功耗和组件的温升，因此电动车高压线束需要承受较高的温度。根据高压线束在整车内的位置，整车温度可分为不同等级，对高压线束耐高温等级的要求也是不一样的。车辆的线束中电缆长期允许工作温度不超过 125℃。如果电缆的布置环境温度超过了电缆允许的工作温度，可采取增大电缆的截面积的方法，使线束满足环境温度的要求。

电动车高压线束绝缘层在满足高压大电流、抗电磁干扰的同时，还要满足耐磨、阻燃等性能，电动车高压线束绝缘层主要采用 VMQ（硅橡胶）材料、导电线芯主要采用金属铜。电动车高压线束护套可选用的材料较多，如 TPV（热塑性硫化橡胶）、PVC、TPU（热塑性聚氨酯）、XLPE（交联聚乙烯）、VMQ 等。从轻量化、价格等多方面考虑，选择 TPV 材料比较适合。在护套外面，一般还有一个波纹管或热塑管进行保护，波纹管或热塑管一般采用 PP 或 PA(PA6 或 PA66) 材料。

高压线束使用的材料以铜为主，所以在轻量化方面除缩小截面积外，主要是采用更轻的材料替代铜材料来实现轻量化。

电缆是电动汽车高压连接器线束中成本占比较大的零部件，通常使用的导体材料主要是铜及铜合金。铜具有较好的电气性能和力学性能，是电传导的理想材料。随着电动汽车充电电流向 400A 或者更高的方向发展，如果使用铜作为电缆导体，需使用 $95mm^2$ 或更大规格的电缆，将增加线束和整车的质量[9]。对此，高压线束的轻量化方案主要涉及以下两点。

① 铝合金高压线束。采用密度更低的铝作为线束导电芯线，是高压线束轻量化的主要趋势。铝导线特性与铜比较接近，重量比铜轻很多，所以铝导线已经普遍应用于 2.5～50mm 的铜合金导线的替代。相同电导率的情况下，铝制电缆横截面积增加 60%，但是相比铜总重可减少高达 40%。

铝和铜在力学性能与电气性能方面的物理参数存在显著差异。铝的热胀系数大约是 $23.1\times10^{-6}℃^{-1}$(不同纯度等因素会有一定差异)，铜的热胀系数大约是 $17\times10^{-6}℃^{-1}$(同样会因纯度等情况而波动)。铝的热胀系数是铜的 1.36 倍，这种热胀系数的不同，对铜铝连接的可靠性构成了挑战，胡国民研究了搅拌摩擦焊工艺，实验表明在非密闭环境中使用铜铝连接时，铜铝表面需进行电镀和防腐保护，使铜铝连接处不形成电化学腐蚀，从而获得可靠的电气连接和机械连接[10]。

可作为导体的铝合金主要涵盖 1 系、6 系和 8 系。其中，1 系铝合金的主要代表有 1350 和 1050；6 系铝合金以 6101 为主要牌号；8 系铝合金则主要包括 8030 和 8176 这两种牌号。这些不同系列的铝合金，在性能上存在显著差异，具体如下：

1 系铝合金：此系列铝合金的主要特征是铝含量在 99.00% 以上，这赋予了它高达约 61% 的电导率。同时，1 系铝合金具备出色的耐腐蚀性能与焊接性能。然而，它也存在一些短板，如质地相对较软，导致其强度和连接强度都不够高。

6 系铝合金：6 系铝合金以镁和硅作为主要强化相，这使其在力学性能和导电性能方面表现俱佳，特别适合采用螺栓连接的方式。

8 系铝合金：8 系铝合金的独特之处在于，在合金体系中添加了稀土或微量元素，这些元素起到了强化合金的作用。因此，8 系铝合金具有较高的机械强度，其抗蠕变性能更是十分优异，基本可与铜合金相媲美。通过在铝合金导体中合理加入合金成分，铝合金的导电性能和连接性能得到了极大提升。当电流过载时，合金成分能够持续发挥连接作用，从而显著增强铝合金导体的抗蠕变性能。

② 覆铜工艺铝导线。在铝高压线束的轻量化进程中，面临着两大关键问题：其一，铝在空气中极易氧化，这不仅会缩短铝高压线束的使用寿命，还对其安全性能构成威胁；其二，铜铝直接连接时，会引发电化学腐蚀反应。针对这些问题，除了常见的电镀等表面处理工艺外，还存在另一种行之有效的解决方案，即借助温压多金属共晶结合工艺，在铝导线上覆铜。该工艺是将金属粉末经过加温、压制、烧

结等工序，最终制得粉末冶金零件，以此解决铝高压线束的腐蚀与温升难题，助力实现导线的轻量化。

经大量试验验证，采用覆铜工艺的导线在抗腐蚀性方面表现卓越，且在腐蚀试验前后，导线的温升均保持稳定。在相同尺寸条件下，对铝导线直接通入 150A 和 200A 电流时，其稳态温升分别约为铜导线的 350% 和 310%；而当铝导线连接处覆铜后，稳态温升大幅降低，仅约为铝导线的 43% 和 47%。这充分表明，覆铜工艺能够显著降低铝导线通电后的温升情况。

将覆铜与电镀镍产品进行对比分析，结果显示，温压多金属共晶结合工艺下的产品（图 6-12），其温升相较于镀镍工艺更低，且变化更为稳定；在抗腐蚀能力方面，同样优于镀镍工艺。由此可见，通过温压多金属共晶结合工艺所生产的产品，不仅安全性能更高、耐久性能更好，载流能力也更为强劲。在满足各项性能需求的基础上，能够大幅降低线束重量，为铝高压线束的轻量化发展提供了有力支撑。

图 6-12　温压多金属共晶结合工艺产品（覆铜）

6.6　结构创新：电池与车身一体化技术

(1) 定义　CTC(cell to chassis，电芯→底盘）技术：CTC 技术简化了电池包与车身的集成，将电芯直接集成到车底盘上，取消了上箱体和采用车身地板作为上箱体的设计，从而实现了更高的集成度和轻量化。

CTB(cell to body，电芯→车身）技术：将电池包与车身底板集成在一起，形成类似蜂窝铝结构的车身设计，从而实现更高的结构强度和轻量化。CTB 技术通过减少零部件数量和优化结构设计，降低了整车重量。

CTP(cell to pack，电芯→电池包）技术：CTP 技术通过将电芯直接集成到电池包内，省去了模组或模组组件，从而提高了空间利用率和能量密度，同时减少了零部件数量和内部线缆结构，有助于降低电池包的整体重量。CTP 方案通过省略电池模组，把电芯直接安装于电池包内的方式，较传统体积利用率提高 15%～20%，零件减少 40%，生产效率提升 50%，能量密度增加 200 Wh/kg 以上[11]。

(2) 电池结构的演进路径与应用　电池结构的演进路径（图 6-13）为：从电芯→模组→电池包→车身到电芯→电池包→车身，再到 CTC/CTB(图 6-14)。其中 CTC/CTB 方案集成化程度最高，通过将电池直接安装在车身结构上，将电池与车身完美融合，从而实现空间利用率和电池装载量显著提升。

比亚迪的 CTB 应用见图 6-15，采用车身减法，围绕电池设计的路线，把车身地板与电池包上壳体合二为一，集成于电池，即电池上箱体代替了地板的一部分。比亚迪 CTB 方案保留了地板上的一些横梁，这样车体刚度和车身整体稳定性更好。电池上箱

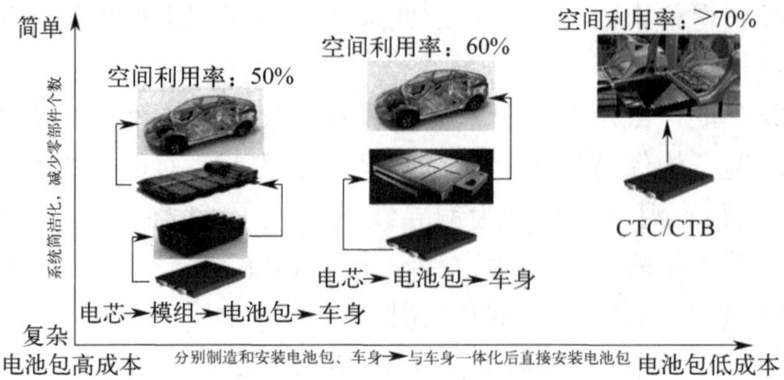

图 6-13 电池结构的演进路径

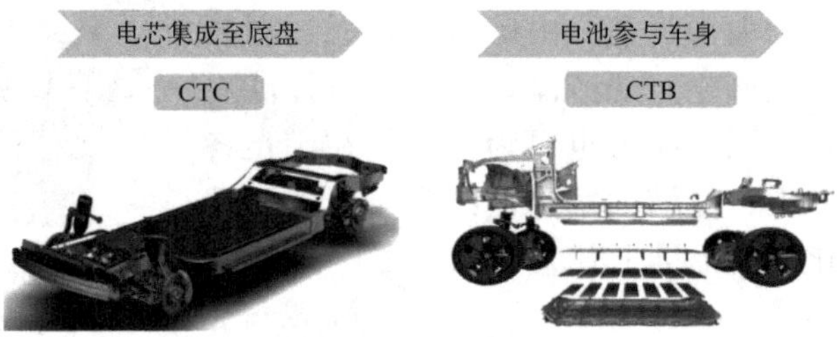

图 6-14 CTC 与 CTB

体与门槛及前后横梁形成的平整密封面，通过密封胶密封乘员舱，底部通过安装点与车身组装。在设计制造电池包的时候，把电池系统作为一个整体与车身集成，电池本身的密封及防水要求可以满足，电池与乘员舱的密封也相对简单，风险更可控。比亚迪 CTB 技术实现了车身与电池系统的高度融合，整车扭转刚度提升一倍。

图 6-15 比亚迪 CTB 应用图示

(3) 小结 新能源车身电池一体化是轻量化的创新方案，未来将进一步融合三电系统、动力域、热管理、电子电气及智驾等系统，实现高度模块化的集成体，使车辆的整体性能和效率得到更大提升。例如，宁德时代规划在 2030 年实现智能化 CTC，通过智能化动力域控制器进一步优化动力分配和降低能耗。

固态电池等新型电池技术的研发和应用有望取得突破，其具有更高的能量密度、安全性和更长的循环寿命，将为车身电池一体化提供更好的电池基础，进一步实现轻量化。

车身电池一体化技术可以增强整车的扭转刚度和安全性，在碰撞测试中更好地保护电池和车内乘员。如比亚迪的 CTB 刀片电池包通过了严苛的 50 t 卡车碾压测试和实车碰撞测试，确保电池包不冒烟、不起火。

智能化发展方面，该技术为高阶驾驶辅助系统的实现提供了更好的基础，通过简化车身架构，提高系统集成度，有利于智能底盘技术的发展，从而提升车辆的智能化水平和驾驶体验。

6.7　三电系统零部件的回收技术

新能源汽车产业的环保技术发展已从单一的“末端治理”转向“全生命周期闭环管理”，回收技术作为循环经济的核心环节，正在重塑产业链的研发、生产、使用与再生体系。动力电池、驱动电机和电控系统（简称“三电”）的规模化退役问题日益凸显。其回收技术不仅关乎资源循环利用，也是降低环境污染和实现碳中和的关键。

（1）动力电池回收技术

① 技术路径：

预处理：首先需要对废旧电池进行放电处理，防止在后续处理过程中发生短路、起火等安全事故。然后进行拆解，将电池模块、电池包等进行分离，去除外壳、连接线等非电池部件。

物理回收：通过破碎、筛分、磁选等物理方法，将电池中的不同材料进行初步分离。例如，利用磁选技术分离出铁磁性物质，通过筛分将不同粒径的颗粒分开，为后续的进一步处理做准备。

化学回收：采用酸浸、碱浸等化学方法，将电池中的有价金属（如锂、钴、镍等）溶解出来，然后通过沉淀、萃取、离子交换等技术进行提纯和分离，得到高纯度的金属化合物或金属单质，可用于生产新的电池材料。

② 核心技术挑战：

电解液与隔膜处理：含氟溶剂［如 EC（碳酸乙烯酯）、DMC（碳酸二甲酯）］难降解，传统焚烧污染大；

经济性瓶颈：磷酸铁锂（LFP）电池回收价值低（金属含量少），依赖政策补贴；

自动化拆解：电池型号与封装工艺差异大（如特斯拉 4680 圆柱电池和比亚迪刀片电池），机器人拆解效率不足。

③ 创新方向：针对下一代固态电池，开发低温分解技术（如 QuantumScape 试验线）；应用 AI 拆解系统，结合机器视觉与机械臂，实现电芯精准分离（德国库卡拆解线效率提升 300％）。

（2）驱动电机回收技术

① 回收路径：

拆解：将电机从电动汽车上拆卸下来后，进一步拆解成定子、转子、外壳、轴承等部件。在拆解过程中，需要注意保护各个部件，避免损坏，以便后续的回收处理。

金属回收：电机中的定子和转子通常含有大量的铜、铝等金属材料。对于铜绕组，可以采用加热、化学脱漆等方法去除绝缘漆，然后将铜进行熔炼回收。铝部件则可以通过熔炼重新制成铝锭，用于生产新的铝制品。

磁性材料回收：电机中的永磁体含有稀土元素，如钕、铁、硼等，具有较高的回收价值。主要的回收方法是通过高温熔炼或化学处理，将永磁体中的稀土元素分离出来，再进行提纯和精炼，用于制造新的永磁材料。

② 技术挑战：在电机相关领域存在诸多棘手问题。一方面是稀土依赖困境，中国供应着全球 90% 的稀土，而回收成本占永磁体重制成本的 60%，凸显回收利用难度与对外部供应的高度依存；另一方面，结构复杂性带来挑战，以特斯拉 Model Y 电机为代表，电机高度集成，拆解过程中极易损坏永磁体，增加了零部件回收的操作难度；再者，杂质污染也是不容忽视的难题，电机中的铝壳、轴承钢混入，会致使再生钕—铁—硼磁性能下降，磁感应强度降低 10%～15%，严重影响回收产品的质量与性能。

③ 创新方向：特斯拉下一代电机减少 75%稀土用量，转向铁氧体或感应电机；采用模块化设计，如博世 eAxle 电机支持快速拆卸，提升回收便利性。

(3) 电控系统回收技术

① 关键组件与回收路径：

电子元件回收：电控零部件中包含大量的电子元件，如芯片、电容、电阻等。首先通过加热、脱焊等方法将电子元件从电路板上拆卸下来，然后对其进行检测和分类。对于仍能正常工作的电子元件，可以进行翻新和再利用；对于损坏或无法再利用的电子元件，则可以将其进行拆解，回收其中的贵金属和稀有金属。

电路板回收：电路板通常由玻璃纤维、铜箔等材料组成。常用的回收方法是采用物理破碎和化学处理相结合的方式，先将电路板破碎成小块，然后通过酸浸等化学方法溶解其中的铜等金属，再通过电解等方法将金属提纯。剩余的玻璃纤维等材料可以进行粉碎后作为填充材料或用于生产其他复合材料。

塑料外壳回收：电控零部件的塑料外壳一般采用聚丙烯、聚苯乙烯等塑料材料。可以通过机械破碎、清洗、造粒等工艺，将塑料外壳回收制成塑料颗粒，用于生产新的塑料产品。如果塑料外壳表面有涂层或其他杂质，可能需要先进行预处理，以提高回收塑料的质量。

② 技术挑战：在电控零部件领域的回收难题有待突破。一方面，微型化与集成化趋势显著，电控系统高度集成，在拆解过程中稍有不慎便极易损伤其中的芯片，增加了回收的技术难度；另一方面，有害物质处理问题棘手，电控零部件中常用的环氧树脂封装材料含有溴化阻燃剂，一旦进行焚烧处理，会产生毒性极强的二噁英，对环境造成严重污染；此外，SiC 回收近乎空白，由于 SiC 芯片化学惰性极强，现有的回收技术难以对其进行有效回收，极大地限制了相关资源的循环利用。

③ 创新方向：采用绿色封装材料，如松下开发植物基树脂替代传统环氧树脂；砷化镓（GaN）芯片易回收且耐高温，逐步替代硅基 IGBT。

在汽车三电系统回收领域，智能化与自动化以及低碳工艺突破、设计端革命正引领全新变革。AI 拆解机器人系统能够实现三电部件毫秒级分拣，大大提升拆解效率；借助区块链溯源，可确保材料流向透明化。低碳工艺方面，设计端革命成果斐然，特斯拉 4680 电池采用无模组回收设计理念，拆解时间缩短 70%；大众 SSP 平台电控单元运用可逆连接工艺，采用卡扣式封装，支持无损拆解，从源头上为回收创造便利。

三电系统部件的回收技术正从“粗放拆解”向“精准再生”升级，核心在于技术创新（如直接回收、氢碎法）、设计优化（模块化、无稀土化）与政策驱动（碳关税、生产者责任延伸）。

6.8　本章小结、创新点与思考题

（1）小结　本章针对新能源汽车“三电系统”（电池、电机、电控）的轻量化议题展开深入探讨。在电池系统方面，通过采用高镍正极、硅碳负极、固态电池技术，以及进行结构创新（如 CTC/CTB/CTP 技术），能够有效提升能量密度并减轻重量。电机系统则借助结构优化、实现高功率化以及采用集成化设计（例如电驱总成一体化），达成小型化的目标。电控系统依靠材料替代（如使用铝合金、碳纤维）、模块化集成（多合一控制器）以及采用 SiC 功率器件等方式来减轻重量。高压线束则通过铝导线替代铜、运用覆铜工艺以及优化材料等手段减轻重量。此外，电池车身一体化技术（如比亚迪 CTB）凭借结构的融合，不仅增强了车身的刚度，还提升了安全性，成为轻量化领域的创新发展方向。

（2）创新点

① 电池结构集成创新：阐述了新能源汽车的 CTC/CTB/CTP 新技术。CTP 即取消模组，电芯直接集成至电池包，体积利用率提升 15%～20%，零件减少 40%。CTC/CTB 技术将电池上盖与车身地板融合，车身扭转刚度提升一倍，通过 50 t 碾压测试，实现安全性与轻量化协同优化。

② 电机系统集成化设计：电机、减速器、控制器高度集成，体积减少 12%以上，功率密度显著提升；纤维复合材料减轻转子重量，同时维持高转速下的结构强度。

③ 电控系统模块化与材料革新：多合一控制器集成，即整合空调压缩机、转向助力等模块，减少部件数量与连接线束；SiC 功率器件应用，通过 SiC 元件降低损耗，实现逆变器小型化，散热需求减少，重量减轻。

④ 高压线束轻量化技术：铝合金导体替代铜，相同电导率下减重 40%，结合温压多金属共晶结合工艺覆铜，解决铝氧化与铜铝电化学腐蚀问题；8 系铝合金优化，采用 8030/8176 牌号，提升抗蠕变性能，适配大电流场景（如 400A 以上充电）。

⑤ 电池箱体材料创新：应用碳纤维复合材料，通过铺层优化（如［0°，60°］角度），挤压力峰值达 121.59 kN，比吸能提升，实现减重；应用 SMC 复合材料替代钢制上箱体，减重 28kg，兼具绝缘与热管理优势。

⑥ 热管理系统协同设计，非均匀翅片液冷板，优化流道结构（如温达旸方案），质量降低 30.39%，功耗减少 11.2%，散热效率提升；微通道与一体化液冷，减小管路尺寸，液冷板与模组外壳集成，整体重量降低 10%～15%。

本章通过结构创新（CTC/CTB 集成）、工艺升级（预锂化、覆铜工艺）及系统集成（多合一电驱），系统性推进三电系统轻量化，同时兼顾安全性（如蜂窝铝车身）与性能提升（如 SiC 器件），为新能源汽车的续航、效率及智能化奠定技术基础。

（3）思考题

思考题 1：动力电池轻量化中，正极材料的优化方向有哪些？请举例说明其提升能量密度的原理。

思考题 2：电池车身一体化技术（如 CTC/CTB）如何实现轻量化与安全性的协同提升？

答案

思考题 3：新能源汽车高压线束轻量化中，铝合金导体的应用面临哪些挑战？如何解决？

参考文献

［1］ 刘福建．新能源汽车发展特点和趋势［J］．汽车与新动力，2024，7（S1）：99-102.

［2］ 刘海军．固态电池将对锂电池形成冲击［J］．中国石油和化工产业观察，2024（06）：20-21.

［3］ 赵玲玲．大圆柱电池千呼万唤始出来［N］．中国汽车报，2024-02-26（024）.

［4］ 温达旸．基于非均匀翅片液冷板的电池热管理设计与优化研究［D］．广州：华南理工大学，2021.

［5］ 蔡扬扬，殷莎，赵海斌，等．新能源汽车电池包箱体结构的轻量化研究现状［J］．汽车技术，2022（02）：55-62.

［6］ BAUMEISTER J，WEISE J，HIRTZ E，et al. Applications of Aluminum Hybrid Foam Sandwiches in Battery Housings for Electric Vehicles［J］. Materialwissenschaft Und Werkstofftechnik，2015，45（12）：1099-1107.

［7］ 王双林，赵智忠．新能源汽车电池托盘用镁合金的挤压工艺优化［J］．热加工工艺，2021，50（07）：103-107.

［8］ 洪求才，徐作文，贾新建，等．碳纤维复合材料动力电池箱体挤压性能研究［J］．应用力学学报，2020，37（02）：901-905，951.

［9］ 李日步，王海林，吴东升，等．纯电动汽车动力电池包轻量化技术综述［J］．汽车零部件，2019（07）：101-107.

［10］ 胡国民，付志斌．电动汽车高压线束铜铝连接的可靠性研究［J］．机械制造与自动化，2022，51（06）：218-221.

［11］ 金奎，何鹏申．新能源汽车电池车身一体化技术及工艺［J］．汽车制造业，2023（04）：6-8，10-12.

第7章　轻量化材料连接工艺

汽车轻量化材料的应用给汽车零部件间的连接工作带来了诸多新挑战。不同材料在晶体结构和物理性能方面存在显著差异，这使得传统的点焊等连接技术难以满足轻质材料（如铝合金、镁合金等）稳定可靠连接的需求。传统连接方式无法有效解决异质材料连接界面硬脆相形成以及电化学腐蚀等问题，严重影响连接部位的质量与耐久性。因此，研发并应用新型连接技术成为汽车制造领域的必然趋势。

多材料连接技术作为汽车制造中的核心关键技术，其发展需要从连接新工艺、新材料、新方法等多个维度展开，以实现连接部位精度和质量的双重提升。本章将结合实际应用案例，对新能源汽车零部件常用的连接技术进行系统而全面的介绍，内容涵盖工艺原理、适用零部件、关键技术要点等方面[1]。

7.1　焊接

焊接，也称作熔接（镕接），是一种以加热、高温或高压的方式将金属或其他热塑性材料（如塑料）接合起来的制造工艺及技术。焊接可主要分为熔化焊、压力焊和钎焊三大类（图 7-1）。其中，熔化焊和压力焊是应用最广泛的车身连接技术，主要用于实现同质材料间的连接。熔化焊是将待焊接的母材金属熔化以形成焊缝的焊接方法，常用的熔化焊为电弧焊和激光焊。其焊接接头主要包括焊缝区、熔合区和母材热影响区[2]。压力焊是对焊件施加压力，使接合面紧密接触以产生一定的塑性变形而完成焊接的方法，常用的压力焊有电阻焊和摩擦焊。

7.1.1　电弧焊

电弧焊是一种以电弧作为热源，利用空气放电的物理现象，将电能转换为焊接所需的热能和机械能，从而实现金属间连接的方法。其原理是利用电弧放电所产生的热量将焊条与工件互相熔化，并在冷凝后形成焊缝，从而获得牢固接头，其原理示意图可见图 7-2。电弧焊是应用最广泛、最重要的熔化焊方法，主要包括特种电弧焊、埋弧焊、气体保护焊等。其中涉及轻量化材料（铝合金、镁合金）的主要焊接方法有 TIG 焊（钨极惰性气体保护电弧焊）、MIG 焊（熔化极惰性气体保护电弧焊）和冷金属过渡技术。

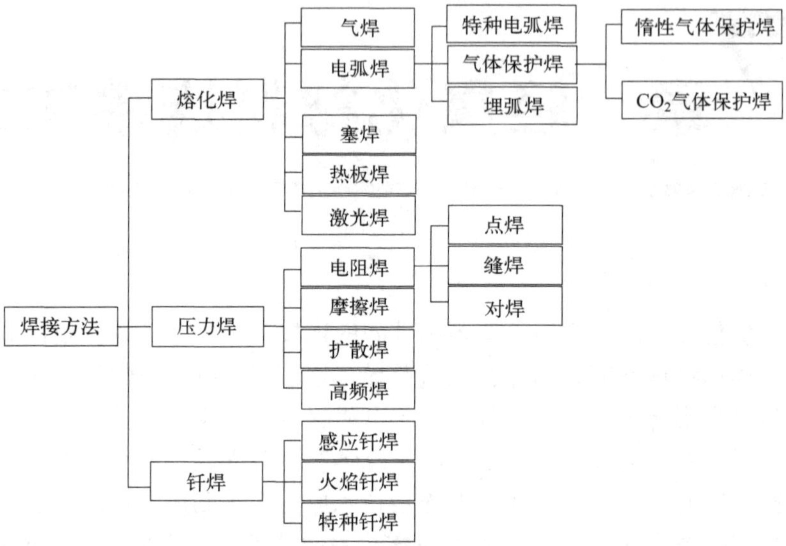

图 7-1　焊接方法分类

(1) TIG 焊　TIG 焊又叫钨极惰性气体保护电弧焊（tungsten inert-gas welding），是以纯钨或活化钨为一个电极，以待焊件为另一个电极，用惰性气体保护电极之间的电弧、熔池及母材热影响区，从而实现材料连接的方法。常用的惰性保护气体有氩气、氦气以及氩气与氦气的混合气体。TIG 焊的示意图如图 7-3 所示。

图 7-2　电弧焊原理示意图

1—喷嘴；2—保护气体；3—焊道；4—熔池；5—母材；6—焊丝

铝合金 TIG 焊的方法可分为直流正接法、直流反接法、交流法和脉冲交流法。直流反接法虽具有阴极清理作用，但是钨极容易烧损，允许电流较小。因此铝合金 TIG 焊主要使用脉冲交流法，交流脉冲既具有阴极清理作用，同时电弧的穿透力强，有利于增加熔深，而且高频电弧振荡有利于晶粒细化和消除气孔，可提高接头质量[3]。

由于惰性气体可隔离空气对熔化金属的有害作用，所以，TIG 焊广泛用于焊接容易氧化的有色金属铝、镁等及其合金，而一般碳钢、低合金钢等普通材料，除对焊接质量要求很高的场合，一般不采用 TIG 焊。TIG 焊具有焊接过程平稳、飞溅小、焊缝美观等优点，但是 TIG 焊焊缝熔深较浅，因此适用于车身外板间的接缝及车顶等纵向长焊缝的焊接，既满足外观需求，同时对承载要求相对不高。由于TIG焊接效率较低，因此常用于铝合金零件的试制阶段，在规模化生产中，铝合金的焊接主要采用MIG焊或冷金属过渡技术。

(2) MIG焊　MIG焊指熔化极惰性气体保护电弧焊（metal inert-gas welding)，是以连续送进的焊丝为一极，以待焊件为另外一极，在惰性气体的保护和两极之间电弧热的作用下，将焊丝熔化并向熔池过度填充，同时不断引弧和稳弧的电弧焊接过程[3]。铝合金MIG焊通常采用的保护气体与TIG焊类似，主要为氩气、氦气以及氩气和氦气的混合气体，其焊接过程示意图如图7-4所示。

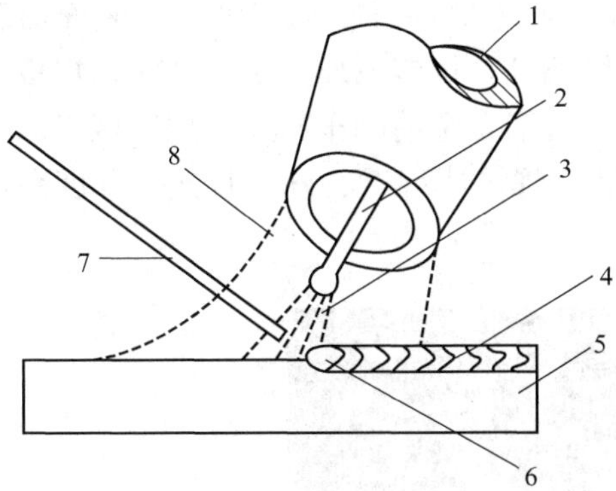

图7-3　TIG焊示意图

1—喷嘴；2—钨极；3—电弧；4—焊缝；5—母材；6—熔池；7—焊丝；8—保护气体

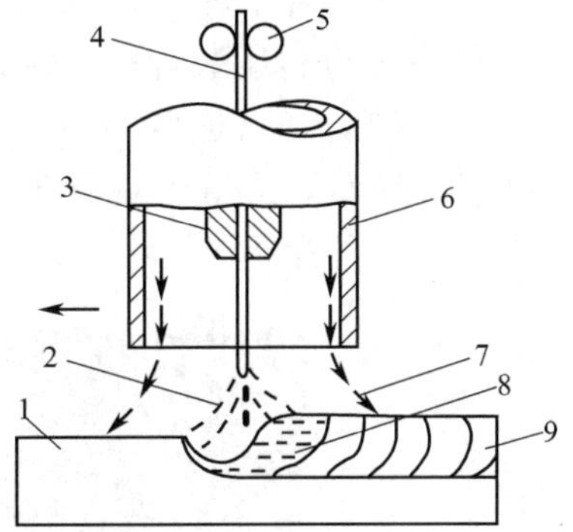

图7-4　MIG焊示意图

1—母材；2—电弧；3—导电嘴；4—焊丝；5—送丝机构；6—喷嘴；7—保护气体；8—熔池；9—母材

MIG焊过程中，熔化焊丝的电弧热能主要来自阴极区、阳极区、弧柱区以及焊丝本身的电阻热。但是铝合金本身的电阻小，产生的电阻热低，而弧柱区不直接接触电极，因此两者对焊丝熔化的作用较小，焊丝熔化的热能主要来自阳极区和阴极区。MIG焊过程的熔滴过渡形式主要包括短路过渡、大滴过渡和喷射过渡（包括射滴过渡和射流过渡)。

MIG焊是最主要的铝合金焊接工艺之一，与TIG焊相比，MIG焊具有生产效率高、熔深大、可焊大厚度铝合金板材的优点，在汽车铝合金连接中发挥着举足轻重的作用。特别是在汽车铝合金使用量逐渐增加的情况下，MIG焊在汽车制造中的地位有超过点焊的趋势。表7-1是部分车型MIG焊和点焊在白车身上的使用情况。

表7-1　部分车型的MIG焊和点焊使用情况

车型	车身类型	MIG焊的焊缝总长度/m	点焊	
			钢点焊/个	铝点焊/个
凯迪拉克CT6	钢铝混合车身	9.174	1624	1821
东风风神E30	全铝车身	3.150	—	—
奔驰S级	全铝车身	7.825	—	—
奥迪Q7	钢铝混合车身	3.856	—	—

续表

车型	车身类型	MIG 焊的焊缝总长度/m	点焊	
			钢点焊/个	铝点焊/个
福特 F150	全铝车身	—	—	98
奔驰 SL	全铝车身	59.829	—	135
奔驰 AMG GTS	全铝车身	7.019	—	121

此外，整车其他系统的铝合金零部件也大量使用 MIG 焊。以底盘铝合金副车架为例，某车型的铝合金前副车架由铝合金铸件和铝合金型材构成，其中铝合金型材为 Al-Mg-Si 系，铝合金铸件为 Al-Si 系。焊接全部采用自动交流脉冲 MIG 焊，焊丝为 ER4043 铝合金焊丝，直径为 1.2mm。各零部件进行加工坡口和表面清理后，在旋转台上进行组装焊接，保护气体为纯氩气，焊接电压为 18～20V，焊接电流为 150～190A，送气速度为 20L/min。焊接后铝合金前副车架及方框区域焊缝放大图如图 7-5 所示，焊缝外观呈典型的鱼鳞状，焊缝成型性良好，且接头强度系数超过 0.7，满足目标要求。

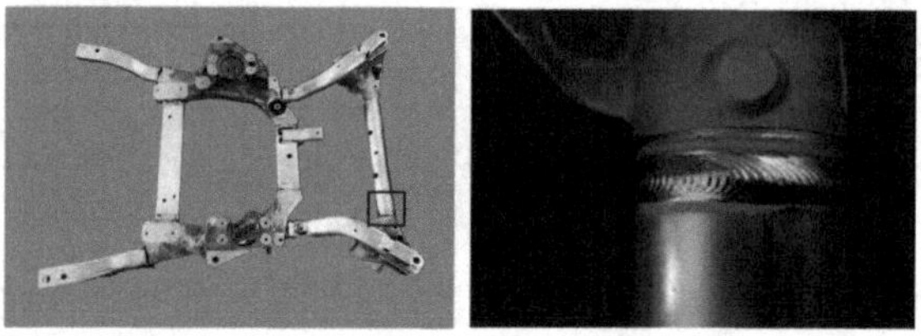

图 7-5　某车型前副车架及局部 MIG 焊缝

(3) 冷金属过渡技术　熔化焊过程需要一个能量集中、热量足够的热源，电流越大，能量集中性就越好。但是，随着热输入量增大，薄板易发生变形，钢与铝的连接生成的脆性相也增多，影响对接头性能。所以，需要热输入量低的工艺来实现连接，冷金属过渡（cold metal transfer，CMT）技术正是这样一种工艺。CMT 焊接是在熔滴短路过渡基础上发展的新技术[3]。其属于电弧焊的一种，由于其热输入量比普通的熔化极气体保护焊要低得多，因而命名为 Cold。CMT 焊接主要用于解决薄板、钢铝混合焊接等 TIG/MIG 焊解决不了的问题。其焊接过程中，随着不断地起弧和灭弧，实现了冷热交替的焊接过程，从而减少了能量输入。CMT 技术具有热量输入低、焊件变形小、焊接效率高、焊接一致性好及可实现异种材料焊接等特点，因此广泛应用于新能源汽车车身、电池包、底盘件的焊接。

CMT 焊接过程见图 7-6。当电弧引燃，焊丝在送丝机的作用下向熔池运动；在熔滴与熔池接触的瞬间形成短路，电弧熄灭，焊接电流陡降；短路信号被焊机检测到，焊机发出信号，使送丝机迅速回抽焊丝；焊丝与熔滴分离，熔滴过渡到熔池，完成一次熔滴过渡及焊接过程。之后焊丝进行反向运动，重复之前的工作。

与 MIG 焊相比，CMT 焊接过程热量输入少、生产效率高，因此在车身焊装中，CMT 技术运用越来越广泛。CMT 技术广泛用于车身铝合金防撞梁、前纵梁、后纵梁、座椅横梁等梁结构之间的焊接。此外，副车架总成中不同铝合金子零件的焊接也可采用该技术。例如，北京现代汽车公司已采用 CMT 技术焊接前纵梁、前轮罩、前地板、后地板以及车门等，华晨宝马、蔚来汽车、特斯拉等汽车公司采用 CMT 技术焊接铝合金副车架。

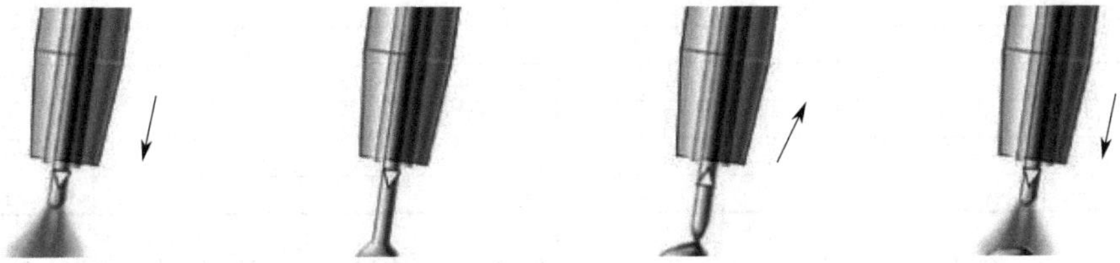

图 7-6　CMT 焊接过程示意图

7.1.2　激光焊

激光焊是利用高能量的激光脉冲对材料进行微小区域内的局部加热，激光辐射的能量通过热传导向材料内部扩散，将材料熔化后形成特定熔池以达到焊接目的的方法。汽车上常用的激光焊方法有激光熔化焊、激光钎焊、激光飞行焊、激光复合焊等，可用于铝合金等有色金属的焊接。以激光熔化焊为例，其焊接原理见图 7-7。

与传统焊接技术相比，激光焊功率高，可达 $10^5 \sim 10^7 W/cm^2$，可获得深宽比大的焊缝，适用于难熔金属、热敏感性强的金属等，且焊缝具有不受电磁干扰、无磁吹偏现象、生产兼容性大的特点。激光焊在保证焊接强度方面具有较大的优势，并且激光焊在汽车焊接过程中，可以在一定程度上保证整个焊接面的相对平整，无需进行二次修补，确保汽车焊接的质量[4]。

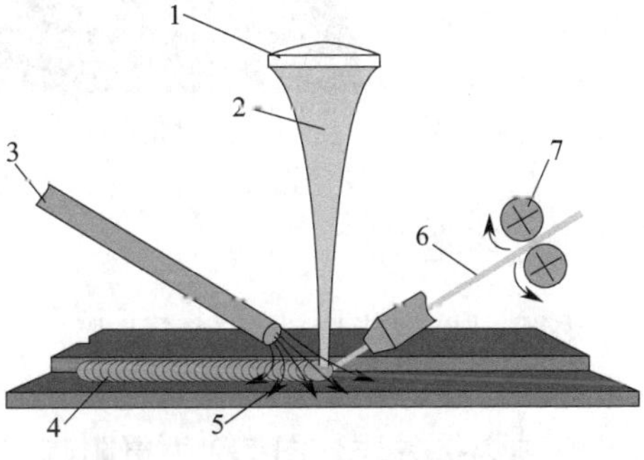

图 7-7　激光熔化焊原理示意图

1—激光器；2—激光束；3—保护气体喷管；4—焊缝；5—保护气体；6—焊丝；7—送丝机构

激光焊在多材料连接方面应用广泛，铝合金、钢、复合材料（包括碳纤维以及塑料等）都可以用激光实现连接。奥迪 A6、Golf A6、宝来、速腾、MODEL X 等品牌的车型制造过程中，均不同程度地采用了激光钎焊、激光熔化焊、激光飞行焊、激光复合焊接等先进的激光焊技术。部分车型激光焊的部位及长度见表 7-2。

表 7-2　部分车型激光焊接应用情况

车型	焊接部位	激光焊长度/m
迈腾	顶盖、前端、白车身、侧围、车门、后盖等	42
Golf A6	顶盖、白车身、侧围、车门、后盖等	52.5
奥迪 C6	顶盖	3

续表

车型	焊接部位	激光焊长度/m
宝来	后盖	1.2
速腾	顶盖、前端、白车身、侧围、车门、后盖等	32
帕萨特	车门	4.6
奥迪 A8	侧顶梁	4.5
凯迪拉克 CT6	—	7.415
奔驰 S 级	—	19.747
宝马 7 系	—	32.976
奥迪 Q7	—	3.048
福特 F150	—	3.3
捷豹 XF	—	1.01

激光焊在实现材料连接同时，还能实现零部件的轻量化，因为激光焊是单边焊接，凸缘宽度只需要 5mm，把点焊改为激光焊后，每辆车就可以节省钢材 40kg[5]。同时，汽车门内板、底板、立柱等不等厚钢板采用激光焊拼接（图 7-8）后，其冲压成型性较好，可省去常规焊接和冲压成型时所需的加强板，有效减少零部件数量。

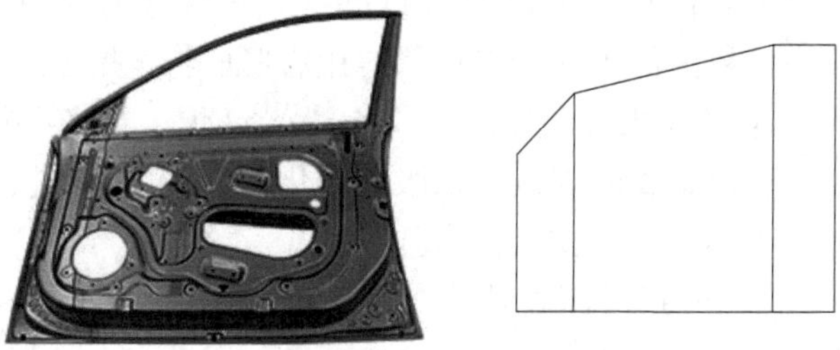

图 7-8　车门内板的激光拼焊板

7.1.3　电阻焊

电阻焊是将待焊件夹紧于电极之间并通电流，利用电流流经焊件接触面及邻近区域时所产生的电阻热，使焊件接触面熔化或达到高温塑性状态，从而获得焊接接头的一种焊接方式。图 7-9 为电阻焊示意图。

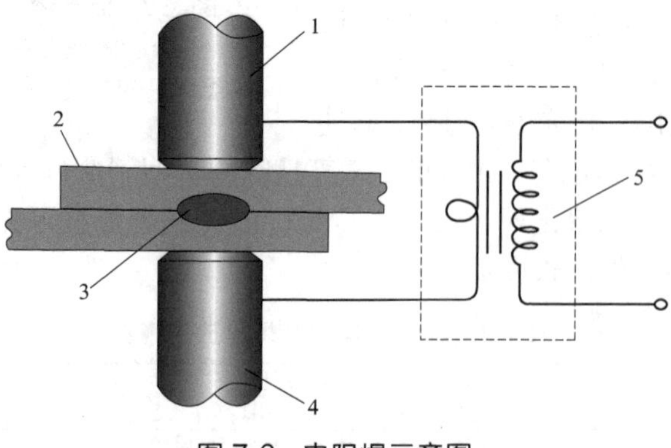

图 7-9　电阻焊示意图

1—上部电极；2—母材；3—焊核；4—下部电极；5—电源

电阻焊的方法主要分为点焊、缝焊、对焊，电阻焊分类及适用零件、材料见表7-3。铝、镁合金零部件可采用点焊和缝焊进行焊接。

表 7-3　电阻焊分类及适用零件、材料

分类	适用零件	适用材料
点焊	薄板零件之间	黑色金属，有色金属
缝焊	板厚 3mm 以下	黑色金属，有色金属
电阻对焊	截面简单、直径或边长小于 20mm	黑色金属
闪光对焊	适用同种/异种金属件；丝/棒/板材均可	黑色金属

（1）点焊　传统的钢制汽车白车身基本以电阻点焊为主，点焊焊点数量基本在3000个以上。铝合金点焊有静强度高、可靠性好、性能稳定等优点，该技术在特斯拉 MODEL S、凯迪拉克 CT6、蔚来 ES8、游侠 X1、广汽本田等车型上均有应用。以凯迪拉克 CT6 为例，其钢点焊数量为 1624 个，铝点焊数量为 1821 个。另外，据中汽中心 2018 年发布的《节能与新能源汽车年鉴》报道，游侠 X1 铝点焊数量为 1210 个。

电阻点焊不适用于钢铝异种材料之间的连接。由于异质材料熔点存在差异，难以形成可靠的熔化焊接头，同时异质材料截面处易形成硬脆的 IMC（金属间化合物）层，严重影响接头的静态力学性能。虽然国内外也开展了钢铝混合连接点焊的研究，但尚未见实际生产中规模应用。奥地利 Fronius 公司开发了 DeltaSpot 电阻点焊工艺，用以连接铝合金与钢，然而该工艺采用热处理强化铝合金时，热影响区强度会损失 30%～40%。日本日新制钢有限公司提出采用热浸渗铝硅钢板提高铝/钢接头强度，实现钢铝的可靠焊接，但热浸渗铝硅钢板成本高。

（2）缝焊　缝焊是指工件在两个旋转的盘状电极间，通过形成一条焊点前后搭接的连续焊缝进行连接的焊接方法。缝焊应用于密封容器的薄板焊接。铝合金缝焊时，由于电导率高、分流严重，需采用三相供电的直流脉冲或次级整流步进缝焊机，铝合金缝焊必须用外部水冷加强散热。

（3）对焊　对焊是指将焊件分别置于两夹紧装置之间，使其端面对准，在接触处通电加热进行焊接的方法。对焊要求焊件接触处的截面尺寸、形状相同或相近，以保证焊件接触面加热均匀。对焊在汽车上的典型案例是汽车轮辋。轮辋使用的是闪光对焊，即将待焊接的环状轮辋两端面相对，一次实现全面积的焊接。闪光对焊无需焊剂或气体保护，也不需要使用焊丝、焊条等填充金属，便可获得质量较高的焊接接头。由于生产效率高、焊接成本低、易于操作，对焊在轮辋行业中得到广泛的应用[6]。

7.1.4　搅拌摩擦焊

搅拌摩擦焊（friction stir welding，FSW）是一种利用旋转的搅拌头在热、力耦合的锻压作用下形成焊缝的固相连接技术。常用的 FSW 技术有搅拌摩擦点焊和搅拌摩擦缝焊。FSW 技术利用摩擦热作为焊接热源，焊接过程如图 7-10 所示，在焊接过程中，待焊件被固定在工作台上，搅拌头高速旋转，搅拌针插入待焊接处，直至轴肩与焊件表面紧密接触。FSW 接头主要由母材、热影响区、热力影响区和焊核组成，其中热影响区、热力影响区和焊核是由搅拌头的搅拌形变产生，焊核主要为细小的动态再结晶晶粒，其晶粒尺寸一般小于母材，因此接头具有优良的综合性能。

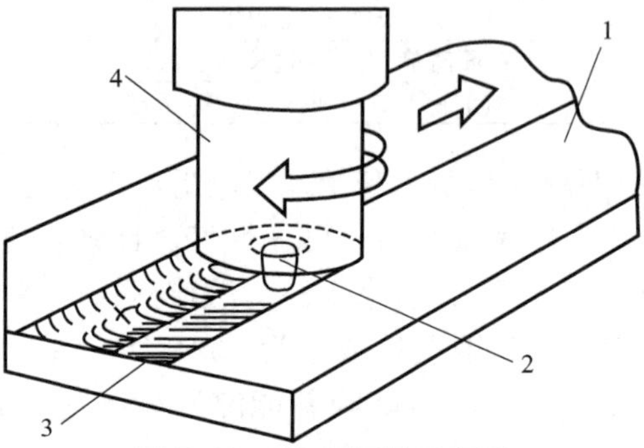

图 7-10　FSW 焊接示意图

1—母材；2—搅拌针；3—焊缝；4—搅拌头

根据英国焊接研究所资料分析，搅拌摩擦焊对于汽车零部件的设计和制造具有如下优越性[7]：

(1) 在汽车设计方面的优越性

① 铝合金搅拌摩擦焊零件具有很好的拉伸强度和成型性能，易于制造和压力加工；

② 可以使铝合金结构的防撞性能和强度增加；

③ 可以保持零件尺寸稳定性和重复性；

④ 搅拌摩擦焊零件结构集成度增加，减少了加强筋和接头数量；

⑤ 可以实现异种材料的直接连接，减轻结构总重量。

(2) 在汽车制造成本上的优越性

① 可以提高产品质量控制，提高成品率；

② 可以减少人力和操作技术需求，降低人力成本；

③ 可以实现高质量的焊缝和接头，不需要修补和重焊；

④ 减少了无损检测要求，降低检测和质量控制成本；

⑤ 可以使产品和零件的开发成本和时间减少，加快新产品的开发。

(3) 在汽车制造方法上的优越性

① 没有过程消耗，如不需要焊丝和保护气；

② 焊接变形小；

③ 可以提高结构抗扭刚度和强度，提高零件的精度，控制尺寸偏差；

④ 可以提高生产效率，减少焊接时间；

⑤ 简化过程程序和步骤；

⑥ 不需要特殊的表面处理。

搅拌摩擦焊可用于多种材料的焊接，除了铝合金外，还可用于镁、铅、锌、铜、不锈钢、低碳钢等金属材料以及塑料、碳纤维等非金属材料的焊接。此外，搅拌摩擦焊在异种材料，如钢-铝、金属-非金属的焊接上也实现了成功应用。基于搅拌摩擦焊在方法、材料、性能和环保等方面的优越性，其将会在汽车行业得到广泛的应用。

FSW 技术用于电池箱体、地板、门、发动机罩、轮毂等使用铝合金材料的部位。这是因为 FSW 技术在焊接过程中需要工作平台，因此主要用于比较规则部位的焊接。日本马自达汽车公司是第一个将 FSW 技术用于汽车车身制造的厂商，进行 2004 款马自达 RX-8 铝合金材质的后门和引擎盖的开发[8]。马自达 MX5 也采用搅拌摩擦焊（FSW）将后备厢盖的铝板与镀锌板焊接在一起；宝马 X5 的直立边柱、丰田 PRIUS 的门框等均采用搅拌摩擦焊。国内有大量关于搅拌摩擦焊的研究，但在汽车零部件上还未见实际应用的报道。随着回填式 FSSW（搅拌摩擦点焊）技术的发展，航天工程装备（苏州）有限公司用 FSSW 技术成功替代 SPR（自冲铆接）技术，实现了铝合金发动机罩盖的可靠连接。

7.1.5　超声波焊

超声波焊（USW）是利用超声波的高频振动，对待连接材料接触界面进行清理和加热，同时施加压力实现材料固相焊接的方法[9,10]。USW 过程中，在高频超声波振动的作用下，待焊接件发生局部软化；在压力和超声波振动的复合作用下，软化部分发生塑性变形；当超声波停止后，温度下降，塑性变形部分冷却，从而使待焊产品连接在一起。USW 技术具有焊接时间短、焊接强度高、非焊接区不发热、易实现自动化等特点，还可实现异质材料之间的连接。

超声波焊是一种快速、坚固、干净和可靠的连接工艺，该技术的基本类型可以分为两类：一类是振动能量由切向传递到焊件表面而使焊接界面产生相对摩擦的方法，这种方法适用于金属材料的焊接，称为金属超声波焊；另一类是振动能量由垂直于焊件表面的方向传入焊件的方法，主要用于塑料的焊接，称为非金属超声波焊[11]。

(1) 金属超声波焊　在金属超声波焊方面，由于焊接所需的功率随工件厚度及硬度的提高而呈指数增加，而大功率超声波焊机的制造困难、成本高，而且随着焊接功率的进一步提高，在声学系统的设计及制造方面，也将会面临较多的困难，因此金属超声波焊主要用于焊接丝、箔、片等熔点较低的细薄件，大多数情况下只适用于搭接接头。以线束为例，超声波焊是汽车线束常用的一种工艺，该焊接工艺污染小、融合牢固，并且焊接完成的金属导电性基本没有损耗，远胜一般的软焊，其性能也优于中压端子连接。线束超声波焊（见图 7-11）主要包括：①导线与导线之间的焊接（导线必须为无镀层的铜导线）；②导线与端子之间的焊接（把一根或多根导线焊接在端子上）。

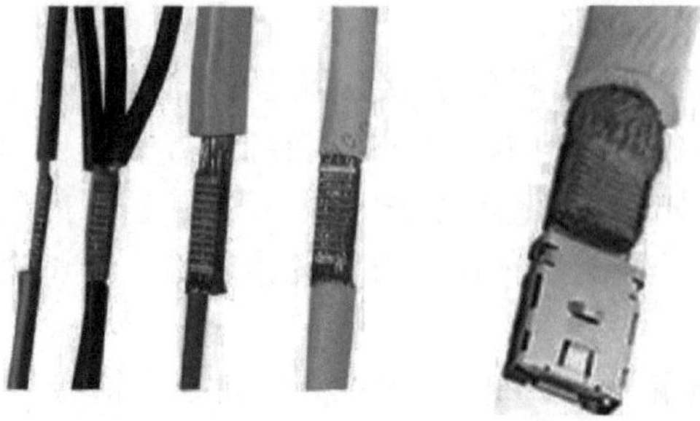

(a)导线与导线之间　　(b)导线与端子之间

图 7-11　超声波焊在汽车线束上的应用

（2）非金属超声波焊　非金属超声波焊几乎适用于所有热塑性塑料，其焊接性能取决于塑料对超声波振动的衰减能力、熔化温度的高低、物理性能（如弹性模量、抗冲击性）、摩擦系数以及热导率等。同种塑料之间，如 PS、ABS、PC 等，通常能获得优良的焊接性能，PVC 易于衰减能量，在表面形成变形或降解。

异种塑料之间进行超声波焊时，两种材料间的熔点差一般不应超过 22℃，分子结构应相似。对于熔点差异较大的情况，低熔点塑料的熔化和流动会导致难以获得足够的热生成量以熔化高熔点塑料。另外，只有具有相似分子团的化学相容性材料才能进行焊接，相容性仅仅存在于某些非结晶性塑料或含有非结晶性塑料的混合物中，如 ABS 与 PMMA。半结晶性 PP 与 PE 有很多相似的物理性能，但化学不相容，故难以进行超声波焊。

作为塑料最常用的焊接工艺之一，超声波焊已在仪表板、车灯、继电器壳体、门护板、隔声棉等汽车用零部件的连接中大量应用，见图 7-12。

图 7-12　非金属超声波焊在汽车零部件上的应用

7.2　机械连接

针对多材料车身，不同材料在晶体结构和物理属性上存在较大差异，从而出现传统焊接工艺难以实现的可靠连接问题。车身制造常用的 MIG/TIG、电阻点焊和激光焊等焊接工艺不能完全满足新材料对焊接技术的需求，因此机械连接技术应运而生，成为解决多材料连接难题的新技术。

机械连接是指通过螺栓、螺钉和铆钉等紧固件将分离型材或零件连接在一起，机械连接比胶接或点焊等连接技术效率高，同时具有可重复装卸、热量输入低、可有效避免连接界面硬脆相的析出和接头软化问题等优点，因此在现代汽车制造零部件的连接中占有重要地位。

汽车零部件制造过程中常用的机械连接工艺有铆接、螺栓连接、流钻螺钉连接、高速射钉连接、卡箍和卡扣连接以及扎带连接等等。

螺栓连接适用于各种金属材料，如铝合金、镁合金和高强度钢之间的连接。在汽车底盘部分，常用螺栓连接悬挂系统的零部件和车架，因为这些部位需要承受较大的动态载荷，螺栓连接可以方便地进行拆卸和维修。

用铆钉将两个或多个材料连接起来的方法称为铆接。铆钉插入被连接材料的预制孔中，然后通过工具将铆钉的一端镦粗，使其形成一个头部，从而将材料夹紧固定。铆接的连接强度较高，能够提供较好的抗振性能，对铝合金、镁合金等轻质材料的连接效果较好。

用于铝合金、镁合金及碳纤维复合材料等的机械连接方式主要有无铆钉铆接、自冲铆接、流钻螺钉连接、高速射钉连接，本节将分别进行介绍。

7.2.1　无铆钉铆接技术

无铆钉铆接技术是通过对板材进行压力加工，利用板材的冷变形能力，在冲头和下模的作用下局部产生塑性变形，从而实现连接的方法[12]。无铆钉铆接不是通过紧固件，而是通过零部件本身的塑性变形而实现零部件之间的连接。

其过程包括以下几个阶段：首先板材发生剪切交叉、墩粗扩展，然后变形板材填充模具轮廓，最终形成环形槽的填满。影响无铆钉铆接接头强度的因素主要是板材间的嵌入量以及上层板接头颈部的厚度，而这些特征又与冲头及下模的几何特征有关。无铆钉铆接的下模主要有直壁整体下模和分体下模两种。前者结构简单，后者结构复杂，在连接过程中可以通过模具侧壁的向外滑动使金属充分流动以形成较大的嵌入量，从而提高接头强度。图 7-13 为无铆钉铆接接头的横截面组织。

该工艺过程简单且成本低，由于其静载强度和疲劳强度都较低，因此在车身制造过程中主要应用于发动机罩盖、行李厢盖板等非关键承载部位，如奔驰 AMG GTS 的发动机罩盖等零部件之间的铆接点约 270 个。

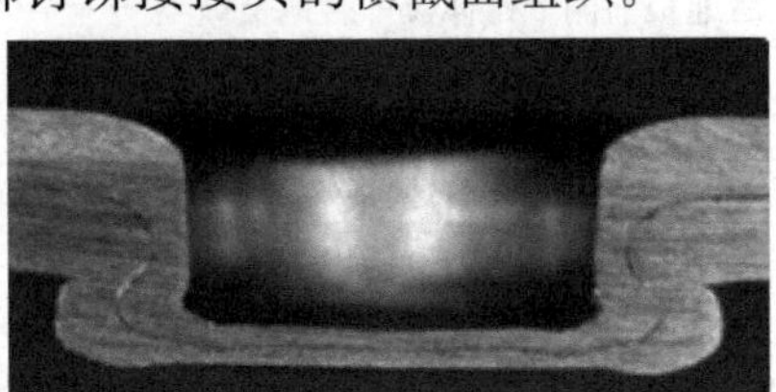

图 7-13　无铆钉铆接接头的横断面组织

7.2.2　自冲铆接技术

自冲铆接（self piercing riveting，SPR）是半空心铆钉在外力的作用下，刺穿上层板材同时承受横向载荷，铆钉腿部在底层板中张开，使底层板与铆钉腿部形成机械互锁，从而形成接头的过程。底层板需保证不被穿透，以保证接头具有良好的气密性和抗腐蚀能力。SPR 技术具有铆接过程无需预制孔、连接速度快、可在线监控、连接质量稳定、易于自动化生产、热量输入低、铆点性能优于点焊、可实现多种材料连接等优点，是极具潜力的车身连接技术[13]。

SPR 的过程如图 7-14 所示：首先，压边圈紧压被连接板材，之后冲头拖动铆钉下行，刺穿上层板材；铆钉继续下行并刺入底层板材，在下模的作用下，底层板材与铆钉之间形成一个互锁结构；最后，冲头继续施压，促进板材的进一步流动，从而形成永久性内锁接头[3]。由于在连接过程中需冲头和下模的共同作用，因此 SPR 的过程中需要双侧工位。

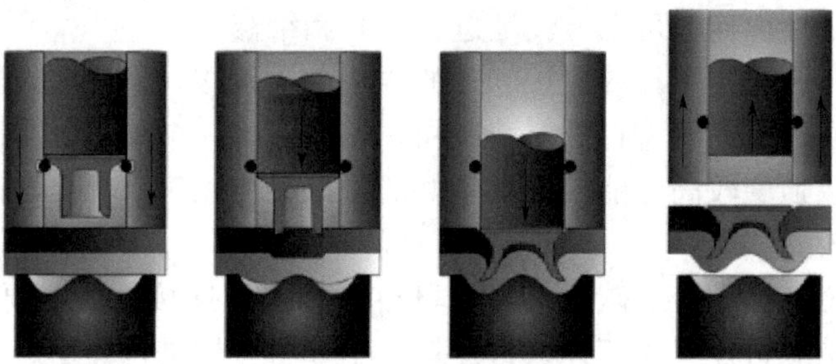

图 7-14　SPR 的过程示意图

SPR 技术已在通用、奥迪、宝马、捷豹等汽车公司的车身铝合金材料间及与其他材料的连接上获得广泛应用。对于全铝车身车型，如福特 F150、路虎揽胜运动版等，SPR 铆钉的数量高达两千个以上；对于钢铝混合车身车型，如凯迪拉克 CT6、奥迪 A8、宝马 6 系等，SPR 铆钉数量也高达数百个。某钢铝混合车型后地板总成采用 SPR，后地板的选材如表 7-4 所示，连接点（接头）的横断面组织如图 7-15 所示，各连接点的连接质量满足目标要求，能量吸收值可达 70J。

表 7-4　某车型后地板总成的铆接组合及选材

铆接组合	材料组合	试片厚度/mm
后地板前横梁+后地板纵梁	HC340/590DP+AlSi10Mg	1.0+3.0
后地板前侧下延伸板+后地板纵梁	HC220Y+AlSi10Mg	1.2+3.0
后地板后侧下延伸板+后地板纵梁	HC340/590DP+AlSi10Mg	1.2+3.0
后地板下横梁+后地板纵梁	HC340/590DP+AlSi10Mg	1.5+2.0
后地板+后地板纵梁	DC04+AlSi10Mg	0.7+3.0
后地板纵梁+后地板横梁	AlSi10Mg+HC340/590DP	3.0+1.5
后地板纵梁后段+后地板纵梁	HC340/590DP+AlSi10Mg	1.5+3.0
后地板+后地板下横梁+后地板纵梁	DC04+HC340/590DP+AlSi10Mg	0.7+1.5+3.0

但是，SPR 也具有一定的局限性：首先不能用于热成型钢连接，在刺穿热成型钢板时铆钉腿部易镦粗甚至开裂，接头质量难以保证；其次当底层板的厚度小于 1mm 时，铆接过程易刺穿底层板材；同时对于镁合金等低延展性材料，连接过程

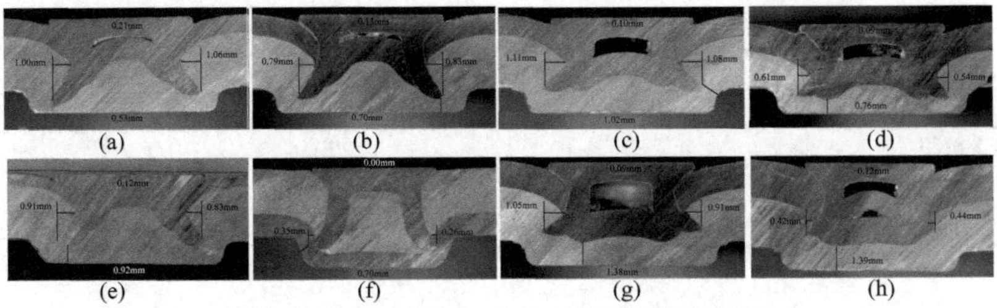

图 7-15 钢-铝 SPR 接头的横截面组织

中接头易产生裂纹等缺陷。

7.2.3 流钻螺钉连接技术

流钻螺钉（flow drilling srew，FDS）连接是在纵向载荷和旋转载荷的作用下，使带特殊螺纹的螺钉在软化和刺穿板材后自攻螺纹并拧紧形成接头的方法。

FDS 连接过程如图 7-16 所示：首先，高速旋转的 FDS 接触工件表面并施加轴向力，螺钉通过与工件表面摩擦生热升温，螺钉附近区域的金属迅速软化，受热的材料沿着钉头延伸；然后，螺钉穿透材料，大部分热熔的材料流向钻孔下部形成金属衬套；最后，衬套内表面在螺钉螺纹的作用下，形成啮合螺纹并拧紧[14]。

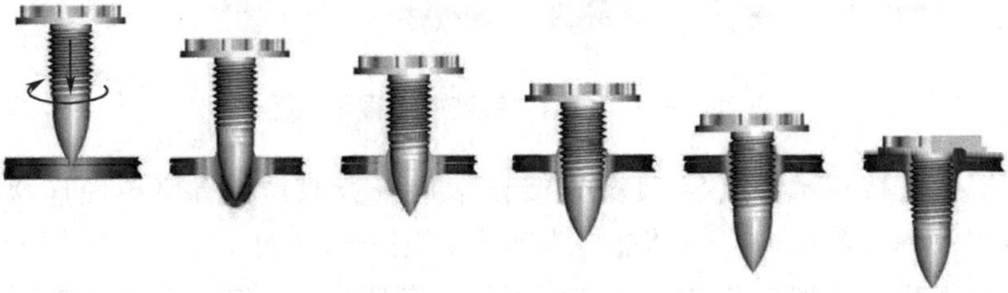

图 7-16 FDS 连接过程示意图

FDS 连接技术具有无需预制孔、可单面连接、可连接多种材料以及方便拆卸和修补等优点，因此在车身制造过程中得到应用。特别是全铝车身或钢铝混合车身，FDS 主要用于具有封闭空间的铝合金零部件之间的连接，如铝合金型材前纵梁与减振器座及铝合金型材座椅横梁与门槛梁、中通道等零部件之间的连接。宝马 7 系、最新一代奥迪 A8、凯迪拉克 CT6 等车型的前纵梁与减振器座之间均采用 FDS 连接技术，部分车型流钻螺钉及自冲铆接使用情况见表 7-5。但是 FDS 连接同样也具有自身的局限性，如针对底层较薄的板材，接头剥离强度较低。

表 7-5 不同连接技术在不同车型上的应用统计

车型	车型类型	SPR/个	FDS/个
凯迪拉克 CT6	钢铝混合车身	357	745
奔驰 S 级	钢铝混合车身	724	42
宝马 7 系	钢铝混合车身	564	154
奥迪 Q7	钢铝混合车身	2855	604

续表

车型	车型类型	SPR/个	FDS/个
福特 F150	全铝车身	2270	196
捷豹 XF	全铝车身	2794	—
奔驰 SL	全铝车身	1235	—
奔驰 AMG GTS	全铝车身	850	572

7.2.4 高速射钉连接技术

高速射钉连接是在压缩空气的压力作用下，将特制螺纹的螺钉加速到 20～40m/s 并刺穿板，从而与板材啮合形成接头的方法。

该连接过程如图 7-17 所示：首先，枪头接触并压紧板材，使被连接的多层板材贴合紧密；其次，压缩空气推动活塞撞针撞击铆钉，将铆钉压入板材内部；然后，板材发生塑性变形，并在底层板材背面形成堆积；最后，钉头到达目标位置，铆钉与板材啮合，形成接头。

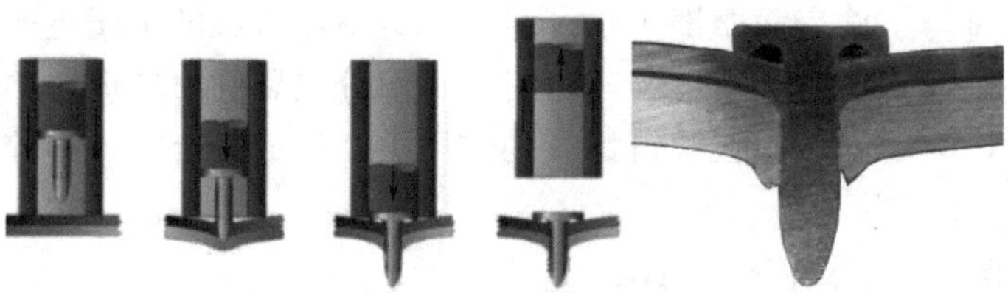

图 7-17　高速射钉连接过程示意图

高速射钉连接技术特点与 FDS 连接技术特点类似，具有可单面连接、无需预制孔、连接效率高等优点。但其连接噪声高，噪声值超过 105dB，需要专门的隔声房，制造成本相应增加；此外，其连接点的变形较大，对零部件的装配精度和表观质量产生一定影响。

7.3 胶黏剂连接

7.3.1 胶黏剂连接技术简介

胶黏剂连接是通过胶黏剂将不同材料连接在一起的技术。胶黏剂在固化过程中，与材料表面的分子间产生物理吸附或化学键合作用，从而实现连接，可以用于各种轻量化材料的连接，包括金属与金属、金属与非金属、非金属与非金属等。该技术能够连接形状复杂的零部件，均匀分散应力，避免应力集中，还具有密封、减振等功能。但胶黏剂连接的强度受胶黏剂性能、环境温度和湿度等因素影响较大，而且胶黏剂的固化时间较长。

随着汽车轻量化的发展，多种材料在汽车上的混合使用进一步促进了胶黏剂在整车中的应用。胶黏剂连接具有工艺简单、应力分布均匀、适用材料广、密封和抗疲劳性好等优点，其仅在汽车车身中的用量就高达 20kg。胶黏剂在汽车中的应用主要包括两个方面：一方面可实现异种材料的连接，解决异种材料连接上的局限性；另一方面用于车身补强。

胶黏剂连接（胶接）主要具有以下特点：

① 胶黏剂可实现多种材料连接，如金属、非金属以及复合材料之间的同种或异种连接。

② 胶黏剂连接工艺简单，连接效率高，连接时基本不受零件结构、尺寸、形状等方面的影响。

③ 胶黏剂连接实现了由传统的点连接向线连接的转化，连接处应力分布较均匀，无应力集中。此外胶接还具有减轻零件形变、缓和外力冲击影响和消减振动的作用，使接头处疲劳强度得以提高。

④ 胶黏剂具有良好的绝缘密封性，可以阻断异种材料之间的电位差，避免发生电化学腐蚀。

因此，采用胶黏剂连接可以有效提升整车 NVH 性能，同时当汽车受外力撞击时，还可以起到很好的缓冲与吸能作用。针对异种材料连接，由于异种金属间存在电位差，当两者达到一定间隙或者在潮湿空气中时，就会产生原电池效应，使得电位较负的活泼金属失去电子被氧化而遭到腐蚀，进而引起材料发生腐蚀，影响连接面的完整性、可靠性和耐久性[15]，异种材料电化学腐蚀失效如图 7-18 所示。采用胶黏剂连接能够从物理上隔绝异种金属的直接接触，并避免腐蚀介质进入接头边缘，从而有效避免电化学腐蚀和缝隙腐蚀，具有明显的优越性。

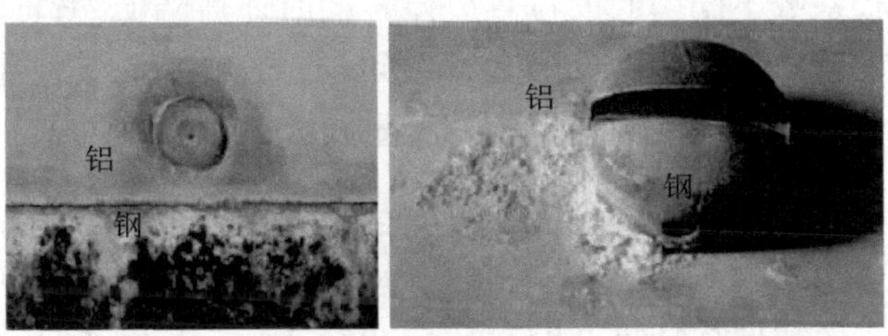

图 7-18 异种材料电化学腐蚀失效示意图

胶接面的失效模式是评价胶黏剂连接性能的一个重要方向。胶黏剂连接的破坏方式（即失效模式）主要有四种：界面破坏、内聚破坏、混合破坏和基材破坏。表 7-6 为胶黏剂连接破坏方式。

表 7-6 胶黏剂连接破坏方式[16]

序号	破坏类型	图示
1	界面破坏	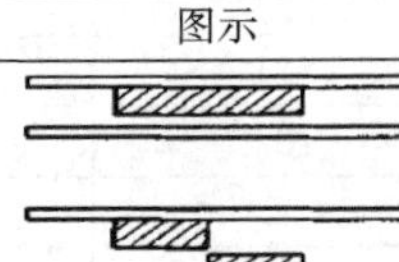

续表

序号	破坏类型	图示
2	内聚破坏	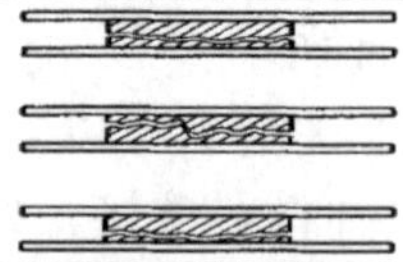
3	混合破坏	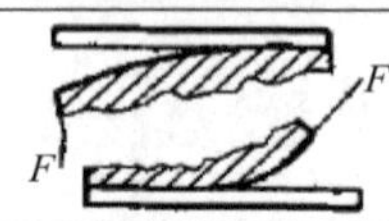
4	基材破坏	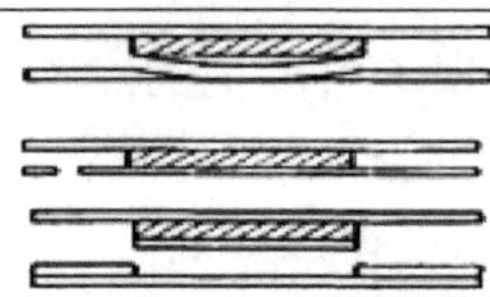

当黏接（胶接）面出现其他破坏方式时，需要根据破坏方式进行原因分析和改进，如出现界面破坏，需要重新评估所选胶黏剂与被黏接材料的适用性；出现基材破坏时则需要考虑是否为胶黏剂黏合强度过高导致应力无法释放而出现的变形等问题。

为了防止胶接发生提前剥离现象，胶黏剂连接一般与其他连接方式配合使用，常见的连接方式有胶焊混合连接、胶铆混合连接和胶螺混合连接等。胶焊混合连接主要用于同材质的连接，在零件焊接前进行涂胶处理，市场应用已非常成熟。胶铆混合连接和胶螺混合连接都是适用于异种材料连接的常用方式，既可以在胶黏剂固化前，也可以在胶黏剂固化后进行铆接或螺接。混合连接中胶黏剂的存在可以有效吸收异种材料热胀系数不同引起的位置公差，同时还可降低铆钉或螺栓连接处的应力，减少零件因应力集中出现的变形和开裂问题。胶黏剂与其他连接形式的混合连接已成为汽车行业异种材料之间连接的一种重要方式。

7.3.2 胶黏剂在金属材料连接中的应用

不同金属材料的物性存在很大的差异，如热导率、热胀系数、电位差等。无论是生产过程的冲、焊、涂、总车间的变换，还是市场上高低温、湿热环境的考验，材料本身的差异会加大车身连接处的应力，从而影响胶黏剂的黏接效果，严重的甚至影响零件外观和质量。表 7-7 为车身常用金属材料的物性。

表 7-7　常见车身金属材料的物性表[17]

序号	材料	热胀系数/10^{-6}℃$^{-1}$	熔点/℃	电阻率/(nΩ·m)	热导率/[W/(m·K)]
1	铁	12.2	1535	97.1	80
2	铝	23.6	660	27.5	204
3	镁	27.0	651	44.5	156
4	锌	33	419	51.6	116

表面差异是影响胶黏剂连接性能的重要因素，如材料的氧化问题、冲压油对表面的影响、冲压后表面变化等等，因此胶接前必要的表面处理尤为重要，常见的表面处理方式有打磨、清洗、喷砂、阳极氧化等。此外，胶黏剂产品的选型应根据使用位置强度要求、施工工艺规划、材料自身物性等方面进行综合考量。用于钢板和铝合金材料的胶黏剂产品技术要求见表7-8。

表7-8　用于钢板和铝合金材料的胶黏剂产品技术要求

项目	技术要求	项目	技术要求
外观	均匀一致，无杂质	抗流挂/mm	常温和高温环境下流淌不大于3mm
密度/(g/cm^3)	根据产品出厂报告	耐湿热(50℃，95% RH环境下480h)	剪切强度变化率不大于30%，黏接面无腐蚀
油面黏接性	胶黏剂与基体之间的破坏方式为内聚破坏	耐盐雾(中性盐雾720h)	剪切强度变化率不大于30%，黏接面无腐蚀
压流黏度/(g/min)	现场工艺调整	剥离强度/(N/mm)	≥8.0
固含量	≥99%	前处理液相容性	胶条表面无溶解、前处理液理化性能无变化
拉伸强度/MPa	≥25	电泳液匹配性	漆膜外观平整、光滑，无缩孔；电泳液理化性能无变化
剪切强度/MPa	≥23	抗冲洗性	胶条不变形、无脱落

7.3.3　胶黏剂在非金属复合材料连接中的应用

非金属复合材料作为理想的汽车轻量化材料，受到了越来越多的关注，如PC、SMC、PP、PP-LGF及PP+EPDM等。随着碳纤维复合材料在汽车上的规模使用，如宝马i3、i8及新7系，非金属复合材料更是拓宽了在整车应用中的范围和比例。非金属复合材料的应用在很大程度上促进汽车零件轻量化、集成化的发展，但其不可避免地会涉及零件之间的连接问题，既有同质非金属复合材料的连接，也有非金属复合材料与金属材料的异质连接。

(1) 非金属复合材料胶接的特点　非金属复合材料胶接过程有以下几点需注意。

① 胶黏剂与基体的匹配性。非金属复合材料由增强材料和树脂基体组成，而基体树脂与胶黏剂的匹配性直接影响胶接界面的性能。若二者匹配不当，易在胶黏剂与复合材料基体界面处发生脱胶、界面分离等现象，影响连接性能。

② 基体材料表面处理。非金属零件成型方式主要有模压和注塑，两种成型方式都会在表面残留一定的脱模剂，且非金属复合材料大部分表面极性较低，在胶黏剂黏接时存在交联不足甚至无法黏接的风险。因此在非金属复合材料胶接前必须对材料表面进行必要的处理，处理后对表面极性进行测试，或者进行试装以确认黏接效果，如黏接效果不好，则需要提升黏接表面极性。一般的处理方式有使用底涂剂、火焰处理、机械处理或等离子处理等。

③ 胶接时搭接形式的选择。如果胶接较厚的非金属复合材料零部件，应尽量避免简单的单搭接形式，可以采用斜面搭接、梯形搭接等形式。

④ 高温环境的影响。当非金属复合材料（如碳纤维复合材料）作为结构件使用时，不可避免地需要与白车身进行共线涂装，因此需要考虑高温对胶接性能的影响。建议选用高韧性的胶黏剂进行胶接并适当增加胶层厚度，这样可以吸收非金属复合材料与金属因热胀系数不同引起的位置公差。某车型使用的高韧性的室温固化结构胶电泳前后的力学性能如表 7-9 所示，失效模式如图 7-19 所示。虽然增加胶黏剂的厚度可以提高断裂伸长率，从而具有更好的伸缩补偿量，但过厚会使黏合强度降低，如图 7-20 所示[18,19]，同时会增加胶黏剂的使用量而增加成本，因此需要进行综合考量。

表 7-9 室温固化结构胶电泳前后力学性能

力学性能	电泳前	电泳后
剪切强度/MPa	12.83	15.65
拉伸强度/MPa	18.16	20.4
拉伸模量/MPa	490	716

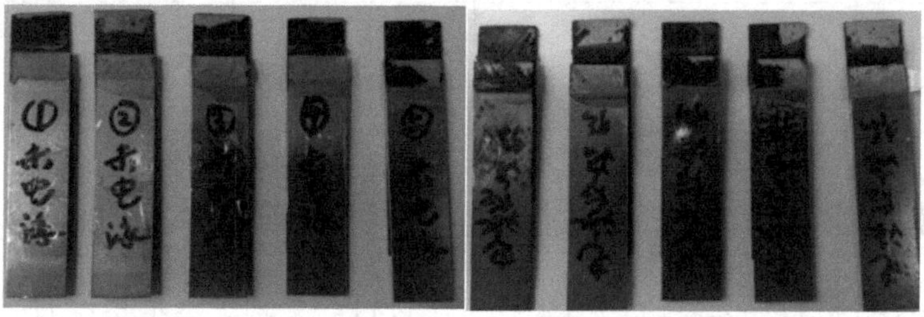

(a)电泳前(界面失效为主)　(b)电泳后(界面+内聚失效)

图 7-19 室温固化结构胶电泳前后失效（破坏）模式

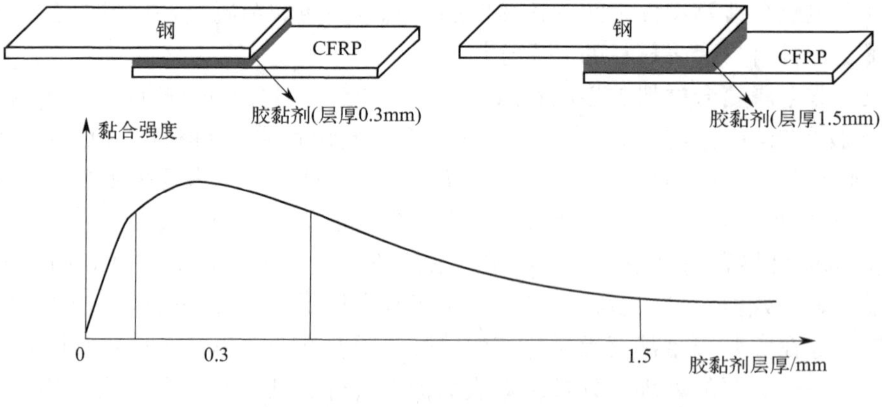

图 7-20 碳纤维复合材料/金属胶接

（2）非金属复合材料胶黏剂技术要求　非金属复合材料与金属或非金属复合材料的黏接与金属材料间的黏接不同，在进行胶黏剂选型的过程中，除考虑胶黏剂性能之外，还要确认所黏接的零件的受力情况、施工性、外观等因素的影响。非金属复合材料黏接的胶黏剂技术要求见表 7-10。

表 7-10　用于非金属复合材料黏接的胶黏剂产品技术要求

项目	技术要求	项目	技术要求
外观	均匀一致	硬度 HSA	50～70
密度/(g/mL)	1.1～1.5	剪切强度	总装胶不低于 2.5MPa，焊装胶不低于 10MPa
压流黏度/(g/min)	根据现场工艺	高低温交变	剪切强度变化率不大于30%，主要为内聚破坏
固含量/%	≥99	耐湿热(50℃，95%RH，480h)	
抗下滑性/mm	≤3	耐盐雾①(中性盐雾试验 720h)	
拉伸强度	总装胶不低于 3.0MPa，焊装胶不低于 10MPa	热老化(80℃，336h)	
断裂伸长率	总装胶不低于 150%，焊装胶不低于 10%	耐水(40℃，336h)	

① 盐雾试验用于验证非金属材料与金属材料的黏接，确认对金属材料的防腐蚀性能。

7.4　新能源汽车连接技术案例

7.4.1　一体化压铸铝合金连接技术

（1）一体化压铸铝合金简介　一体化压铸铝合金结构件因具有高集成、轻量化、刚性好等优点，在乘用车车身上的应用逐渐增多，并且正在向大型化发展。压铸铝合金结构件大型化的发展对连接技术提出了更大的挑战[20]。

奇瑞的纯电车型 STERRA ES 车身前部采用了铸铝减振塔，后部借助一体化压铸技术将后减振塔与后纵梁进行集成化设计，大幅提升了整车轻量化效果。

小鹏汽车在其全新款电动轿跑的前机舱、后地板均采用了一体化压铸技术，如图 7-21 所示。该一体化前机舱、后地板分别采用 2 套 7000t 超大型压铸岛生产，可使车身零件数量减少 159 个，传统钢制零件实现了质量减小 17%。

（2）一体化压铸铝合金的摩擦焊　对于一体化压铸后地板、一体化压铸前机舱等大型或者更大尺寸的超大型压铸结构件，受压铸工艺、压铸结构设计等因素的影响，在压铸过程中容易造成压铸模具边缘部位充型困难，以及压铸零件的成分不均、冷却速度不一，进而导致结构件连接区材料性能（特别是延伸率）波动大，个别位置延伸率仅为 3%～5%，无法满足自冲铆接对延伸率的要求（≥12%），从而导致铆接开裂严重。

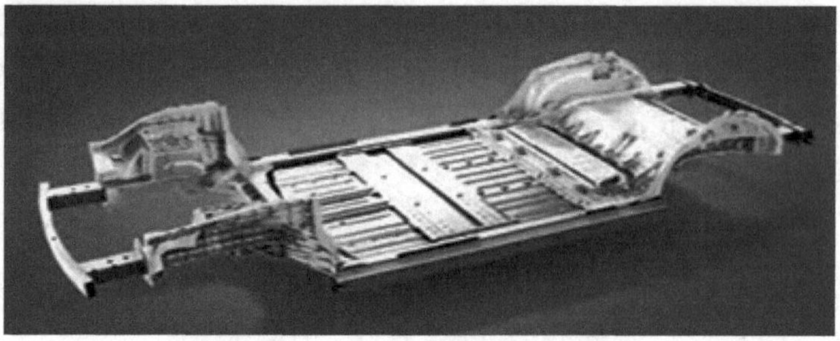

图 7-21　小鹏 G6 车身的大型铸铝件

仅依靠铆接已无法满足下一代产品对大型压铸结构件的开发应用需求。为确保大型压铸结构件的高水平应用，必须根据零件特性分区精准匹配相应连接技术。

摩擦元件焊（friction element welding，FEW）作为一种双边连接工艺，原理如图 7-22 所示，是 FDS 连接与电阻点焊（RSW）工艺的结合。

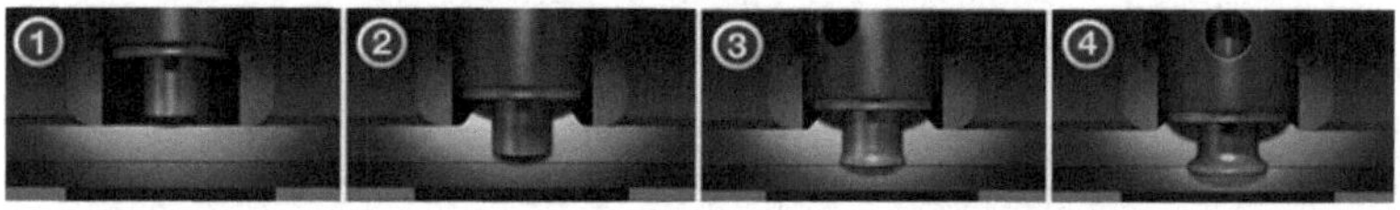

图 7-22　摩擦元件焊工艺过程示意图

对于钢-铝之间的连接，采用的连接顺序为“上铝下钢”。连接元件在连接设备的作用下进行高速旋转，在压力作用下穿透上层铝板后停止下压，继续旋转产生热量并熔化下层钢板，在压力的作用下，完成元件与下层钢板的焊接，从而形成稳固连接。

该技术在连接过程中利用摩擦热可以软化上层铸铝材料，能够解决大型压铸铝结构件边缘延伸率低导致的铆接易开裂的问题。同时，该技术在连接过程中不需穿透钢板或使钢板发生变形，因此，可以实现压铸铝结构件与超高强钢和热成型钢连接。

（3）新能源汽车车身的先进连接工艺　随着新能源汽车产业以前所未有的态势蓬勃崛起，压铸铝合金结构件在白车身领域的应用占比正经历着跨越式的增长，其尺寸规格亦稳步朝着更为宏大的方向演进。要实现压铸铝合金结构件在新能源汽车领域的精准赋能与高效适配，全面且深入地剖析、权衡压铸铝合金结构件与周边零部件的连接模态，已成为不可逾越的关键环节。

在此基础上，需匠心独运地拟定兼具前瞻性与实操性的应对举措及解决方案。在确保维系连接稳定性的基础上，通过创新性的技术手段与精细化的工艺流程，大幅提升生产效能，深度挖掘成本控制潜力，同时系统性地整合、精简连接技术的应用种类，以实现资源的高效配置与技术的集约化管理。

先进的连接工艺（图 7-23），解决多种不同材料进行连接时所产生的变形与应力、电化学腐蚀和界面硬脆相等诸多难题，给新材料在车身上的广泛应用提供有力的保障[21]。

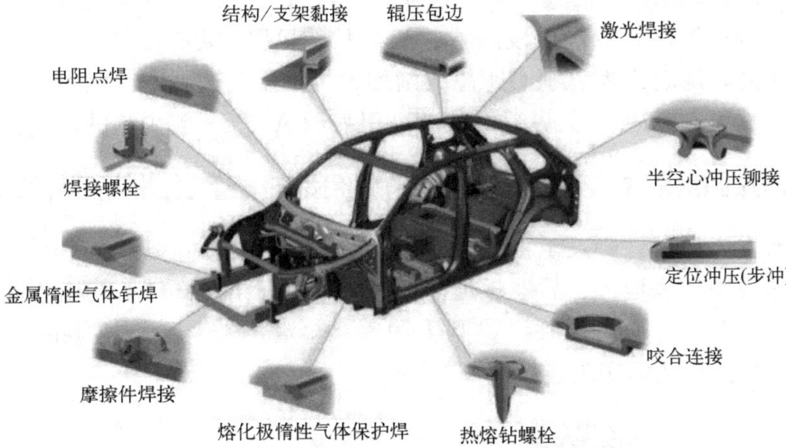

图 7-23　车身不同的先进连接工艺示意图

7.4.2　A356/6005A 异种铝合金 MIG 焊焊接接头（作者团队的开发案例）

团队研发人员设计的全铝前副车架如图 7-24 所示。其中，中横梁与后横梁采用 6005A 铝合金经挤压成型，轴肩则是由 A356 铝合金通过高压空心铸造工艺制成。为进一步优化焊接工艺，提升副车架的焊接质量，针对副车架本体的 6005A 铝合金型材与 A356 铝合金铸件试片，开展了直流脉冲 MIG 焊焊接试验，并采用光学显微镜（OM）、带能谱的扫描电子显微镜（SEM）、显微硬度及拉伸力学性能测试研究接头的显微组织和力学性能[22]。

采用 6005A-T6 变形铝合金以及 A356-T6 铸造铝合金板材制作试片，6005A-T6 合金的屈服强度达 292MPa，抗拉强度为 315MPa；A356-T6 合金的屈服强度是 255MPa，抗拉强度为 300MPa。试片的制备工艺与副车架零部件的制备工艺相同。焊接过程中所使用的填充焊丝为 ER4043，其直径为 1.2mm。

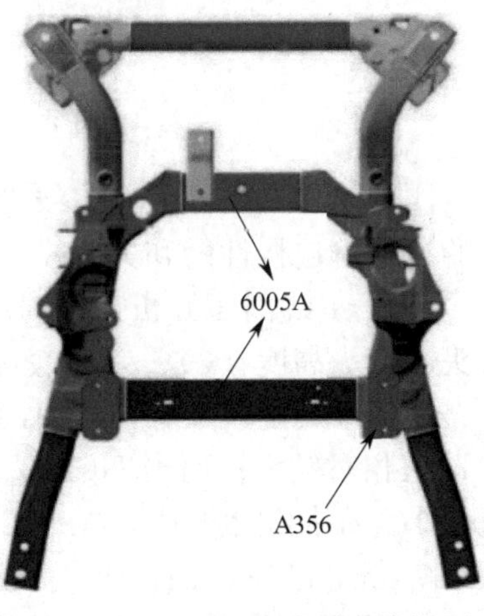

图 7-24　全铝前副车架三维模型

研究结果表明：

① A356/6005A 直流脉冲 MIG 焊焊接接头的力学性能指标如下：抗拉强度为 130MPa，屈服强度为 102MPa，延伸率为 2.1%，焊接系数约为 0.43。经检测，该焊接接头的断裂位置处于焊缝处。

② A356/6005A 焊接接头的不同区域呈现出各异的组织特征。焊缝熔化区呈现典型的 Al-Si 铸态枝晶组织；在靠近母材 A356 的一侧，部分熔化区组织由岛状

Al-Si 共晶和粗大 Si 颗粒构成；而靠近母材 6005A 一侧的部分熔化区，则为铸态与变形态的混合组织，其中包含枝晶状和长棒状的 Al-Si 共晶以及 Al（Fe，Mn）Si 颗粒。基于此，随着距焊缝中心距离的增加，焊接接头的硬度持续上升，焊缝区硬度最低，且靠近 6005A 一侧焊缝的硬度高于靠近 A356 一侧焊缝的硬度。

7.4.3 钢铝混合后地板总成的自冲铆连接性（作者团队的开发案例）

团队研发人员设计研发了钢铝混合车型的后地板总成，其结构如图 7-25 所示。该后地板总成中，后地板、后地板延伸板、后地板横梁等部件，均由不同型号的钢板经冲压工艺制成，而后地板纵梁则采用铝合金高压铸件。钢铝零部件之间运用 SPR（自冲铆接）技术实现连接。

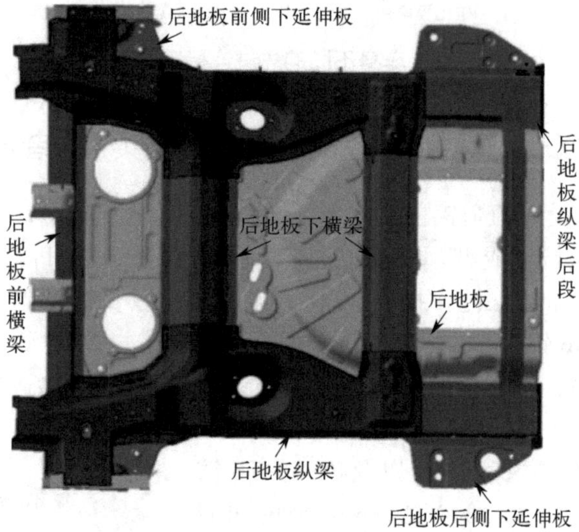

图 7-25 钢铝混合车型的后地板总成

团队研发人员通过子午线剖面分析和拉伸剪切试验分析，对钢铝混合后地板总成的自冲铆连接性能和失效模式进行了研究[23]。

① 子午线剖面分析：经对钢铝混合自冲铆接头的子午线剖面深入研究发现，接头的钉头高度（k）、残余底厚（t_{min}）以及底层互锁长度（a）各项指标，均满足企业标准规定。其中，当 AlSi10Mg 高压铸铝作为接头底层材料时，接头的 t_{min} 和 a 值相对较大；而当 HC340/590DP 高强度钢作为底层材料时，接头的 t_{min} 和 a 值较小。在各类组合中，AlSi10Mg＋HC340/590DP 接头的 t_{min} 和 a 值最小，t_{min} 为 0.7mm，a 为 0.31mm。

② 能量吸收影响因素：接头的能量吸收受多种因素共同作用，包括峰值剪切力、被铆接材料的强度、底层互锁值以及失效模式。研究数据显示，DC04＋AlSi10Mg 接头的峰值剪切力最小，仅为 9kN，但其能量吸收可达 73J；而 HC340/590DP＋AlSi10Mg 接头的剪切载荷最大，达到 21.5kN，能量吸收为 68.5J。

③ 失效模式差异：不同的搭接组合接头呈现出不同的失效模式。HC340/590DP+AlSi10Mg 和 HC220Y+AlSi10Mg 接头的失效模式表现为铆钉与上板分离；DC04+AlSi10Mg 接头的失效模式为上层板材断裂；其余接头的失效模式则均为铆钉腿与下板分离。

④ SPR 技术应用结论：板材的搭接组合方式对自冲铆接头的子午线剖面组织特征、拉伸剪切性能以及失效模式产生明显影响。所有接头的子午线剖面特征值以及拉伸-剪切性能均满足企业标准，因此，自冲铆接可实现钢铝混合后地板总成的焊装。

7.4.4 “碳纤维复合材料/DC04 钢”胶接技术（作者团队的开发案例）

本书作者团队成员开发了碳纤维复合材料与钢这两种异种材料的连接技术[24]，即采用在室温条件下即可固化的高韧性环氧结构胶与丙烯酸酯结构胶进行胶接，对这两类结构胶进行了性能开发，分析了剪切强度、失效模式等，开展了环境耐久性评估等。

当碳纤维复合材料（CFRP）作为结构件应用于车身（图 7-26）时，由于其需与钢制车身进行共线涂装，而 CFRP 与钢的热胀系数存在显著差异，因此在胶接过程中，选用高韧性结构胶至关重要，以此吸收因热胀系数不同所产生的位置公差。

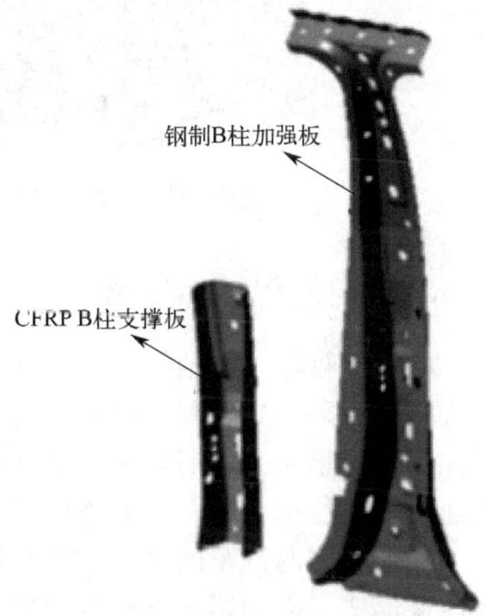

图 7-26　B 柱支撑板模型图

采用室温固化的高韧性环氧结构胶和丙烯酸酯结构胶，对 CFRP 与钢进行胶接。通过系统实验，深入探究了这两类结构胶在常温环境下的剪切强度以及环境耐久性。同时，从汽车行业实际生产流程考虑，对制备的胶接样条进行随车电泳处理（图 7-27），进而细致分析电泳工序对这两类结构胶剪切强度的影响机制，旨在为汽车车身制造中 CFRP 与钢的胶接工艺提供可靠依据。

① 室温固化后，两类结构胶均呈现出良好的剪切强度。其中，环氧结构胶的剪切强度达 23.5MPa，失效模式以内聚破坏为主；丙烯酸酯结构胶的强度为 12.83MPa，失效模式表现为界面破坏。

② 在环境耐久性方面，环氧结构胶在高温环境下性能欠佳，强度降幅高达 70.8%。此外，盐雾环境对两类结构胶的强度均产生一定程度的负面影响。

③ 汽车电泳烘烤工序对结构胶胶接接头的剪切强度影响显著。环氧结构胶电泳后，剪切强度仅为 7.28MPa，相较于电泳前降低了 69%；而丙烯酸酯结构胶电

泳后的剪切强度为 15.65MPa，较电泳前提升了 22%。

④ 当使用结构胶连接车用 CFRP 与钣金件时，需充分考量结构胶的力学属性。同时，要依据 CFRP 零部件在车身上的装配情形（装配完过电泳、后装配），挑选适宜的结构胶进行黏接。若 CFRP 零部件为后装配，两种结构胶的强度均可满足要求；若 CFRP 零部件需经历电泳烘烤，则可选用丙烯酸酯结构胶。

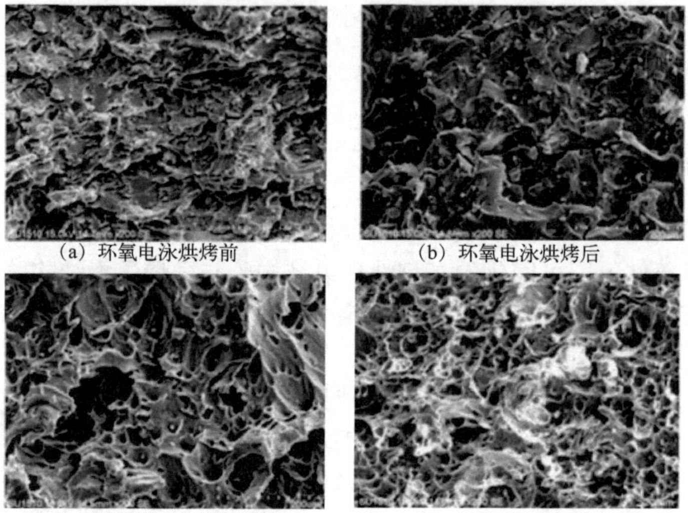

(a) 环氧电泳烘烤前　(b) 环氧电泳烘烤后

(c) 丙烯酸酯电泳烘烤前　(d) 丙烯酸酯电泳烘烤后

图 7-27　环氧与丙烯酸酯结构胶电泳烘烤前、后 SEM 图

7.4.5　电池包箱体焊接

电池包箱体（电池箱）正从纯金属箱体向金属与复合材料混合型箱体过渡，其核心特征是采用异种材料组合。由异种材料连接而成的复合结构，在抗疲劳性、耐腐蚀性和轻量化方面展现出显著优势，其中轻量化特性尤为突出。不同材料间的主要连接方式包括胶接、机械连接以及混合连接。

当前新能源汽车的箱体多以铝材或混合材料为主，在固定连接时广泛采用紧固件连接形式。铝制箱体与车身的连接对稳定性要求颇高，通常通过搭铁螺栓、铆接配合加强筋的方式实现连接。在电池包箱体自身连接技术领域，国内外学者已开展了不少研究：Schmerler 等人在不损伤纤维材料的前提下，借助胶接等方式实现了三明治结构的电池包箱体各部分的良好连接；赵河林利用 TIG 焊，成功完成了某国产 5052 铝合金电池包箱体的密封焊接；徐治勤等人采用流钻螺钉（FDS）工艺对某款铝合金电池包箱体进行连接，有效实现了铝合金箱体板材间的连接；李红等人系统分析了国内外电池包箱体连接技术的研究成果，指出紧固件是目前电池包箱体连接的主要形式，而对于部分特定材料，则需采用激光焊接进行密封。由此可见，异种材料间的连接需根据连接部位、刚度和强度要求，有针对性地选择适宜的连接方式。

在电池包箱体与车身的连接形式上，各企业采用的方法存在差异，目前国内外相关研究成果相对较少。以碳纤维箱体为例，其与车身的连接处通常使用金属接头，接头与材料主体结构层通过混合连接的方式进行固定。此外，“机械固定＋胶接”的混合连接方式，能够有效提高轻型构件和车身结构的疲劳强度、扭转刚度与耐撞性，在实现轻量化的同时，确保连接具备良好的稳定性。

7.5 本章小结、创新点与思考题

(1) 小结 本章阐述了轻量化材料，如铝合金、镁合金以及碳纤维复合材料，在汽车制造领域所面临的连接技术挑战，同时给出了相应的解决方案。着重对焊接（涵盖电弧焊、激光焊、电阻焊、搅拌摩擦焊、超声波焊）、机械连接（包括自冲铆接、流钻螺钉连接、高速射钉连接等）以及胶黏剂连接的技术原理、适用场景进行了深入分析，并列举了典型案例。针对大型压铸铝结构件的连接难题，创新性地提出了摩擦元件焊等新型工艺。在进行多材料连接时，必须同时兼顾连接强度、生产效率以及防腐蚀性能，而产学研合作是推动这一技术不断向前发展的关键因素。

(2) 创新点

① 新型摩擦元件焊（FEW）的创新应用：通过摩擦热软化铝材并焊接底层钢材，实现无需穿透钢板的异种材料连接，突破传统铆接对高延伸率材料的依赖。该技术适配超高强钢和热成型钢的混合连接，扩展了压铸铝在车身的应用边界。

② 胶黏剂混合连接技术的系统性突破：采用胶黏剂＋机械连接（铆接/螺栓连接）的混合模式，通过物理隔绝异种金属接触，阻断电化学腐蚀路径。提出胶层厚度优化策略，通过增加胶层厚度吸收异种材料热膨胀差异（断裂伸长率提升），同时对增厚导致的强度下降进行了量化分析。制定非金属复合材料胶接的标准化技术要求，涵盖极性处理、搭接形式优化等关键工艺参数。

③ 在异种轻量化材料连接技术领域提出两项创新：一是基于直流脉冲 MIG 焊的 A356 铸造铝与 6005A 变形铝异种合金对接技术，揭示了焊缝区 Al-Si 共晶枝晶组织与力学性能的关联性，成功应用于全铝前副车架制造；二是钢铝混合后地板总成自冲铆接技术，解决了 AlSi10Mg 铸铝与 HC340/590DP 高强钢异质材料的连接难题，通过子午线剖面分析确立残余底厚、互锁长度等关键参数标准，并验证接头峰值剪切力及三类失效模式特征。

④ 应用产学研协同创新模式：基础研究与应用开发并重，从材料界面反应机理到产线设备开发实现全链条创新。通过团队研发案例验证多材料连接质量在线监控技术，实现工艺稳定性提升。通过企业标准适配（如残余底厚、互锁长度），确保规模化生产的一致性与可靠性。

(3) 思考题

思考题 1：与传统点焊相比，自冲铆接（SPR）在轻量化车身制造中有哪些优势？其局限性是什么？

思考题 2：异种材料连接时易出现电化学腐蚀和硬脆相问题，胶黏剂连接如何解决这些问题？

答案

思考题 3：大型压铸铝结构件（如一体化后地板）的连接面临哪些特殊挑战？摩擦元件焊（FEW）如何应对？

参考文献

[1] 李永兵，马运五，楼铭，等．轻量化多材料汽车车身连接技术进展［J］．机械工程学报，2016，52（24）：1-23.

[2] 周万盛，姚君山．铝及铝合金的焊接［M］．北京：机械工业出版社，2007.

[3] 黄旺福，黄金刚．铝及铝合金焊接指南［M］．长沙：湖南科学技术出版社，2004.

[4] 袁明宇，王汝站．汽车生产中的焊接关键技术研究［J］．时代汽车，2017（14）：119-120.

[5] 陈义红．激光焊接在汽车行业中的应用［J］．汽车零部件，2012（07）：30.

[6] 夏良江．浅析铝合金轮辋闪光对焊技术［J］．摩托车技术，2010（12）：36-39.

[7] 栾国红．汽车制造新技术-搅拌摩擦焊［J］．现代零部件，2006（05）：76，78-80.

[8] 刘孟．铜及铜合金的搅拌摩擦焊工艺研究［D］．大连：大连交通大学，2007.

[9] 李亚江．轻金属焊接［M］．北京：国防工业出版社，2011.

[10] 张胜玉．塑料超声波焊接技术（上）［J］．塑料包装，2015，25（01）：51-55.

[11] 曹朝霞．特种焊接技术［M］．北京：机械工业出版社，2015.

[12] 高菁菁，李钊文，范林，等．汽车车身上铝点焊的研究及应用［J］．汽车工程师，2018，4：15-17.

[13] 邢保英．自冲铆连接机理及力学性能研究［D］．昆明：昆明理工大学，2014.

[14] 鲍立，王镝，张驰．FDS 连接工艺在车身轻量化中的应用研究［J］．汽车与配件，2018，2：66-69.

[15] 周一兵．汽车粘接剂密封胶应用手册［M］．北京：中国石化出版社，2003.

[16] GB/T 16997—1997. 胶粘剂　主要破坏类型的表示法．

[17] 李立碑，孙玉福．金属材料物理性能手册［M］．北京：机械工业出版社，2011.

[18] 侯进森，冯奇，杨琨，等．表面处理对碳纤维复合材料胶接性能影响研究［J］．上海汽车，2017，10：50-53.

[19] 靳武刚．碳纤维复合材料胶接工艺［J］．航天工艺，2001，3：13-17.

[20] 张华，刘博洋，张林阳，等．乘用车车身压铸铝结构件应用现状及连接技术开发应对［J］．汽车工艺与材料，2024（07）：9-13.

[21] 黄成义．基于有限元的某纯电动 SUV 车身轻量化研究［D］．北京：北京工业大学，2020.

[22] 胡光山，沈长海，刘慧军，等．A356/6005A 异种铝合金脉冲 MIG 焊接接头的组织和力学性能研究［J］．热加工工艺，2019，48（13）：54-58.

[23] 胡光山，顾时茂，贺丽丽，等．钢铝混合后地板总成的自冲铆连接性能研究［J］．汽车工程学报，2020，10（03）：213-218.

[24] 张然然，陈伊宁，熊建民，等．“碳纤维复合材料/DC04 钢”胶接剪切性能研究［J］．玻璃钢/复合材料，2019（05）：89-93.